文庫

戦時商船隊

輸送という多大な功績

大内建二

光人社

まえがき

戦時体制のとられた国の商船隊は、ほとんどの場合、戦争遂行のための輸送部隊の主力としてその国の陸軍や海軍の影響下に置かれる。これは第一次・第二次世界大戦を通して世界的な姿でもあった。

軍の影響下に置かれた商船隊は必要最低限の数の商船を、国内の貨客の輸送や当該国と密接なつながりのある友好国や当該国の属領との間の貨客輸送に振り向けられるかたわら、主力商船は軍事作戦に必要な物資や将兵の輸送に回されたり海軍の補助艦艇として使われる。

軍が商船を使用する場合は陸海軍がそれぞれ必要数の商船を徴用することになるが、徴用される商船は陸海軍が傭船する形式をとり、その船を動かす乗組員もその船が徴用されている期間は陸海軍の軍属として招集されるのである。

大戦に巻き込まれた国の商船隊は、それまでの国内経済や海外貿易活動の輸送手段としての立場から、一転して戦争遂行のための輸送手段として、あるいは戦争遂行への直接的な武装集団の一員として、否応なしに戦争の担い手となってゆくのである。そしてその数量は最終的には膨大な数に達するのである。

輸送手段として使われる商船の数量は数十万総トンから数百万総トンに達し、常に敵からの攻撃の危険にさらされながら黙々と任務をこなすことになる。

しかしほとんどの場合、例えば数千万トンという膨大な物資を運び数百万人の将兵を運び、勝敗は別として戦争の遂行に多大な功績を残す割には商船隊の一隻一隻の商船に対し、当該国の国民が軍艦に対するような畏敬や感謝の念を抱くことが少ないのが不思議である。

つまり戦時商船隊の商船はその功績が報われることはほとんどなく忘れ去られ、仮にあったとしても極めて希な数の商船が一時的な日の目を見るに過ぎない。

一方、特殊な任務の艦艇として徴用された商船も同じような立場に置かれる。戦争当事国の海軍の艦艇は常に必要最低限の数量が揃えられているだけであり、一朝有事の際には商船を艦艇として使用するという発想は海軍を持つ国であれば半ば常識化した考えなのである。

それだけに戦争の勃発と同時に多数の商船が補助艦艇として徴用され、武装を施されて海軍籍に入りながら、これらの商船の場合も輸送の任務につく商船と同じく縁の下の力持ちを演ずるだけで、日の目を見る機会はほとんどない。

海軍の艦艇の活躍や個々の艦艇を紹介する出版物は極めて多い。しかしこれら艦艇の活躍と負けず劣らずの活躍をした商船たちの戦歴や個々の商船を紹介する出版物は極めて少ないのであり、それはむしろ奇異にさえ感じるのである。

この傾向は欧米の海運国に比べ日本においては特に顕著であり、世界に冠たる海運国日本の国民としてはなはだ残念である。

この書は日本の戦時商船隊と世界の戦時商船隊の活躍ぶりを紹介し、改めて自国の商船隊への認識を深めてもらうために著わしたもので、既刊の弊著書「輸送船入門」「商船戦記」に続く読物としてまとめ上げたものである。

僭越ながらこれら作品をご覧いただき、改めて日本の戦時商船隊が如何なる活躍をしていたかを読者の皆様に理解していただくとともに、日本の戦時商船隊の乗組員が陸軍や海軍の将兵の戦死率（平均一六パーセント）をはるかに上回る戦死率（四六パーセント）を上げながら、最後まで戦い通した姿を改めて理解していただきたいのであります。

国籍は問わず、それぞれの国の様々な戦時商船の任務の中で、黙々と任務を遂行する中で散華していった商船乗組員の姿や、戦争当事国が戦時商船確保のためにどのような努力をしていたか、この書の中で少しでも理解いただければ筆者として幸甚であります。

戦時商船隊——目次

戦時商船隊

輸送という多大な功績

第1章　帆装仮装巡洋艦ゼー・アドラーの戦歴

武装帆装商船が展開したロマンに満ちた通商破壊作戦

戦時において商船に武装を施し仮装（特設）の巡洋艦に仕立て上げ、航行する敵対国の商船を襲い拿捕したり撃沈したりするというゲリラ的な通商破壊戦法は、第一次と第二次世界大戦でドイツでは盛んに使った戦法でありそれなりの効果を上げた。

この戦法の起原は帆船時代にさかのぼることができるが、それは後の通商破壊作戦と呼ばれるものではなく、単なる海賊行為と呼ぶのがふさわしかった。しかし同じ海賊行為でもイギリスのフランシス・ドレーク等が展開したエリザベス女王（一世）公認の海賊行為は、世界の商業社会が徐々に発展して行く過程で展開された一種の通商破壊作戦といえよう。

この国家公認の海賊行為が極限まで発展したものが、第一次世界大戦でドイツがいち早く採用した仮装巡洋艦による通商破壊作戦ではなかろうか。そして第一次世界大戦ではこの意表をついた作戦は意外に大きな効果を上げることになった。

商船に武装を施し公海上で通商破壊作戦を展開する狙いは、一つには海上を護衛なしで単独で航海する敵国商船に心理的な負担を与え、ひいては商船の航行を差し控えさせ、国家経済や戦争遂行上に打撃を与えようとするものである。たかが少数の商船の拿捕や損失と考えるのは早計で、やはり安全な船舶の航行を少しでも妨げるものの存在は目障りである。

もう一つの狙いは、神出鬼没のこの目障りな武装船を被害国がいつまでも野放しにし、しかも商船の犠牲が増えるとなれば、被害国の国民は自国海軍の不甲斐なさに非難の嵐を向けることになり、かといって海軍は多数の艦艇をたかが数隻の武装船のためにいつ果てるともなく出動させるわけには行かないという、被害国にジレンマを与えることにもなるのである。

一九一四年六月にオーストリアの皇太子がボスニアの首都サライエボで、セルビアの狂信的な愛国団体に所属する一人の青年によって狙撃され殺害されるという事件が起きたが、この事件は緊迫していたバルカン方面の局面を極度の緊張に陥れ、同年七月二十八日にオーストリアがセルビアに対して宣戦を布告するという事態にまで発展してしまった。

そしてこの事件はたちまち周辺諸国に飛び火し第一次世界大戦へと発展してしまった。

この重大な事態にドイツ、イギリス、ロシア、フランス等のヨーロッパ列強諸国は、当時のそれぞれの国が持つ利害関係の立場上、オーストリアかセルビアの何れの国かに与しなければならない状態になってしまった。そして八月にはイギリスがドイツに対して宣戦を布告し、ついに世界を巻き込む大戦争に発展してしまった。第一次世界大戦の勃発である。

第一次世界大戦は当初はヨーロッパの地において地上戦主体の戦闘として展開していたが、戦争の進展と共に大西洋や地中海の制海権が連合国側に握られ出すと、ドイツは戦争資材や国民生活の様々な基礎資材を海外から調達するという面で、致命的な弱点を暴露してしまう結果となった。

これに対しドイツは一九一五年後半から連合国側の商船をゲリラ的に攻撃し、敵対国に対して様々なボディーブロー効果を与えようとする試みを大々的に展開した。その一つが世界最初の潜水艦による敵対国や中立国商船に対する無制限攻撃であり、あるいは軍艦を単独で航行させ敵国商船を攻撃する戦法であった。そしてその過程の中で商船に武装を施し敵対国商船を攻撃する戦法が実行されたのである。

潜水艦による世界で最初の撃沈劇は、一九一四年九月五日にドイツ潜水艦Ｕ21がイギリスの軽巡洋艦パスファインダーを魚雷で仕留めたことに始まる。

その後潜水艦の攻撃の矛先は商船に向けられ、しかもいつしか無警告攻撃が普通の手段になってしまった。そしてついには一九一五年五月七日にイギリスが誇る豪華高速巨船ルシタニア（三万一五五〇総トン・最高速力二五ノット）がアイルランドの南岸沖で雷撃で撃沈され、一二〇〇名という多数の犠牲者が出るという事件が起きてしまうと、まるでこの事件が引き金になったかのように、その後ドイツ潜水艦の雷撃による連合国あるいは中立国商船の犠牲は激増した。

結果的には一九一四年七月の開戦以来一九一八年十一月のドイツ休戦まで、連合国と中立国は合計約一〇〇〇万総トンという膨大な量の商船を失うことになったのである。

実はドイツは開戦早々から潜水艦よりも早く水上艦艇による通商破壊作戦を展開していた。一九一四年八月のイギリスの宣戦布告と同時に、中国の青島に駐留していたドイツの極東艦隊の五隻の巡洋艦が何処へともなく消え去るという事件が起きた。

その後その中の一隻の軽巡洋艦エムデンが南太平洋やインド洋で、連合国側の商船を幾隻も撃沈するという事件が立て続けに発生した。水上艦艇による近代戦初めての通商破壊作戦である。

エムデンは最終的には一九一四年十一月に、インド洋の孤島ココス島でオーストラリア海軍の巡洋艦シドニーによって撃沈されたが、ドイツ海軍はこのとき以降潜水艦とあわせ商船に武装を施し、通商破壊作戦に投入する戦術を展開した。

ドイツ海軍は五〇〇〇総トン級の貨物船に数門の大砲や魚雷発射管を装備し、外部からは武装が見えないように偽装した仮装巡洋艦数隻を一九一六年に準備した。ヴォルフ、メーヴエ、グライフ等がその中でも代表的な仮装巡洋艦であった。そしてこれらの艦は大西洋からインド洋にかけて「敵国商船狩り」に解き放たれた。

一九一七年九月にはインド洋で日本のヨーロッパ航路用の貨客船・常陸丸（Ⅱ）がヴォルフに拿捕され撃沈された。当初日本は常陸丸（Ⅱ）がドイツの仮装巡洋艦に拿捕されたことを知らなかったが、事情が判明したときの日本の商船界や海軍の衝撃は大きかった。

ドイツ海軍は当初は仮装巡洋艦として蒸気機関（レシプロ機関）の貨物船を使っていたが、一九一六年後半になって帆装貨物船を仮装巡洋艦に仕立て上げるというアイディアを実行に移した。ただ帆船といっても全くの無動力船では作戦上不都合をきたすために、無風状態でも行動できる程度の補助動力を備えた船を探さなければならなかった。

仮装巡洋艦になぜ帆船を使おうとしたか。それには明確な理由があった。

理由の一つは動力船と違い、帆船であれば長距離を燃料を補給する心配もなく航海できるというメリットがあるということ。二つ目のメリットは、第一次世界大戦が勃発した頃の世界の海運界ではまだ商船の中には帆船が多数存在していたことで、敵側から見れば「まさか非力の帆船が仮装巡洋艦に化けているとは」という、油断を最大限に活用できるということであった。そしてもう一つ、帆船を仮装巡洋艦に仕立てたときに攻撃する側の帆船にとって、極めて有利な策略があった。それは帆船の航海では昔から存在した習慣を最大限に利用できるという旨味である。

無電などの通信手段がなかった十九世紀頃までの帆船全盛の時代には、帆船同士が大海原でたまたま行き合った場合には互いに接近し、お互いに現在位置や時刻を確認し合うという暗黙の習慣があった。これは時には世の中の様々な情報の交換の場にも使われたのである。そしてこの習慣は二十世紀初頭のまだ多くの帆船が商船として使われていた時代にも通用するもので、帆装仮装巡洋艦で敵国商船を攻撃する際には極めて便利な攻撃手段となった。つまり相手が動力船であっても、帆船からの呼びかけには大概は「興味にそそられて」接近してくる可能性が十分にあり、攻撃する側にとっては誠に都合のよい舞台演出ができるのであった。

一九一六年十月、一隻の帆船がブレーメルハーフェンで仮装巡洋艦に改装された。その船は一八八八年にイギリスで建造された鋼製の帆装貨物船で、一五七一総トンのシップ型三本マストのクリッパー帆船「パス・オブ・バルマハ」であった。この船はドイツとイギリスが戦闘状態に突入した直後に、そうとは知らずにブレーメルハーフェン港に入港して来たもので、船も乗組員もたちまちドイツの手に落ちてしまった。

船齢はすでに二十八年という老朽船であったが耐久力は十分にあり、仮に帆装仮装巡洋艦に改造しても、一見老朽船ということで相手を油断させる材料としても使えた。さらに都合の良いことにこの船には補助動力として五〇〇馬力の、当時としては先端を行くディーゼル機関を備えていた。

ディーゼル機関の補助動力が備えられていることは、海上に風があるなしに関わらず自由な操船ができ、戦闘を行なう上で大きなメリットとなった。

パス・オブ・バルマハの船体外部には目立つような際立った改造は施さなかったが、船内や甲板上には大きな改造が加えられた。その一つが船首と船尾の甲板両舷に口径八・八センチの大砲が取り付けられたことである。そしてこの四門の大砲がこの帆装仮装巡洋艦の唯一の武装であった。

大砲は舷側のブルワーク（甲板両舷側の波除け腰板）の内側に隠れるように取り付けられ、戦闘開始に際しては大砲の前のブルワークが倒され砲身が旋回できるようになっていた。

またこの船は本来が貨物船であるために船内には船倉という十分な空間があった。船倉に新しく甲板や仕切りが設けられ、増員された乗組員の居室や拿捕した船の乗組員の収容施設が用意された。特に拿捕される船の国籍は様々であることが予想されるために、船内で余計な摩擦が起きないように居室も細かく区分され人種や国籍別に収容できるようにし、合計四〇〇の簡易寝台が準備された。

また船底には四八〇トンの飲料水タンクや二年分の食料を貯蔵する倉庫、さらに補助機関用の四〇〇トンの燃料タンク等も用意され、それらとは別に装甲板を張り巡らした大砲用の弾薬庫や万一に備えての武器庫も準備された。

改造が終了したパス・オブ・バルマハには新しく「ゼー・アドラー」（海鷹）という船名がつけられ、艦長以下合計六八名の乗組員が乗艦した。もちろんこれら乗組員には帆船の取り扱いに習熟した者が選ばれた。

艦長にはフェリックス・グラーフ・フォン・ルックナー予備海軍少佐が任命された。彼はプロイセン時代から続くドイツ帝国の名門ルックナー伯爵家の御曹司で、当時ドイツ帝国海軍の正規と予備の高級将校の中では最も帆船の取り扱いに習熟した人物であった。

ルックナー艦長は少年時代に冒険に憧れ、十代で家を飛びだし船乗りに仲間入りしていた。彼が乗船した船は全て帆船で、二十代の青年に育った頃には彼は帆船の航海士の資格も取得していた。

その後彼はドイツ海軍の予備士官の資格を得、海軍の帆走艦艇の航海士から艇長まで経験を積み階級も次第に上がり、第一次世界大戦が勃発した頃には予備海軍少佐として艦艇の艦長の資格を持っていた。その最中に彼に与えられた任務が奇想天外な帆装仮装巡洋艦の艦長であった。

準備の整ったゼー・アドラーは一九一六年十二月二十一日にヴィルヘルムスハーフェン港を密かに出港した。向かうは大西洋である。しかしルックナー艦長は作戦を展開する前に、目の前に大きな関門が待ち受けており、この関門を通過できるか否かに今後の作戦の成否がかかっていることを十分に承知していた。

当時大西洋の制海権は完全にイギリスに握られていた。ドイツの商船であれ軍艦であれヴィルヘルムスハーフェン港を出た船舶が大西洋に出るには、まず北海を北上しノルウェー海

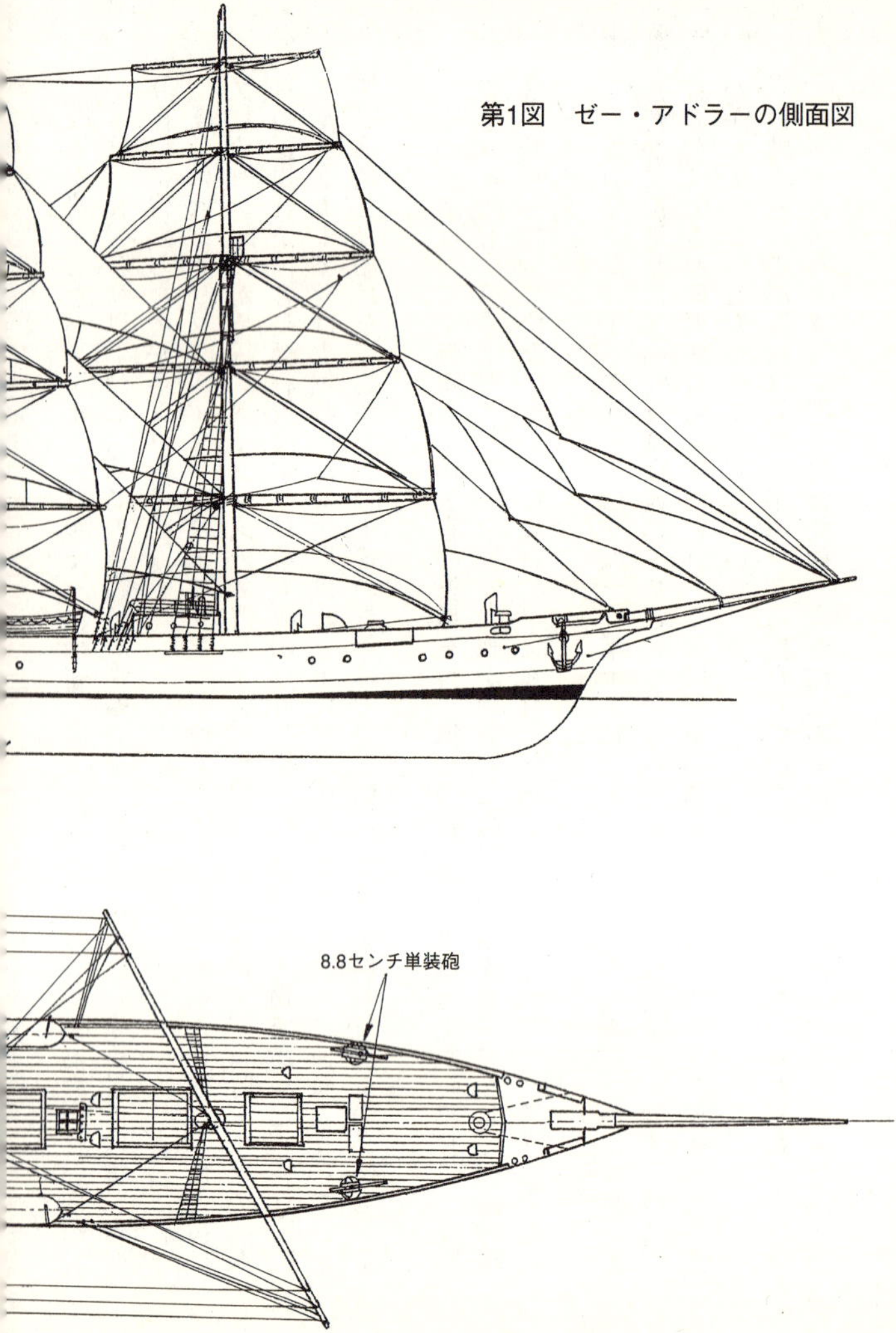

第1図　ゼー・アドラーの側面図

8.8センチ単装砲

に出た後にアイスランド島やデンマーク領のフェロー諸島、さらにはイギリス領のシェットランド諸島の間の何処かを通過して大西洋に抜けなければならなかった。しかしこの海域には常にイギリス海軍の艦艇が配置され、ドイツ艦隊の艦艇や商船が大西洋に向かうことに警戒の網を張っていた。つまりゼー・アドラーは大西洋に出るまでには十中八九はこの警戒網に引っかかる可能性があった。

ルックナー艦長は作戦スタートの時点で遭遇するであろうこの関門を突破するために、彼のそれまでの豊富な海上生活の経験を活かし、様々な演出を準備した。

先ず第一にゼー・アドラーの船名を実在の似たような商船の船名に変えた。そして偽装のために積み込んだ大量の木材を変装に使い、ノルウェーからオーストラリアに木材を輸送する貨物船と偽り、そのためのもっともらしい書類一式も準備した。

これは彼が長い船乗り生活の間に十分に習得していたノルウェー語を最大限に活用するためでもあり、そのために部下の多くにノルウェー語に堪能な乗組員を選抜していた。もちろん船尾にはノルウェー国旗をはためかせ、ルックナーの艦長室にはノルウェー国王夫妻の写真を掲げ、家具調度類に至るまで北欧製を配置し舞台装置を整えていた。

案の定ゼー・アドラーがシェットランド諸島近海を通過し大西洋に向かっている最中に、イギリスの巡洋艦アヴェンジャーに誰何され停船を命じられた。

検問のために乗船してきたイギリス海軍の将兵たちはルックナーの艦長室に入り込み、様様な書類の提示を求めてきたが、その全てにルックナーは流暢なノルウェー語で応対し、準備万端の書類を提示し説明した。

ルックナー艦長の見事な演出が功を奏し、ゼー・アドラーは最難関のイギリス海軍の検問を難なく通過し大西洋の狩場に向けて意気揚々と進み出していったのである。

出港一九日目の一九一七年一月九日、ゼー・アドラーは大西洋のイベリア半島の西二〇〇〇キロメートルに位置するアゾレス諸島の西方で最初の獲物を発見した。相手はゼー・アドラーよりは倍以上も大きなイギリスの汽船グラディ・ロイヤル（五〇〇〇総トン）で、イギリスのカージフからアルゼンチンのブエノスアイレスまで五〇〇〇トンの石炭を運んでいる途中であった。

汽船グラディ・ロイヤルから見れば、大海原に純白の帆を広げて進んでくる三本マストの帆船の姿はまさに一幅の絵画であった。この間ゼー・アドラーは次第にグラディ・ロイヤルに接近し、手旗信号でお定まりの「現在の正確な位置と時間を教えてほしい」の信号を送った。この信号に対してグラディ・ロイヤルは何の疑いもなく、むしろ好奇心に誘われるようにゼー・アドラーに接近して来た。

これを待っていたかのようにゼー・アドラーの船尾のノルウェー国旗が突然下ろされ、ドイツ帝国の軍艦旗が掲げられた。そして舷側のブルワークが倒されるとたちまち二門の大砲がグラディ・ロイヤルに向けられた。そして船首側の大砲が火を吹いた。

砲弾はグラディ・ロイヤルの船首近くの海面に弾着したが、これは相手に「停船セヨ」そして「無電ノ発信ヲ禁ズ」という警告であった。

呆気にとられているグラディ・ロイヤルに向けてゼー・アドラーからは直ちに立ち入り検査のための将兵がカッターで送り込まれた。

船長以下のグラディ・ロイヤルの乗組員全員がゼー・アドラーの特別に準備された「客室」に収容されるまでにはさほどの時間はかからなかった。そしてグラディ・ロイヤルの食料倉庫から大量の食料品をゼー・アドラーに移し終えると、グラディ・ロイヤルの船底に時限爆薬を仕掛け、同号を海底に沈めてしまった。獲物第一号である。

翌日の一月十日に同じ海域で、今度はフランス領のマダガスカル島から大量の砂糖を積んでフランスに向かうイギリスの汽船ランディ・アイランドが、ゼー・アドラーの手口に引っかかり拿捕後撃沈されてしまった。このときも使った武器は一発の砲弾だけであった。

ゼー・アドラーは猟場を変えるために艦首を南に向けた。そしてアフリカ大陸と南米大陸の中間に位置する赤道付近の大西洋上で獲物を待った。この付近は船舶の航行が多いところで、ルックナーの長い海上生活の経験からも多くの獲物にありつける場所と確信していた。

事実その通りであった。ゼー・アドラーは一月二十一日から三月五日までの四三日間で実に一〇隻をこの場所で仕留めることになった。ただこの中の八隻が帆船の貨物船であることが特徴であった。そしてこの八隻の国籍はフランス四隻、カナダ二隻、イタリアとイギリスが各一隻であるが、この時代は先にも述べたようにまだ多くの帆船型貨物船が現役で活躍していたのである。

ルックナー艦長は結局これら八隻の帆船を拿捕するのに一発の砲弾も使わなかった。勝負は全て手旗信号と、ブルワークを倒して大砲を見せるだけで済んだのである。実に浮き世離れした戦闘といわざるを得ない。

拿捕された商船の乗組員は全員ゼー・アドラーの「客室」に収容され、食料品だけ奪取すると全ての船は船底にしかけられた時限爆薬で処分されてしまった。そしてこの間に拿捕されたいずれの船舶からも事態を伝える緊急無電が発せられることはなかった。というのは拿捕第一号の汽船を除き、いずれの船舶にも無線装置が搭載されていなかったからである。

結果的には拿捕された一〇隻の商船のいずれの所有会社も、それぞれが大西洋を航行中に荒天などで遭難してしまったものと判断しており、まさかドイツの仮装巡洋艦の犠牲になったとは予想もしていなかったのである。

ルックナー艦長は一〇隻目の獲物であるフランスの帆船型貨物船デュプレを沈めた後、狩場を移動することにし艦首を南に向けた。そして南米大陸南端のホーン岬を迂回して太平洋に出る予定にしていた。

その途中の三月十一日にイギリスの五〇〇〇トン級の貨物船ホーンガスに出会い、同じ戦法でこれを拿捕し、今度は同号を処分するために爆薬の節約のため同号の船底のキングストン弁を開き、船内に海水を噴流させて沈めてしまった。そしてこの汽船ホーンガスはゼー・アドラーがこの一連の作戦で沈めた最大の船であった。

ゼー・アドラーはさらに南に進んでいる途中、ブラジルのリオ・デ・ジャネイロの東約二〇〇〇キロメートルの地点で、フランスの帆船型貨物船カンブローヌに遭遇しこれを拿捕した。しかしルックナー艦長は今回はカンブローヌを沈めなかった。

この頃にはゼー・アドラーの「客室」も拿捕した一一隻の商船の乗組員二六四名でそろそろ窮屈になっていた。そこでルックナー艦長は荒れ狂うホーン岬の迂回を前に、これら「乗客」を拿捕したカンブローヌに移乗させて解放することにしたのである。つまりルックナー艦長としては仮装巡洋艦の行動目的は敵商船の撃滅であり、それら商船の乗組員を殺傷する必要はないという信念を持っていたために、彼ら全員を新たに拿捕した船に乗せ、最寄りの港まで行き着かせる行動に出たのである。

カンブローヌに移乗した「乗客」たちは最も近い港であるリオ・デ・ジャネイロに向かったが、彼らがリオ・デ・ジャネイロに到着している頃には、ゼー・アドラーは遥かホーン岬

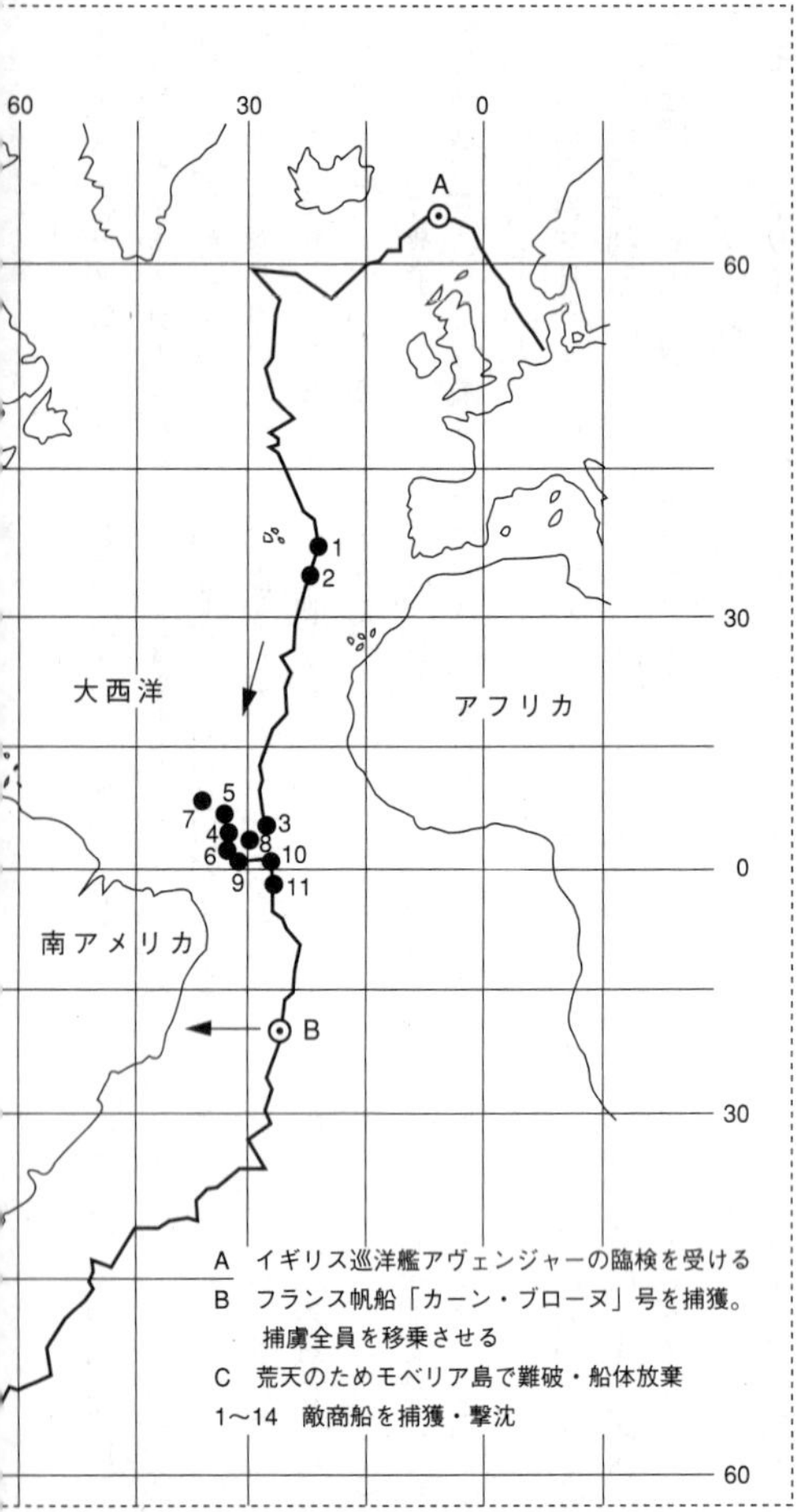

第2図　ゼー・アドラーの作戦行動の航跡

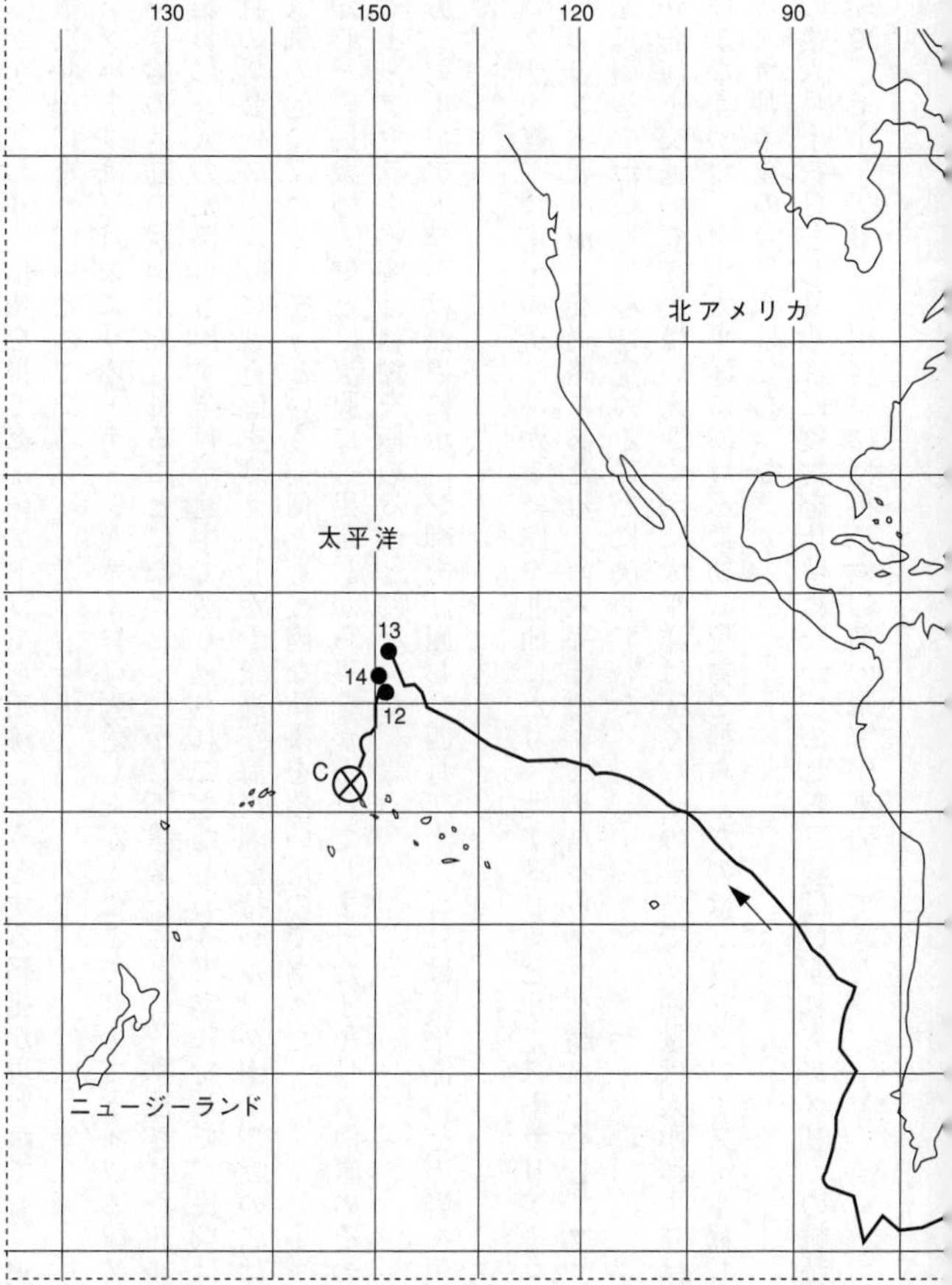

にさしかかっており、情報を得てゼー・アドラーを追跡しようとする艦艇が現われても、追跡困難な状況になっていたのである。

カンブローヌは三月末にリオ・デ・ジャネイロに到着したが、ここで初めてドイツの帆装仮装巡洋艦の活動の状況が知られることになった。しかし不思議なことに、拿捕された商船の乗組員に一人の死傷者も出ず全員が途中で送り返されてきたという事実に対して、民衆はこの謎の帆装仮装巡洋艦に親近感を覚え、しかも崇高な海員魂を持つルックナー艦長の名は一躍人気の的になってしまうという、何とも皮肉な結果を招いたのであった。

しかし一般民衆の人気とは裏腹に、出だしから裏をかかれてしまったイギリス海軍のその後のゼー・アドラー追跡は執拗を極めることになった。

一方、ゼー・アドラーは無事にホーン岬を迂回し、四月二十二日には太平洋にその姿を現わした。

ルックナー艦長は南米のチリ沖から針路を北西にとり、北アメリカとオーストラリアやニュージーランドとの海上交通路にあたる、南太平洋のタヒチ島からクック諸島、そしてフィジー諸島周辺の海域を狩場に定めることに決めていた。

しかし海上交通の要衝とはいえさすがに太平洋は広く、その一方で交通量は大西洋よりは遙かに少なかった。事実太平洋における最初の獲物を捕らえたのは、カンブローヌを拿捕してから二ヵ月半後の六月八日であった。

その後六月十八日と七月八日に獲物を仕留めたが、これら三隻はいずれもアメリカの帆装貨物船で、ゼー・アドラーの客室には再び六〇名の乗客が乗船してきた。

ルックナー艦長は獲物を求めて南に移動しようと針路をソサイエティ諸島付近まで約二〇〇キロメートルほど移動した。しかしソサイエティ諸島の北西端に位置するモペリア島付近に達した八月二日、突然天候が崩れしかも荒天の兆しが見え始めた。そこでルックナー艦長は船をモペリア島の周辺を巡る大きな環礁の中に入れ、そこで荒天に備え避泊することにした。

しかしこの避泊がゼー・アドラーの命取りになってしまった。大荒れの海上の風波の影響は安全と思われた環礁の中にまで押し寄せ、ゼー・アドラーは走錨を始めついには船底を環礁に乗り上げてしまった。この結果、船底の外板は大きく破損し海水は船内に侵入し、船体を放棄せざるを得ない状態になってしまった。

激しく破損されたゼー・アドラーを修復する方法はなく、乗組員ばかりでなく拿捕した船の船員を含め一三〇人ほどの人々は、孤島であるがゆえに帰国の途は閉ざされてしまったかに見えた。

しかしここでルックナー艦長の持ち前の冒険心が頭をもたげた。彼は何と勇敢で屈強な乗組員一二名と共にゼー・アドラーに搭載していたカッターに乗り込み、最寄りの島に停泊中の適当な帆船の「奪取」に出発したのである。

これは一見無謀なように思われるが、まだ多数の帆船がこの近海の島々付近を航行し、あるいは休養のために停泊している状況であったために、手段を選べば「奪取」は決して不可能なことではなかった。

その一方でルックナー艦長との事前の打ち合わせ通り、モペリア島に残された全員はルッ

国　籍	拿捕・撃沈場所	戦　果
イギリス	大西洋(アゾレス諸島南方)	撃沈
イギリス	大西洋(アゾレス諸島南方)	撃沈
フランス	中部大西洋(熱帯海域)	撃沈
カナダ	中部大西洋(熱帯海域)	撃沈
フランス	中部大西洋(熱帯海域)	撃沈
イタリア	中部大西洋(熱帯海域)	撃沈
イギリス	中部大西洋(熱帯海域)	撃沈
カナダ	中部大西洋(熱帯海域)	撃沈
フランス	中部大西洋(熱帯海域)	撃沈
フランス	中部大西洋(熱帯海域)	撃沈
イギリス	中部大西洋(粘体海域)	撃沈
フランス	中部大西洋(熱帯海域)	拿捕(捕虜返還用)
アメリカ	東南太平洋	撃沈
アメリカ	東南太平洋	撃沈
アメリカ	東南太平洋	撃沈

クナー一行が戻る前に通りがかりの船に救助される機会があれば、直ちに救助されその後にその船を奪取し最寄りの港に寄港し、「乗客」たちを解放した後に適宜その船で帰国する手筈になっていた。そして事実その手筈は予定通りに進んだのであった。

モペリア島に残留した全員はその後間もなく通りかかったフランスの帆装貨物船リュテスに救助された。そして救助された者全員で何とリュテス号を乗っ取ってしまい南米のチリに向けての航海を続けた。しかしその途中で太平洋の孤島イースター島付近に達したとき荒天にあい、島に避泊している最中に再びリュテス号が航行不能なまでに破損してしまった。

その後彼ら全員はイースター島に立ち寄ったチリの船に救助されることになったが、ゼー・アドラーの乗組員は結局チリで戦争が終結するまで抑留されることになった。

一方、カッターで「帆船」捜しに向かったル

第１表　ゼー・アドラーが拿捕・撃沈した商船一覧

年月日	商船名	種　類
1. 1917年 1月 9日	グラディ・ロイヤル	汽船・貨物船
2. 1月10日	ランディー・アイランド	汽船・貨物船
3. 1月21日	シャルル・グノー	帆船・貨物船
4. 1月24日	パーシー	帆船・貨物船
5. 2月 3日	アントナン	帆船・貨物船
6. 2月 9日	ブエノスアイレス	帆船・貨物船
7. 2月19日	ピンモア	帆船・貨物船
8. 2月26日	ブリティッシュ・ヨーマン	帆船・貨物船
9. 2月27日	ラ・ロシュフコー	帆船・貨物船
10. 3月 5日	デュプレクス	帆船・貨物船
11. 3月11日	ホーンガス	汽船・貨物船
12. 3月21日	カンブローヌ	帆船・貨物船
13. 6月 8日	A.B.ジョンソン	帆船・貨物船
14. 6月18日	R.C.スレイド	帆船・貨物船
15. 7月 8日	マニラ	帆船・貨物船

ックナー艦長一行は、途中立ち寄ったフィジー諸島でイギリス海軍に捕まってしまった。しかし彼らはそこからも運良く脱走はしたものの再び捕まり、最終的にはニュージーランドに送られそこで戦争の終結を待つことになった。

帆装仮装巡洋艦ゼー・アドラーは、一九一七年一月九日から七月八日までの六ヵ月間に合計一四隻、三万一〇〇〇総トンの商船を撃沈し、さらに一隻の商船を拿捕している。

二〇〇〇総トンにも満たない、しかも帆船でこれだけの戦果を上げたこと自体が驚きであるが、この間にゼー・アドラー側にも拿捕された商船側にも一名の死傷者も出なかったことは更なる驚きである。

この事実はルックナーという人物が類希な正義感と海員魂の持ち主であると共に、類希な戦術家であり豊富な帆船操船の経験者であったことを証明するもので、作戦を展開する場合でも彼は常に「世界の船乗りは全て友人」、とする彼の確固たる信念で貫かれていたことを示すものでもあった。

彼は第一次世界大戦後は敵味方の区別なくあらゆる国の人々から尊敬されることになったが、第二次世界大戦後に高齢のために亡くなるまでその尊敬の念が衰えることはなかった。

第２章　軍隊輸送船トランシルバニアと日本海軍護衛駆逐艦

地中海派遣の日本海軍特務艦隊が演じた護衛戦

第一次世界大戦で日本の駆逐艦が地中海を舞台に連合国輸送船の護衛に大活躍した話は、日本ではすでに忘れ去られようとしている。

一九一四年七月にオーストリアがセルビアに対して宣戦を布告し、八月にはイギリスがドイツに宣戦を布告することによって全世界が歴史上最大規模の戦争に巻き込まれた。ヨーロッパから遠い極東の日本もこの世界規模の戦争に無縁でいられず、それどころかこの大戦争の影響を直接受けることになった。

日本は第一次世界大戦では連合国側についたため、日本のヨーロッパ航路に就航している船舶もドイツ潜水艦に攻撃される危険が高まった。事実この戦争中にヨーロッパの海域では数隻の日本商船がドイツ潜水艦の雷撃によって撃沈された。

ドイツ潜水艦の無差別攻撃の危険にさらされる危険性は世界の貿易活動に多大な影響を与えたが、その一方ではいわゆる「戦争景気」が生まれ、日本などは海運界や造船界が大いに潤うという妙な現象が生まれることになった。しかしこの戦争では世界中の商船約一〇〇〇万総トンがドイツ潜水艦の雷撃の犠牲になるという悲劇も生まれ、大戦争がいかに世界経済に多大な混乱を引き起こさせるかを教えることになった。

第一次世界大戦が勃発したときドイツは中国の青島を拠点にした極東艦隊を持っていた。その勢力は巡洋艦五隻を主体にしたものであったが、決して無視できるような弱小戦力ではなかった。

当時中国に大きな勢力を持っていたイギリスはその状況を無視できず、日本に対して締結して久しい日英同盟を持ち出し、極東におけるイギリス勢力の堅持のために武力協力を要請してきた。

日本はこのイギリスの要請を了承し、イギリスがドイツに宣戦を布告した直後の一九一四年八月二十八日に日本はドイツに宣戦を布告した。そして同時に日本陸海軍はドイツの極東の拠点である青島攻略作戦を展開し、苦戦の末に青島要塞を陥落させ極東におけるドイツ勢力の芽を摘むことができた。

その後の日本にはしばしの小康状態が続いたが、一九一七年早々に日本が直接戦闘に参加する事態が発生した。

一九一七年一月、ドイツは連合国商船は当然のこととして、中立国の商船であっても無条件で撃沈の対象になることを列国に通知してきた。それまでは中立国の商船を攻撃の対象とする場合には、実行の可否は別として、連合国に対する軍需品やそれに類する物資を運んでいる船舶に限って攻撃の対象とする、という条件を付けていたがこれを全面的に廃棄した。

この警告は世界の商船界に深刻な衝撃を与えた。特にイギリスの場合は自国の商船ばかりでなく多くの中立国の商船によって、国民生活に必要な大量の物資を運んでいただけに、無制限攻撃が展開されればイギリスはたちまち兵糧攻めの憂き目に会うことになり、戦争の遂行上にも計り知れない影響を及ぼすことになるのは明白であった。

当時イギリス海軍では商船の護衛用の艦艇が払底しており、自国商船の護衛ばかりでなく自国の軍隊輸送船の護衛もままならない状態であった。

一九一七年一月にイギリスは日本に対して戦闘海域に対して日本の艦隊の派遣を要請してきた。その要請内容は具体的で、インド洋を中心に二つの艦隊の派遣と地中海への艦隊の派遣であった。

当時インド洋にはドイツ海軍の水上艦艇が出没しており、オーストラリアやニュージーランドからインド洋・スエズ運河を経由しギリシャやトルコ方面に向かう輸送船に度々被害が発生していた。またオーストラリアやニュージーランドから南インド洋を通り、アフリカ南端のケープタウン経由でヨーロッパへ向かう輸送船が、アフリカ大陸南部沖の海域で度々ドイツ水上艦艇による被害を受けていた。

イギリスおよびイギリス連邦海軍では艦艇の不足からこれらの海域での輸送船の護衛に手が回らないために、日本海軍に輸送船護衛と哨戒のための艦隊を要請したわけである。そしてもう一つ、イギリスが大きな期待を寄せていたのが地中海への日本艦隊の派遣であった。イギリス側がこの艦隊へ期待するものは輸送船の徹底した護衛であった。

ヨーロッパ西部戦線は早くから膠着状態に陥り、これを打破するための東部戦線の戦いもロシア軍の劣勢で東部戦線の維持もおぼつかない状態になっていた。

イギリスはこの状況を打開し戦闘を一気に連合国側有利に展開させる作戦として、ギリシャからトルコおよびブルガリア方面に強力な戦線を構築する作戦を計画した。それは具体的にはダーダネルスとボスポラスの両海峡を強力な艦隊で突破し、多数の輸送船団を後続させ黒海に侵入しブルガリア方面に強力な陸軍部隊を上陸させようとするものであった。

しかしこの戦争ではドイツ帝国側に与したトルコ軍は事前にこのことあるを予測し、この両海峡に沿って強力な兵力を布陣させていた。特に海峡沿いには強力な陸上砲台が多数配置されていた。その結果、狭く長い両海峡を突破しようとした戦艦を主体にした有力なイギリス艦隊は、強力な陸上砲台の集中砲火を浴びた末に甚大な損害を出し撤退を余儀なくされた。

その後イギリスはイギリス連邦やフランスさらにはイタリアの協力を得て、海峡入り口付近のガリポリ半島からの陸軍部隊を上陸させブルガリア方面に侵攻する作戦に切り替えた。

そしてその補助作戦としてギリシャ北部からルーマニアやブルガリア方面に侵攻する作戦も併行させて行なうことになった。

このために連合軍側は地中海の東部方面に向けて多数の軍隊輸送船や戦争資材の輸送船を送り出すことになった。しかし地中海に潜入したドイツ潜水艦はこれらの輸送船に対する猛攻撃を展開することになったのである。そして大戦中に地中海戦域では実に七〇四隻、一四九万総トンの連合国側の商船が撃沈されることになった。

このドイツ潜水艦の猛攻に対して連合国側の護衛艦艇は絶対的な不足をきたしており、日本海軍の艦艇の派遣はかけがえのない戦力として期待されていたのであった。

日本海軍はイギリスの要請どおり直ちに三つの特務艦隊を編成しそれぞれの海域に派遣し

た。第一特務艦隊はインド洋南部からケープタウン方面に、第三特務艦隊はインド洋中心に、第二特務艦隊は地中海にそれぞれ派遣された。

第二特務艦隊は巡洋艦「明石」を旗艦として第十・第十一駆逐隊（各四隻で編成）で編成されたが、後に装甲巡洋艦「出雲」と「日進」（「明石」は途中交代帰国）の二隻と新たに駆逐艦四隻が加わり、最終戦力は巡洋艦二隻と駆逐艦一二隻となった。

第二特務艦隊の各艦は一九一七年二月中旬から順次日本を出発し、長駆地中海に向けて旅だって行った。そして途中シンガポール等で合流しながら四月十四日に地中海のイギリス海軍基地であるマルタ島のバレッタに到着した。

駆逐隊八隻は早くも到着の翌日から連合軍輸送船の護衛任務についた。第二特務艦隊に与えられた任務は、フランスのマルセーユからマルタ島を経由してエジプトのアレキサンドリアに向かう輸送船の護衛、イタリアのタラントから同じくアレキサンドリアへ向かう輸送船の護衛、またタラントからギリシャのサロニカへ向かう輸送船の護衛の三つであった。

エジプトに軍隊を輸送することは奇異に感じられようが、第一次世界大戦ではドイツ帝国側に与したトルコ軍は、シリアやパレスチナを経由してイギリスの拠点でもあるエジプトに侵攻を企てようとする気配があり、これに対処するために大量のイギリス陸軍部隊をエジプトに送り込むことになったのである。

この時代の商船の護衛は第二次世界大戦の時とは全てが異なっていた。まず潜水艦は実用段階に入ったばかりで水上艦艇が潜水艦を攻撃するなどとは考えてもみなかった時代であった。それだけにドイツ潜水艦による商船攻撃が激化すると、あわてて駆逐艦を対潜水艦攻撃の艦艇として使うことにしたが、攻撃は潜水艦が浮上している時に限られ、潜行中の潜水艦の攻撃などはまさに暗中模索の時代であった。

その中で潜行中の潜水艦を攻撃する武器として考案されたのが爆雷であった。しかし潜行中の潜水艦を探知する技術は未開発で、攻撃方法はそれこそ潜水艦が「潜んでいるであろう」と思われる場所にただ闇雲に爆雷を投下するだけであった。

潜水艦の発見も運良く浮上中の姿を確認するか、潜望鏡を発見するか、さもなければ発射された魚雷の雷跡をたどって潜行場所を推定する以外に方法はなかった。このことは護衛の駆逐艦側にしてみれば監視に極度の疲労を強いられる任務であり、護衛する商船が雷撃されても護衛艦側に非難を浴びせることは極めて理不尽なことであったわけである。

第二特務艦隊は任務開始の一九一七年四月から戦争終結の一九一八年十一月までの一年七ヵ月の間に、合計七六七隻の連合軍輸送船の独自護衛を行なった。またイギリス海軍と協同で護衛した輸送船の数はおよそ五〇〇隻に上っている。

当時の地中海での輸送船護衛は、第二次世界大戦当時の大船団を護衛するのとは違い、単独または数隻の輸送船を護衛するのが常で、そのために護衛艦艇は息つく暇もなく次々に輸送船の護衛に借り出されるために、護衛艦の行動回数は極端に多かったのである。

第二特務艦隊の一二隻の駆逐艦が護衛した輸送船で運ばれた兵員の総数は約七五万人に達している。そしてこの間にドイツ潜水艦二隻を確実に撃沈し、四隻を推定撃沈している。

その一方で日本の駆逐艦にも被害が出ており、歴戦の駆逐艦「榊」が雷撃によって大破、乗組員五六名が戦死するという被害を出している。

トランシルバニア

第二特務艦隊が護衛した最大の輸送船はイギリスの客船トランシルバニアであった。トランシルバニアは第一次世界大戦勃発直後の一九一四年十月にイギリスで完成した、総トン数一万四三一五トン、航海速力一六ノット、旅客定員各等合計二三七九名のニューヨーク航路用の客船であった。そして同号は完成後ニューヨーク航路に数回就航した後にイギリス政府に軍隊輸送船として徴用された。

一九一七年五月三日の午後三時半、トランシルバニアはエジプトに向かうイギリス陸軍部隊一個連隊（三〇〇〇名）の将兵と武器・弾薬・糧秣などを搭載してフランスのマルセイユ港をアレキサンドリアに向けて出港した。

客船トランシルバニアの護衛にはイタリア半島南端のメッシナ海峡までは第二特務艦隊第十一駆逐隊の駆逐艦「榊」と「松」の二隻がつくことになっていた。

駆逐艦「榊」と「松」は第一次世界大戦の開戦に伴って日本海軍が急遽建造した「樺」型駆逐艦に属し、同型艦が合計一〇隻建造された。基準排水量五九五トン、最高速力三〇ノット、四五センチ連装魚雷発射管二基、口径一二センチと口径八センチ砲を各一門備えた、当時の世界水準にある優秀な駆逐艦であった。

客船トランシルバニアの船体は黒・灰・白の三色の迷彩が施され、船内の各等客室や公室の家具調度品や備え付けのベッド類は全て下ろされ、船内の空所という空所には全て三段から五段式の簡易式ベッドが配置され、完全武装の将兵三五〇〇名の収容が可能になっていた。

二隻の日本の駆逐艦に護衛されたトランシルバニア号はマルセイユ港を抜錨すると針路を東にとりコートダジュールの海岸に沿って進んだ。航海速力は一六ノット（時速三〇キロメートル）と比較的高速で進んでいた。二隻の駆逐艦はトランシルバニア号の前方約五〇〇メートルの位置を、両艦の距離五〇〇メートルの間隔をおいて並列に進んでいた。

三隻がマルセイユを抜錨するに際してフランス海軍司令部から、「貴隊の予定する航路上には敵潜水艦の活動の兆しあり」とする警告を受けていた。もちろんいずれの護衛作戦の時にも事前に同じような警告が発せられる場合が多いが、今回の警告は三隻が進む予定航路に近い海域で、他の船舶が遊弋している敵潜水艦らしき姿を視認している報告が入っているだけに、不確実な情報として軽視することはできなかった。

「榊」と「松」の二隻はトランシルバニア号に先行する隊形をとりながら警戒を厳重にして進んだ。

翌日の早朝には三隻はイタリア半島の付け根付近に位置するジェノア湾沖を航行中で、間もなく針路を東南に変針した。その最中の午前七時半、突然トランシルバニア号の左舷船尾付近に轟音とともに魚雷命中を示す巨大な水柱が上がった。駆逐艦「榊」と「松」両艦の艦橋では同時にトランシルバニア号に魚雷が命中したことを視認した。陸側を航行していた「榊」は直ちに魚雷発射地点と思われる周辺海域に急行し爆雷攻撃を開始した。しかしそれはあくまでも推定の場所であり、敵潜水艦の二度目の攻撃に対する威嚇攻撃でもあった。しかし実際に潜水艦が潜行している場所が大きくずれていればそれは全く無意味な威嚇でしかないことは「榊」側でもよくわきまえていた。

一方「松」は直ちに急転舵するとトランシルバニア号支援のために同号に接近していった。このときのトランシルバニア号は船尾を若干海面下に沈め、船体が多少左舷側に傾いている程度の状態で海上に停止していた。

この段階ではトランシルバニア号が直ちに沈没する気配は感じられなかった。事実トランシルバニア号が被雷した場所は船尾水面下の左舷推進器の位置で、プロペラシャフトが折れ曲がり、左舷シャフトトンネルが破壊され、海水が破口からシャッフトトンネル内に侵入していたが、その先の機関室まで浸水はしていなかった。

「松」は多少傾いたトランシルバニア号の左舷船尾に接近すると、舫いを渡して「松」の船体をトランシルバニア号の左舷船尾に接舷させた。そしてトランシルバニア号側から縄梯子や網梯子を「松」の甲板に向けて下ろさせ、万一に備えてトランシルバニア号に乗船中の将兵の一部を「松」に移乗させる作業を開始した。

もちろんトランシルバニア号に乗船中の三〇〇〇名の将兵全員を「松」に移乗させることは不可能であるが、トランシルバニア号に搭載されている全ての救命艇や筏で全将兵が急速に避難しなければならないような万一の場合の混乱を避けるために、「松」艦長は安全を期して移乗を進めることにしたのであった。

「松」への移乗作業が開始されたときにはトランシルバニア号の船上では、船体がゆっくり

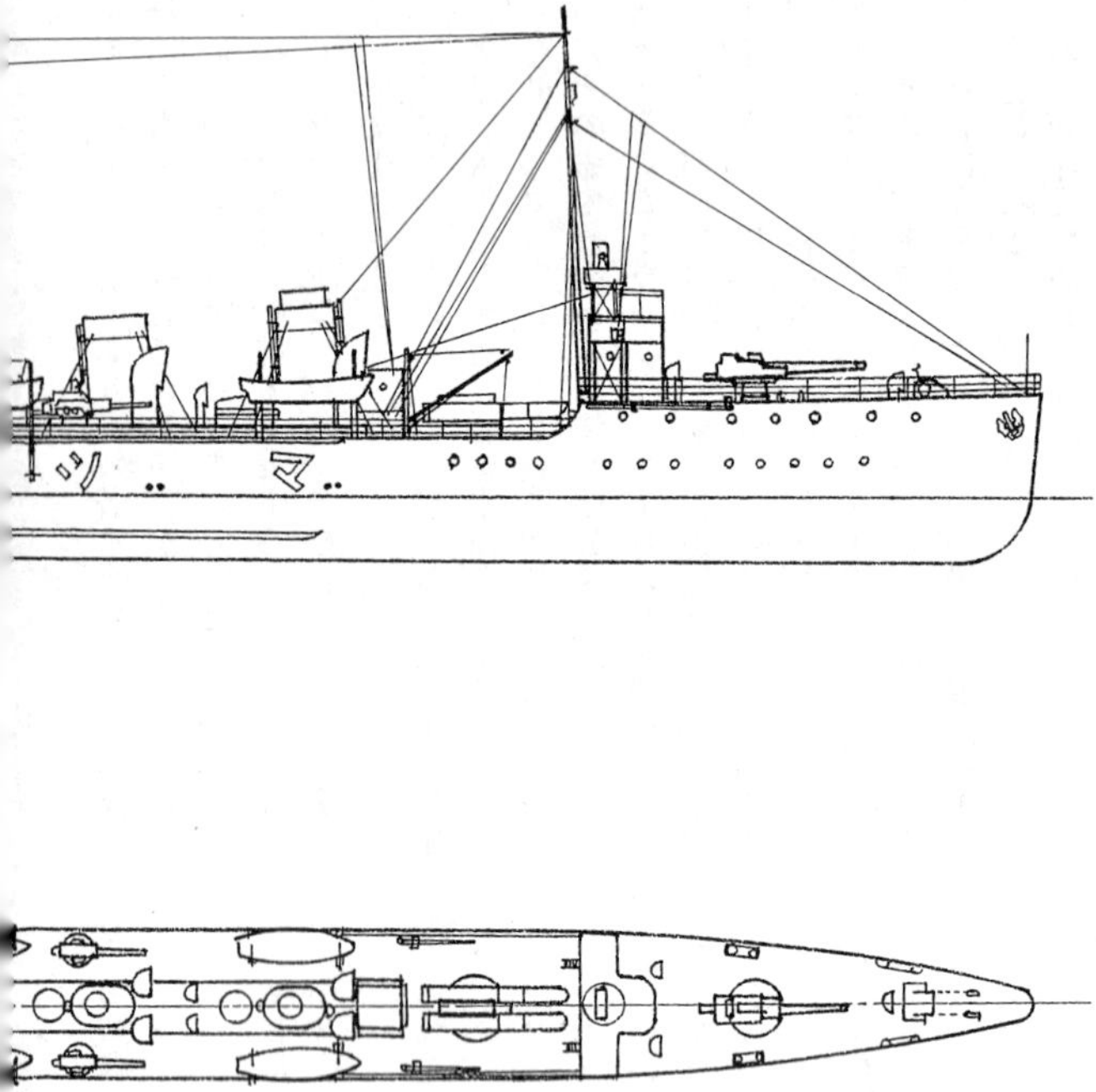

第3図　駆逐艦「松」の側面図と平面図

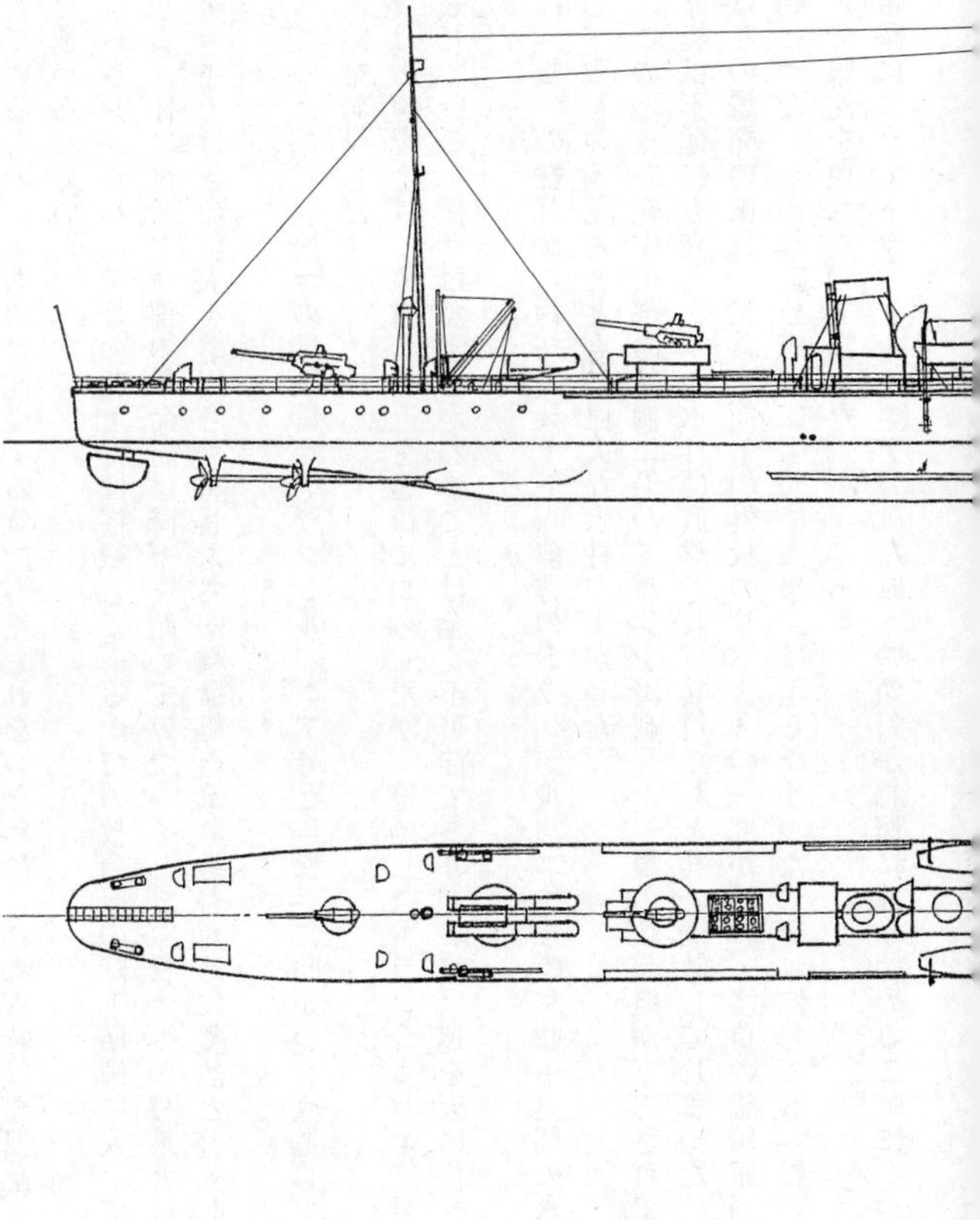

と傾斜しているものの直ちには沈没する気配も見られないために、移乗も特段な混乱もなく順序よく進められていた。

一方、トランシルバニア号の船上では搭載している全ての救命艇の降下準備に入っており、将兵を定員一杯に乗せた一部の救命艇は降下を始めていた。そして「松」への移乗とは別に、ボートデッキでは救命胴衣を着用した将兵たちが救命艇へ乗り込むために整然と整列していた。

まさにこのとき、「松」の見張員がトランシルバニア号と「松」に向かって直進してくる一筋の雷跡を発見した。

見張員は大声を上げて魚雷の接近を艦橋に知らせたが、停船したトランシルバニア号と舫いで接舷している「松」は魚雷をかわすことは全く不可能であり、二隻は運を天に任せるしかなかった。

魚雷は「松」の艦首から約一〇メートル前方のトランシルバニア号の左舷中央部の水面下を直撃し、激しい爆発音とともに巨大な水柱が上がった。

まさにこのとき左舷中央部の舷側に沿って将兵を満載した一隻の救命艇が下ろされてきた。この救命艇は不運にも立ち上った水柱に直撃され、兵員たちと共に飛散してしまった。

「松」はこの爆発の衝撃で艦首水面下の外板のリベットの一部が外れ、艦首の錨鎖庫周辺に浸水が始まった。しかし応急修理によって大事には至らなかった。それにしても「松」は間一髪の差で撃沈を免れたのであった。

この雷撃によってトランシルバニア号は左舷への傾斜が急速に進み始めることになった。

第4図　トランシルバニアが撃沈に至る航跡

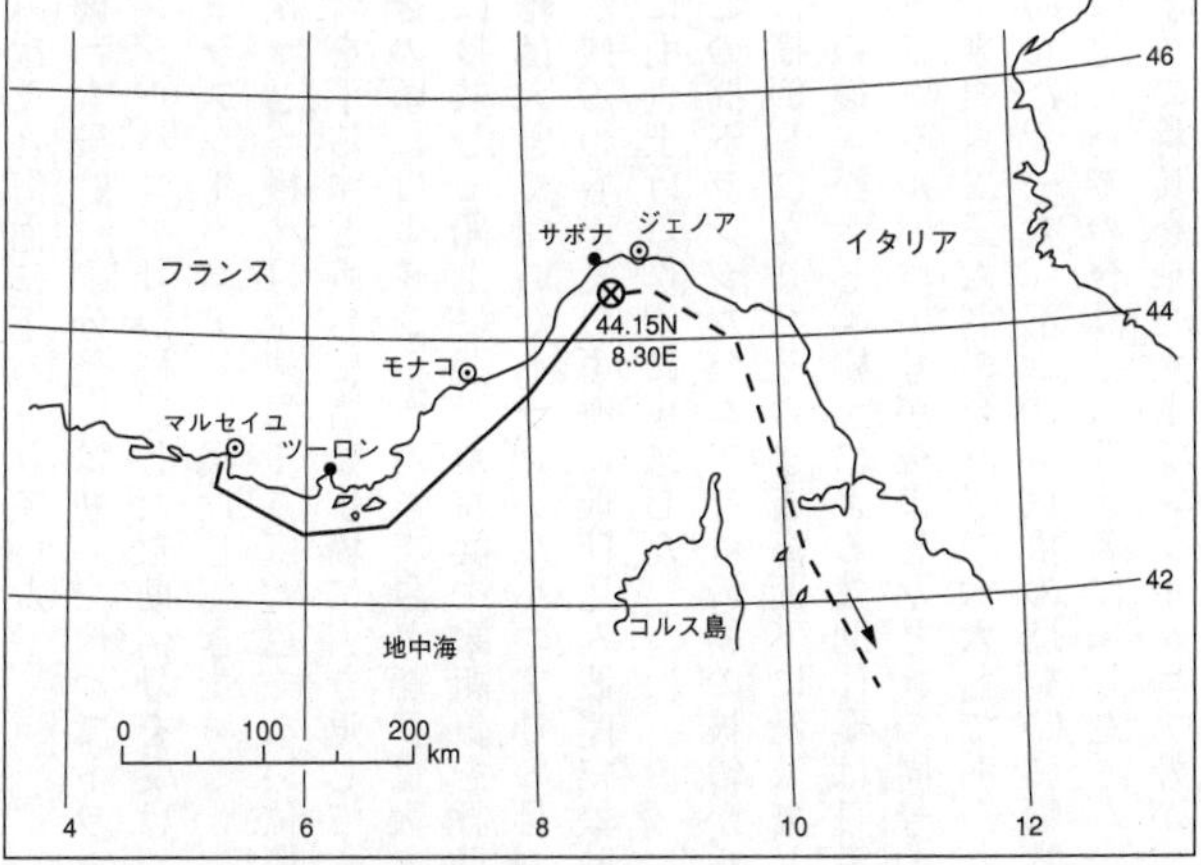

そしてこの一撃でそれまで平静であった船上の将兵たちはたちまち混乱状態に陥った。将兵たち全員が接舷されている「松」に向かって縄梯子や網梯子を伝わって次々と雪崩れ込んできた。

小型の「松」の狭い甲板の空所という空所はたちまちトランシルバニア号から乗り移ってきた将兵で埋め尽くされてしまった。このままでは「松」の安定性が失われてしまうために、「松」は強引に舫いを断ち切ってトランシルバニア号を離れた。しかしそれまで爆雷攻撃を続けていた「榊」が攻撃を中止して戻って来、「松」に代わってトランシルバニア号に接舷し、将兵の移乗を続けた。

このとき「松」甲板上には約八〇〇名の将兵が乗り移っていが、「榊」にもわずか一〇分ほどの間に約一〇〇〇名の将兵が乗り移ってきた。その間トランシルバニア号の救命艇も降下可能なものには全て将兵が一杯に乗り込み次々と海面に下ろされていた。

「榊」も接舷一〇分後には舫いを放ってトランシルバニア号を離れたが、この頃になってトランシルバニア号が打電した救助信号を受けたイタリア海軍の一隻の駆逐艦と数隻の哨戒艇がトランシルバニア号に接近してきた。

「松」と「榊」は全速力でさほど遠くない位置にあるサボナ港へ向かった。両艦はここで救助者を下ろすと直ちに遭難現場に引き返してきた。

その頃にはトランシルバニア号の船体は大きく左舷に傾き沈没寸前の状態にあり、艦を同号に接舷して船上に残った将兵や乗組員を救助することは不可能な状態になっていた。結局両艦は大きく傾いたトランシルバニア号の目の前をゆっくりと往復しながら、まだ雷撃の危険が残るのもかまわず海に飛び込み波間で救助を待っている無数のイギリス将兵たちを甲板上に引き上げる作業に専念した。

この間トランシルバニア号は最初の被雷から一時間後の午前十一時三十五分に、巨大な船体は横倒しになり、そのまま海面下に没してしまった。

その後「松」と「榊」による救助作業は日没まで続けられた。

トランシルバニア号が被雷したときの同号の乗船者は、陸軍将兵二九六四名、看護婦六六名、乗組員二三六名の合計三二六六名であったが、「松」と「榊」はその中の二六〇〇名を救助した。一方、不幸にも魚雷の爆発時に犠牲になった者と漂流中に救助を待てずに力尽き海に沈んだ者の合計は二五〇名に達した。

多数の将兵を乗せたトランシルバニア号が、短時間で沈没した割に犠牲者数が少なかったことは、ひとえに護衛の駆逐艦「松」と「榊」の艦長の好判断によるものであった。もしトランシルバニア号の二回の被雷に際して両駆逐艦がそれぞれ接舷して救助作業を行なわなかったならば、人的被害は相当な数に上ったであろうことはそれまでの護衛戦の経験からも容易に想像された。

両駆逐艦の行動に対し、イギリス政府と国民は最大の賛辞を送り、両艦の機敏な行動を指揮し中心的に活躍した二七名の士官、下士官、水兵がイギリスから相応の戦功勲章を授与されているが、この事件の直後から日本の護衛艦に対する評価は際立って高まり、八隻（後に一二隻）の駆逐艦は席の温まる暇もないほど連合国側から引っ張りダコのありさまとなった。

第二特務艦隊の一年半の活動の間に、一二隻の駆逐艦が護衛した連合国商船の数は約一三〇〇隻に達したが、その中で敵潜水艦の攻撃で撃沈された商船はわずかに一二隻に過ぎず、この数は他の連合国海軍の護衛艦が護衛中に撃沈された商船の数と比較すると格段に低く、日本の護衛艦の護衛能力の優秀さを図らずも示すことになったのである。

第二特務艦隊の地中海での戦いで犠牲になった日本海軍将兵の慰霊碑が、このときから九〇年過ぎ去った今でもマルタ島に残されている。

第３章　給炭艦サイクロプス失踪事件の謎

未だに解けぬ失踪の謎とアメリカ海軍給炭艦の特殊な役割

ここに登場する給炭艦サイクロプスを商船と位置づけて話を展開するには、いささか問題があるかも知れない。というのはサイクロプス号は正しくは第一次世界大戦当時のアメリカ海軍の給炭艦だからである。

サイクロプス号が建造された第一次世界大戦当時の世界の海軍の艦艇の動力は、ほとんどがレシプロ機関かタービン機関で燃料は当然石炭が中心であった。それだけに艦隊の行動は常に石炭の供給と輸送に影響され、石炭の輸送をいかに効率的に行なうかが世界の海軍の重要な課題になっていた。

海外に点在するアメリカ海軍の拠点基地や、太平洋と大西洋沿岸のアメリカ海軍基地への石炭の輸送、さらには行動する艦隊や戦隊の各艦艇に石炭を供給するには、常に十分な数と十分な設備を持った石炭輸送艦を揃えることが、アメリカ海軍ばかりでなく全ての国の海軍では重要な課題になっていた。そして何処の国の海軍でもこれら給炭艦は特務艦に位置づけられ、使用も当然のことながら海軍内に限られていた。

ところがアメリカ海軍の場合は給炭艦の使い方が他の国々といささか異なっていた。それは海軍の給炭任務以外にも、任務の合間に空船で待機または行動する場合に限り、条件さえそろえば民間の石炭や鉱石の輸送に使うことができるということであった。つまりアメリカ海軍艦艇の商船としてアルバイトを行なうことが可能であったということである。そしてその輸送の期間だけ給炭艦は民間会社に商船としてチャーターされたのである。

もちろんチャーターの間の艦の運航はそれぞれの艦の乗組員が任務に当たったが、当時のアメリカ海軍の場合、サイクロプス号のような特務艦の乗組員は、艦長や一部の高級士官以外は全て民間の海運会社の海員が臨時に海軍に雇用されている場合がほとんどで、艦長や一部の高級士官も正規の海軍士官ではなく、予備海軍士官が任命されていた。

またチャーター期間中も艦の運航の管理は所轄の海軍司令部が行なっていたが、航海中に起きた事故などは全て海運会社の責任において海上保険などが適用される仕組みになっていたのである。

給炭艦サイクロプス号の失踪事件は、サイクロプス号が民間会社にチャーターされ、南米からマンガン鉱石をアメリカの製鉄会社に輸送する途中に発生した事件であったために、ここではあえてサイクロプス号を戦時商船に位置づけて取り上げることにしたのである。

サイクロプス号はアメリカ海軍が第一次世界大戦の開戦前に建造した、七隻の同型艦の給炭艦の一番艦として一九一〇年に完成した。総トン数は一万四五〇〇トン、全長一六五メートル、全幅二〇メートルのこのクラスの艦は当時戦艦を除けばアメリカ海軍最大の艦であった。

サイクロプス

　サイクロプス号を一番艦とするこのクラスの給炭艦はかなり特徴のあるスタイルをしており、アメリカ海軍の艦艇の中でも一際目立つ存在の艦であった。

　外形は油槽船を思わせるスタイルをしており、機関は船尾に配置され乗組員の居住区域も全て船尾楼に配置されていた。そして機関室からの排煙は並列に配置された二本の細長い煙突で行なわれるのも外形上の際立った特徴になっていた。

　艦橋は艦首に近い位置にこぢんまりと鉄骨の支柱の上に組み上げられており、艦橋、通信室、艦長室だけが配置されていた。

　そしてこの小さな艦橋と船尾楼の間には七対の巨大なキングポストが立ち並び、それぞれのキングポストの頂点は鋼製の梁で縦横に固定されていた。そして各キングポストの基部には短時間で大量の石炭の積み降ろしができるように、頑丈なデリックブームが取り付けられていたが、これらの構造はこのクラスの給炭艦を外観的にはなはだグロテスクな印象に仕上げることになった。

第一次世界大戦後にアメリカ海軍が完成させた同海軍最初の航空母艦ラングレーは、もともとは一九一三年に建造されたサイクロプス号とほぼ同型の、準姉妹艦に相当する給炭艦ジュピターを改造したものであった。

サイクロプス号はレシプロ機関によって最高速力一五ノットを発揮できた。そして積荷も石炭以外に鉄鉱石やマンガン鉱石など各種の鉱石類の輸送も可能で、船倉もこれらのバラ積みの積荷が船体の動揺によって荷崩れが起きないような、特殊な構造に設計されているとともに、船体のローリングを押さえるための、海水を利用した減揺装置まで装備されていた。

サイクロプス号の艦長であるジョージ・W・ウオーレイ予備海軍少佐は、サイクロプス号の竣工以来同艦の艦長を務めていた。彼はもともとはドイツ移民で、しかも熱烈なドイツ皇帝の崇拝者であることが他の海軍士官たちとの距離を隔てさせていた。そして彼のこの信条は第一次世界大戦が勃発してからも変わることがなかっただけに、彼には様々な逸話がつきまとい、アメリカ参戦後もこの態度が変わらなかっただけに、海軍部内でも彼は親ドイツ派の要注意人物として扱われるようになっていた。しかし海軍では特務艦とはいえベテランの艦長が不足していたために、彼をそのまま艦長の任務につかせていた。

これがために後に起きたサイクロプス号の失踪事件の原因を、ウオーレイ艦長の信条に基づく彼の不測の行動に関係するものと結論づける場合が大勢を占めている。

それではサイクロプス号の謎の失踪事件についてその顚末を述べることにしよう。

大戦も末期が迫った一九一八年一月一日、ウオーレイ艦長はサイクロプス号を指揮し、南米の大西洋沿岸海域一帯の哨戒任務のために派遣されている、アメリカ海軍巡洋艦戦隊向けの燃料用石炭や様々な補給物資を輸送する命令を受けた。

命令によるとノーフォーク海軍基地で燃料炭一万トンと食料品や各種資材を積み込み、ブラジルのリオ・デ・ジャネイロに向かい、その地で補給物資を下ろした後にバイアへ回航し、そこでアメリカのUSスチール社のボルチモア製鉄所向けのマンガン鉱石一万五〇〇〇トンを積み込み、ボルチモアへ向かうことになっていた。

このときサイクロプス号はバイアからボルチモアまでは商社にチャーターされて運航されることになっており、この間サイクロプス号は海軍の特務艦の資格ではなく、商船の資格で海軍の運航管理の下で運航されることになっていた。

マンガン鉱石は防弾鋼板を製造する上で不可欠な原料で、アメリカでは戦略物資のリストの中に組み入れられていたが、一方ではこのマンガン鉱石は当時のドイツでは絶対的に不足したのである。

サイクロプス号は一月八日にノーフォークを出港し、一月二十三日にリオ・デ・ジャネイロに到着した。そして石炭を荷下ろし後バイアへ向かった。

バイアに到着したサイクロプス号はマンガン鉱石を積み込んだが、同時にアメリカに帰還する南米派遣艦隊配属の一部の将兵を便乗させることになった。彼らは派遣中に満期除隊や任務交代のために帰還する将兵で、便乗した彼らはサイクロプス号の艦内に特設された居住区域にそれぞれ落ち着いた。

サイクロプス号は二月二十日にバイアを出港しボルチモアへ向かった。このときのサイクロプス号の乗船者は二三二名の乗組員の他に七二名の便乗者を含め合計三〇四名であった。

しかしサイクロプス号にはこの他に一名の特別な便乗者が乗船していた。その一名とはリオ・デ・ジャネイロのアメリカ大使館の館員で、急遽本国に帰国することになっていた人物であったが、彼についてはいささかの背景があり、後にサイクロプス号の失踪事件に彼の存在があったのではないかとまで噂された人物であった。

サイクロプス号の往路の航海は順調であったが、バイア入港の直前に二基ある機関の一基が故障を起こしてしまった。この故障は帰国してドックに入り分解修理しない限り修復できない複雑な故障で、復路は一基の機関の片肺で航海を続けなければならなくなった。

このために本来は一四ノットであるはずの航海速力は一〇ノットに低下することが余儀なくされ、ボルチモアへの到着も予定より数日遅れとなった。

ボルチモアへの到着が三月七日と予想されることが、二月二十日に南米派遣巡洋艦戦隊の旗艦である軽巡洋艦のラレイから、ノーフォークのアメリカ海軍司令部宛に強力な無電で知らされた。

サイクロプス号の復路はバイア出港後はどこにも寄港することなく、ボルチモアまで直行する予定になっていた。ところが三月三日の早朝、サイクロプス号が突然カリブ海の南端に位置するイギリス領のバルバドス島のブリッジタウンに入港してきた。

なぜブリッジタウンに入港してきたのか。ブリッジタウンに入港するためにはボルチモアまでの予定のコースからは大きく西に外れなければならない。

サイクロプス号はブリッジタウンに入港すると同時に、イギリスが管理する港湾管理事務所に対して燃料炭六〇〇トン、食料品一六〇トンの補給を要請してきた。

友好国アメリカの艦船でもあるサイクロプス号に対する補給を拒否する理由もないために、港湾事務所は直ちに補給の準備を始めるとともに、ブリッジタウンのアメリカ領事館にも補給の事実を事務連絡した。

後の話であるが、この補給は本来は極めて奇妙なことであった。バイアを出港するに際しサイクロプス号はボルチモアまで十分過ぎる一六〇〇トンの燃料炭を積み込んでおり、しかも三〇〇名の乗船者がボルチモアまで到着するまで十分過ぎる食料品も積み込んでいたのであった。

同号が、なぜ大きく予定航路を逸れてブリッジタウンに入港してきたのか、その理由は全く不明であった。サイクロプス号がバイアからブリッジタウンまでの航海の途中で荒天に遭遇したとか、何らかの不測の事態が発生したというような情報は一切報告されていないし、確認もされていなかった。

ただ不思議なことは、サイクロプス号がブリッジタウンで燃料や食料品などを積み込んでいる最中に、本来であれば連絡のために艦内に立ち入るべき港湾事務所の係員やアメリカ領事館の館員全てが、ウオーレイ艦長の厳命によるものとして誰一人艦内への立ち入りを許されなかったのである。

サイクロプス号は翌三月四日の早朝にブリッジタウンを出港したが、同船の姿はそれっきり現在に至るまで誰にも確認されていないのだ。

ただ翌日の三月五日にサイクロプス号と交信を交わした船が一隻だけ存在している。それはアメリカのランポート・ホルト社の南米航路用の一万トン級の客船ヴェスツリス号で、三月五日の正午に、至近の海域を航行中であったらしいサイクロプス号と正午の天気情報を無線で交信している。

　このときサイクロプス号からヴェスツリス号に送ってよこした連絡の内容は、「本船の航路上は晴天で海上も穏やか」というもので、ヴェスツリス号と大きくは変わらない現在位置を知らせてきただけであった。そしてその打電の様子の中にも格別に異変が発生しているような雰囲気は感じられなかったという。

　アメリカ海軍には第二次世界大戦の終結の時点まで続けられた一つの慣習があった。それは艦艇がある地点を抜錨した場合には所轄の海軍司令部宛に、また必要であれば到着地点の所轄の司令部宛に抜錨した日時と到着予定の日時を連絡する義務を持っていた。しかし到着地の所轄司令部ではいちいちその艦艇の到着を確認することはなく、また当該艦艇も到着をいちいち知らせる義務もなかった。

　サイクロプス号がボルチモアに到着する予定は三月七日であったが、ノーフォークの海軍司令部では当然のこととしてサイクロプス号の到着を確認することはしなかった。ところがサイクロプス号の積荷のマンガン鉱石を受け取るUSスチール社から、三月十三日になって海軍司令部宛に積荷が未着である旨の問い合わせが入った。

　ノーフォーク海軍基地では在泊艦艇を調査したところ、初めてサイクロプス号が未着であることを確認し、直ちに未だ航行中と思われるサイクロプス号に対して現在位置確認の無電を繰り返し発した。しかしサイクロプス号からは何の返事も入ってこなかった。

　サイクロプス号に対する無電の発信は七日間続けられたが、結局は何の応答もないまま日

第5図　サイクロプスの航跡

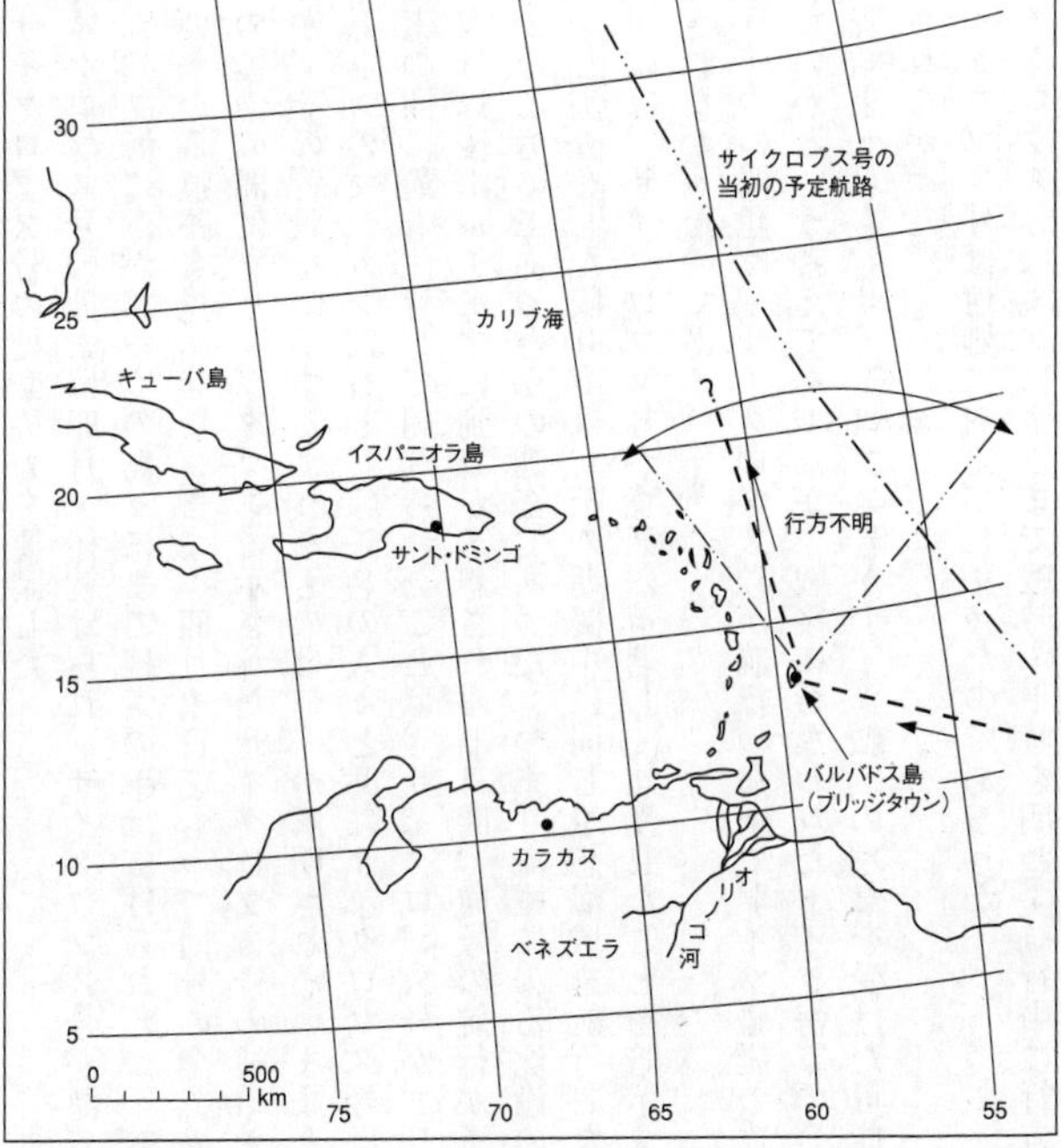

時が過ぎてしまったため、ここに至りノーフォーク海軍司令部では、初めてサイクロプス号に何らかの異変が起きたものと断定せざるを得なくなった。

海軍司令部は三月二十三日にサイクロプス号捜索のために数隻の艦艇を出動させた。これらの艦艇はサイクロプス号が航行するであろう予想航路とその周辺の海域の捜索を開始した。

同時に司令部はイギリス海軍のカリブ海派遣艦隊司令部に対して

も、サイクロプス号の捜索協力を要請した。

サイクロプス号の捜索は四月一杯続けられ、サイクロプス号が漂着している可能性も想定し、カリブ海に浮かぶ多くの島々にまで捜索の手は広げられたが、結局はサイクロプス号を示すいかなる痕跡も見出せないまま、四月末日をもって同号の全ての捜索活動は中止された。

この捜索の間にブリッジタウンで示されたサイクロプス号の補給や不可解な行動が検証されたが、その背景を暗示するようなものは何一つ解明されないままとなった。

一万トンのマンガン鉱石と三〇五名の人々と共にサイクロプス号は消えてしまった。

捜索の間に最も注意して調べられたことは、サイクロプス号がブリッジタウンを出港した三月四日以後ボルチモアに到着が予想される七日間、同号の航行が予想される航路上の天候がいかなるものであったかの調査であった。つまり海難による沈没の危険性であった。

しかし調査をした限りでは、その期間中に同じ予想海域を航行した様々な船舶や艦艇の報告の中には、サイクロプス号が荒天に遭遇して沈没したことを暗示するような記録は何一つ発見されなかったのである。

もう一つの問題は、サイクロプス号が航行の途中でドイツ艦艇の攻撃を受けて沈没したのではないかという考えであったが、戦後に行なわれたドイツ海軍の全ての艦艇の戦闘報告書の調査結果からも、サイクロプス号がドイツ艦艇の攻撃を受けた可能性があるという記録は発見されなかった。

サイクロプス号は何処に消えてしまったのであろうか。

サイクロプス号は現在に至るまで戦時・平時を問わず航行中に行方不明になった世界最大

の船舶であるが、以来約九〇年の間アメリカを中心にサイクロプス号の失踪の謎を解こうとする研究が、現在に至るまで様々な人によって続けられている。中にはフロリダのはるか沖合いの海底でサイクロプス号らしき船体が発見されたとして、アメリカ海軍も混じえた大がかりな調査活動が展開されたこともあった。しかしこの場合は潜水調査まで行なわれたが、結局は全く別の船の残骸を発見しただけであった。

この行方不明事件で必ず持ち出される話が、艦長のジョージ・ウオーレイの人物像と同船の失踪との関連性である。

ジョージ・ウオーレイなる人物は一八六〇年代に一家でドイツからアメリカに移住してきた生粋のドイツ人移民の子供で、彼はアメリカで生まれたが、なぜか時のドイツ帝国の皇帝ヴィルヘルムII世の熱狂的な信奉者に育ってしまった。

その信条は彼がアメリカ海軍の予備士官として籍を置くようになっても変わらず、第一次世界大戦が勃発しアメリカがまだこの戦争に中立の立場を通していたときには、彼は公然とドイツ帝国の勝利を公言するほどであった。

アメリカが連合国側に立って戦争に参戦し、ドイツと敵対関係に入ってからは彼の言動は少しトーンダウンしたように見えたが、ドイツ皇帝に対する信奉の念は変わらなかった。それだけにアメリカ海軍内部での彼に対する風当たりは当然強く、彼に対する評価も厳しいものとなっていた。しかし海軍としては差し当たり問題があるわけではなく、彼の持つ高い航海と操船技術を評価し海軍籍に彼を置き、直接には戦闘とは関係ない特務艦の艦長の位置に彼を置いていたのであった。

もう一つサイクロプス号の失踪の布石と想像されているのが、途中のバイアから便乗して来たアメリカ領事館の館員の存在であった。彼はウオーレイほどではないがやはりドイツ皇帝の信奉者で、リオ・デ・ジャネイロの領事館に勤務中に、同市に在住あるいは存在するドイツ人や企業とのつながりが噂されていたために、危険の匂いを感じたアメリカ政府が彼の本国召還を命じたものであった。

復路のサイクロプス号でこの二人のドイツ信奉者が、大量のマンガン鉱石を積んだサイクロプス号を乗っ取りドイツへ向かおうとしたのではないかという、極めて大胆な仮説がアメリカ海軍内でも真剣に論じられた形跡があった。荒唐無稽と思われそうな仮説ではあるが、それを真っ向から否定する証拠もないのである。アメリカ海軍はこの仮説を証拠づける事実の有無を調査するために、第一次世界大戦終結後にドイツ側資料のかなり徹底した調査を行なっている。

もちろん大量の鉱石を積んだ船が、航海中に不意に安定を失い瞬時に転覆したのではないかという仮説や、船体がある条件の下で折れ、瞬時にして沈没したのではないかという仮説に基づいて、詳細な調査や実験も行なわれたが、可能性としてはほぼゼロに等しいという結論が出ただけであった。ただこの件については現在も再調査すればあるいは別の結論が出されたかも知れない。しかしいずれにしてもサイクロプス号が平穏な海上を航行中に失踪したことだけは事実で、戦時における最大の謎の失踪事件として記録が残されることになった。

第４章　仮装巡洋艦ラワルピンディとジャービスベイの戦い

客船改装のイギリス仮装巡洋艦が演じた勇気ある戦い

第二次世界大戦で仮装巡洋艦を最も効果的に使ったのはドイツとイギリスであった。しかしこの両国の仮装巡洋艦の使い方は全く違っていた。

ドイツ海軍は仮装巡洋艦を攻撃艦艇の一つとして、通商破壊作戦のために正規の巡洋艦や戦艦の代役として積極的に使い大きな戦果を上げることになった。一方イギリス海軍は巡洋艦や駆逐艦の代わりに仮装巡洋艦を洋上哨戒や船団護衛に投入し、艦艇の絶対的な不足の代役として仮装巡洋艦を使いこなした。

ドイツ海軍の仮装巡洋艦の場合は、四〇〇〇～六〇〇〇総トン級の貨物船に口径一五センチ程度の単装砲を六～八門と連装魚雷発射管二基程度を装備し、多くの場合、水上偵察機一機を搭載していた。一方イギリス海軍の仮装巡洋艦はなぜかほとんどの場合七〇〇〇～二万総トン程度の客船を使い、これに口径一五センチ単装砲六門程度に数門の高射砲や高射機関砲を搭載し、魚雷発射管や水上偵察機などはほとんど搭載しなかった。つまり両海軍の仮装巡洋艦の装備を見ただけでも、その任務が理解できるのである。

ドイツ海軍は一九三九年から一九四三年にかけて一〇隻の貨物船に前記の武装を施し大西洋やインド洋に放ち、およそ一四〇隻、八四万総トンの連合国あるいは中立国の商船を撃沈した。その中でも戦果の多かった仮装巡洋艦はピングイン、アトランチス、トールの三隻で、この三隻だけで七六隻、四五万総トンの商船を沈めている。この数字は同じ期間にドイツ海軍の正規の巡洋艦や戦艦が通商破壊作戦で果たした合計三四万総トンよりも多いのである。

イギリス海軍とオーストラリアなどのイギリス連邦海軍は、大戦中に七〇隻以上の客船改装の仮装巡洋艦を送り出したが、その用途は前記の通り多くの場合は船団護衛に使われた。船団護衛に客船を多用した理由としては、駆逐艦を含む小型艦艇よりも口径の大きな大砲を装備することが可能であり、船団が敵の仮装巡洋艦に攻撃をかけられても太刀打ちができること、当時船団護衛の主力艦艇であったコルベットやスループなどの小型護衛艦よりも高速かつ耐波性に優れているため、荒天の頻度が高い北大西洋などでは船団を護衛する上で有利であること、また救助船としての用途も加味することができるという、メリットを活用したためであった。

またイギリス海軍の仮装巡洋艦の用途の一つとして、上陸作戦などで装備した大口径砲を上陸支援の砲撃に使うということがあり、アフリカ上陸作戦や太平洋戦争末期のインドネシア方面でのオーストラリア軍の上陸作戦などでは実際に支援砲撃を行なっている。

ただイギリス海軍の場合は、これら仮装巡洋艦が船団護衛や単独で洋上哨戒を行なうという任務上、時には船団を攻撃するドイツ水上艦艇と砲撃戦を交えたり、洋上でバッタリとドイツ艦艇に遭遇するという事態も起きるわけである。

第二次世界大戦の初期の段階の北大西洋で、この二つの危険な事態が実際に起きてしまったのである。

一つが哨戒中の仮装巡洋艦ラワルピンディとドイツ小型戦艦との遭遇戦、今一つが船団護衛中の仮装巡洋艦ジャービスベイとドイツ小型戦艦との遭遇戦である。

いずれの場合も戦闘結果は悲劇的な一方的な戦いとなったが、そこではどのような戦いが演じられたのかをここで紹介したい。

この話を展開する前に、イギリス海軍の仮装巡洋艦の背景について少し解説しておきたい。イギリス海軍はもともとは自国の防衛を担って設立されたものであるが、同時に自国の商船の保護という役割も海軍に課せられた重要な任務であった。

もともと十六世紀頃から急速に西欧で発達した帆船の時代にはほとんどの帆船が武装しており、財宝目当てにいつ襲ってくるか分からない敵対的な船に対しての備えを怠らなかった。

それだけに植民地を求めて世界に飛躍を始めたイギリスは、商船や武装商船、さらには完全武装の商船つまりは軍艦を効果的に運用し、スペインやポルトガルなどの海洋新興勢力を排除しながら国力の増大に邁進した。そしてその中で新たに軍艦の集団を編成し海軍力として統制し、国家の防衛と共に商船隊の保護も行なって来たのであった。

それらの歴史があるだけに、イギリスでは早くから海軍と商船隊とは密接な関係をつくり上げており、互いに協力関係を築き上げていた。そのために近代国家に成長したときには一朝有事に際しては、商船隊は戦争遂行への協力は惜しまず、海軍側も海運界には積極的な協力ができる体制になっていた。

第二次世界大戦中のイギリス海軍は三つの制度の上で将兵が流動的に運用されていた。本来の正規のイギリス海軍はROYAL NAVY（略して RN）と呼ばれるが、これとは別に商船の乗組員は一朝有事に際しては必要に応じて海軍籍に入れられ、海軍の組織の中で活動するようになっていた。この場合、海軍籍に入る乗組員はROYAL NAVAL RESERVE（略してRNR＝予備海軍）と呼ばれるが、この制度は日本の場合も同じであった。しかし両国の場合で大きく違っていたのは、イギリスでは正規と予備の立場の違いはあるものの互いに十分な信頼関係の中で任務を遂行していたことで、日本のように正規が予備を見下すような姿勢はなかった。これは数百年のイギリスの海外進出の中で培われた軍艦と商船の相互の信頼関係に根ざすものであった。

今一つイギリス海軍にはROYAL NAVAL VOLUNTEER RESERVE（略して RNVR＝予備義勇海軍）と呼ばれる制度がある。これは一朝有事に際して自ら志願して海軍籍に入った者に対する呼称と制度で、彼らも海軍の組織の中では全く平等に扱われた。

日本とイギリスとで大きく違うところは、これらの制度の中にある当事者たちが互いの立場を尊重しあい、蔑むことなく同じ海の仲間、同じ海で戦う仲間同士として強い連帯意識を持ち合っていたことであった。

仮装巡洋艦の乗組員は正規の海軍、予備海軍、予備義勇海軍の士官や下士官、あるい兵の混成で成り立っている場合が多く、艦長も正規海軍あるいは予備海軍中佐または大佐がその任務についていたが、いざ戦闘に際しての技量に大きな差はなかったとされている。

（イ）仮装巡洋艦ラワルピンディの戦闘

ラワルピンディ号という船はイギリスを代表する海運会社P&Oラインの極東航路用の客船であった。ラワルピンディ号はロンドンとインドのボンベイを結ぶ航路用に、一九二五年に建造された総トン数一万六六一九トンの客船で、同号には他に二隻の姉妹船がある。

ラワルピンディ号は外観的にも特段特徴のあるスタイルをもっているわけでもなく、いたって地味な印象の客船であった。ただこの船はこの後に多数建造されたP&Oラインの客船の原形の位置づけにあるといってもよかった。

ラワルピンディ号の旅客定員は一等三一〇名、二等二九〇名の合計六〇〇名で、三等設備をもたなかったところにイギリスのインドに対する支配者意識を表わしていた。つまりインドに旅するイギリス人は最低でも二等船客であるという高慢を船の等級に表わしていたのであり、これはインド航路用のイギリス客船に多く見られた特徴でもあった。

一九三九年九月三日にイギリスがドイツに対して宣戦を布告したが、この時点までにイギリス海軍とイギリス海運界は臨戦体制に入っており、各海運会社の多くの客船が仮装巡洋艦として徴用されており、それぞれ改装を終え一部はすでに配置についていた。

例えばP&Oラインでも一二隻の客船が七月頃にはイギリス政府に徴用されており、仮装巡洋艦への改装が進められ、宣戦布告の時点には主に大西洋の哨戒任務の配置についていた。

その中の一隻は地中海東部のアレキサンドリアに配置され、地中海東部の哨戒任務を担当することになっていた。また一隻はアフリカ西岸のフリータウンに配置され、南大西洋の哨戒任務に、三隻はボンベイや南アフリカのダーバンに配置され、主にインド洋方面の哨戒任務に、さらに七隻がイギリスやアイスランドに配置され、北大西洋方面の哨戒任務につく準備が完了していた。

ラワルピンディ号は北大西洋の哨戒の任務につくことになっていた。

イギリスのこれら仮装巡洋艦の任務の中でも、北大西洋の哨戒についた各艦の任務はかなり厳しいもので、北大西洋を哨戒中に遭遇した非連合国あるいは中立国の商船は全て臨検の対象となり、もし相手の船が敵対的な態度を示せば直ちに砲門を開くことが許されていた。

戦争勃発の一九三九年九月三日から十二月三十一日までの四ヵ月間に、この七隻以外の仮装巡洋艦も含めてイギリス海軍は北大西洋上で実に二五〇隻の商船の臨検を行ない、その中で一七隻のドイツ商船を拿捕し、イギリス本国の基地まで連行している。

ラワルピンディ号の武装は一五センチ単装砲八門と少数の機関銃、そして爆雷だけであった。ただこの一五センチ砲は第一次大戦以前の戦艦や装甲艦に搭載されていたという旧式な砲で、間違いなく弾丸は砲身から飛び出すが、命中精度にはいささかの疑念をもたざるを得ないという代物であった。

これらの砲はラワルピンディ号の船首ウエルデッキ上の両舷とプロムナードデッキ前方の両舷に各一門（計四門）、ボートデッキとプロムナードデッキの船尾方向の両舷に各一門（計四門）搭載されていた。

ラワルピンディ号は甲板上に砲を設置するために重心点が上昇し、安定性に問題を起こすことの対策として、二本ある煙突の中の後部のダミー煙突を撤去した。このためにラワルピンディ号は本来の二本煙突の姿から一本煙突に変身したが、むしろ同号のそれまでの垢抜けしない姿をスマートな姿に変身させることになった。

ラワルピンディ号は本来が客船であり多数の船室を持っているために、八門の砲や爆雷などの要員だけでも一〇〇人ほど乗組員が増したが、彼らの収容のために船内を特別に改造する必要は全くなかった。

この砲を操作する要員は、砲術指揮士官には正規海軍で砲術を専門としていた特務士官が配置され、各砲の操作の要員としては正規海軍の砲術特務士官や砲術特務下士官、また砲術の短期教育を受けた予備義勇兵員が配置された。

北大西洋の哨戒任務は、特に冬場は荒天が続くために極めて厳しい任務になったが、小型艦艇に比べれば大型の船であるために多少なりとも苦労は軽減された。しかしもし敵の正規の艦艇に遭遇し砲撃戦が展開された場合には、万が一にも勝ち目がないことを覚悟しなければならなかった。

ラワルピンディ号が北大西洋の哨戒任務についてから三ヵ月後の十一月二十三日、この日、ラワルピンディ号は北大西洋のアイスランドとフェロー諸島の中間地点を哨戒中であった。

正午頃の海上はかなりモヤがかかった状態で視界は五～六キロメートル程度であった。ただ洋上はこの時期にしてはかなり穏やかであった。

そのときラワルピンディ号の右舷前方のモヤの中から比較的大型の船の姿が現われてきた。

相手の船の形状や種類の確認にしばらくの時間がかかったが、そのうちに見張員の一人が突然、「ドイツ巡洋戦艦シャルンホルスト接近中」と絶叫した。

巡洋戦艦シャルンホルストは姉妹艦のグナイゼナウと共に常備排水量三万二〇〇〇トン、

三二ノット、二八センチ三連装砲塔を三基装備した強力な艦で、言わば小型戦艦的な存在の艦で、ポケット戦艦と言われた有名なアドミラル・グラーフ・シュペー級をより進化させたような艦で、敵の大型主力艦と戦うことも通商破壊作戦に使うにも、うまく適合できるように設計されたドイツ海軍の中でも最新鋭艦の一つであった。

ラワルピンディ号の艦長E・C・ケネディー大佐（正規海軍大佐）は、とっさに自艦を濃いモヤの中に潜り込ませようと判断したが、モヤの濃さは艦を素早く隠すには十分ではなく、また相手の艦が自艦に倍する速力の持ち主であるためにそれは到底不可能と判断した。彼がとるべき行動は適わないまでも敵と正対して砲撃戦を展開することであった。

一方シャルンホルストの方では、当初ラワルピンディ号を定期航路の一万トン級の客船と判断していた。そのためにモヤの中から現われたラワルピンディ号を発見すると、直ちに「停船」を命ずる警告の砲弾をラワルピンディ号の前方の海面に撃ち込んだ。

一方、ラワルピンディ号側ではシャルンホルスト発見と同時に本国艦隊宛に、「敵戦艦と遭遇、砲撃を開始する」むね打電していた。

この直後ケネディー艦長は片舷四門の旧式一五センチ砲の射撃を命じた。ラワルピンディ号は完全な自殺行為を開始したのであったが、乗組員たちはこれを是として勇敢にも砲撃戦に全てを託した。究極の状態に至れば危険と死をも恐れないイギリス人魂は渾身の射撃を続けた。しかし両艦の砲力の差は決定的で、シャルンホルストが第一斉射を開始してから一四分後には、ラワルピンディ号は早くも敵の無数の二八センチ主砲弾の命中によって海上に横たわる巨大な骸と化していた。

船体のあらゆるところからは黒煙と炎が立ち上り、この時点でラワルピンディ号の全乗組員の九〇パーセントに相当する二七五名が戦死していた。もちろんその中にはケネディー艦長も含まれていた。

シャルンホルストの姉妹艦であるグナイゼナウは戦闘開始の時点では、シャルンホルスト号より少し離れて航行していたが、間もなくグナイゼナウもこの砲撃戦に参加した。しかし一方的な砲撃が展開している中で、グナイゼナウは主砲を五斉射しただけで射撃を中止した。状況があまりにも一方的に過ぎ、射撃の必要がないものと判断したためであった。

ドイツ艦側の射撃が中止された段階で、ラワルピンディ号の船上にまだ奇跡的に残っていた救命艇二隻が下ろされ海上を漂流し始めたが、その中の一隻がシャルンホルストに収容され、乗っていた十数名のラワルピンディ号の生き残りの乗組員がドイツ軍の捕虜となった。

ドイツの両艦はラワルピンディ号の最後を見ぬままに早々と戦闘海域を去っていった。というのは両艦共にラワルピンディ号が本国艦隊宛に打電した通信を傍受しており、強力なイギリス本国艦隊が至近の海域を遊弋中の可能性があると判断し、その場を立ち去ったのであった。

燃え盛るラワルピンディ号は初弾命中三時間後に転覆して海面下に没してしまったが、その直後に同じ哨戒任務に当たっていた仮装巡洋艦チトラル（ラワルピンディ号と同じP＆Oラインの客船チトラルを改装したもの）が到着した。しかしそこに残っていたものは一〇人ほどの生き残り乗組員を乗せた一隻の救命艇だけであった。

（ロ）仮装巡洋艦ジャービスベイの戦闘

ラワルピンディ号の悲劇的な戦闘が行なわれてから一年後の一九四〇年十一月五日、再び北大西洋上でイギリス仮装巡洋艦の悲劇的な戦闘が展開された。

この戦闘は船団を護衛中の仮装巡洋艦ジャービスベイとドイツのポケット戦艦アドミラル・シェーアとの間に展開されたものであった。

ジャービスベイ号はオーストラリア政府の海運局が、オーストラリアへの移民を直接輸送するために建造した海運局所有という変則的な客船で、ジャービスベイの運航自体は海運局が民間の海運会社に委託していた。海運局はジャービスベイ号を含め合計五隻の同型船を建造し、一九二一年から二二年にかけてこの五隻は全て完成し、直ちにイギリスからオーストラリアへ向けての移民輸送を開始した。

ジャービスベイ号は総トン数一万三八三九トンの細長い一本煙突を持った、際立った特徴も持たないいたって地味なスタイルの客船であった。ジャービスベイ号を含めこれら五隻の客船は本来が移民輸送専門なために、旅客定員も一等はわずかに一二名だけで、その他は全て移民客で、定員は七〇〇名から七三〇名の範囲にあった。

主機関は九〇〇〇馬力の蒸気タービンで航海速力は一五ノットを確保できた。この五隻の完成によってオーストラリア政府はイギリス本国とオーストラリア間に月一回の定期移民輸送を確保することができた。この頃のオーストラリア政府は白人中心のオーストラリア国家の基盤造りに懸命な時であり、この五隻の完成によって民間の海運会社の定期船とあわせ、大量の移民の受け入れが行なえることになった。

ジャービスベイ

第二次世界大戦が勃発すると同時にこの五隻の移民船は一隻を除き全てがイギリス政府に徴用され、仮装巡洋艦に改装されることになった。

ジャービスベイ号は改装された四隻の中の一隻であり、前出のラワルピンディ号と同じく旧式の一五センチ砲八門が搭載された以外に、外形上改造されたところは全くなく客船そのものの外型をしていた。

一五センチ単装砲は船首楼甲板の両舷と船首メインデッキ上の二番ハッチの両舷に各一門、メインデッキの船尾の両舷とプロムナードデッキの船尾六番ハッチの両舷に各一門ずつ配備されていた。

船体はイギリス海軍の標準色のグレーに塗装され、任務は船団護衛であった。艦長にはイギリスの正規海軍のS・E・フォガティー・フューゲン大佐が着任し、一九三九年十月以来、カナダとイギリス間を航行する船団の護衛にあたっていた。

一九四〇年十一月一日、ジャービスベイ号は三八隻の貨物船で編成されたハリファックスからリバプールに向かうHX84船団の護衛の任務についていた。船団護衛の任務はドイツ潜水艦の水上と水中からの攻撃に対する防御、通商破壊作戦に投入さ

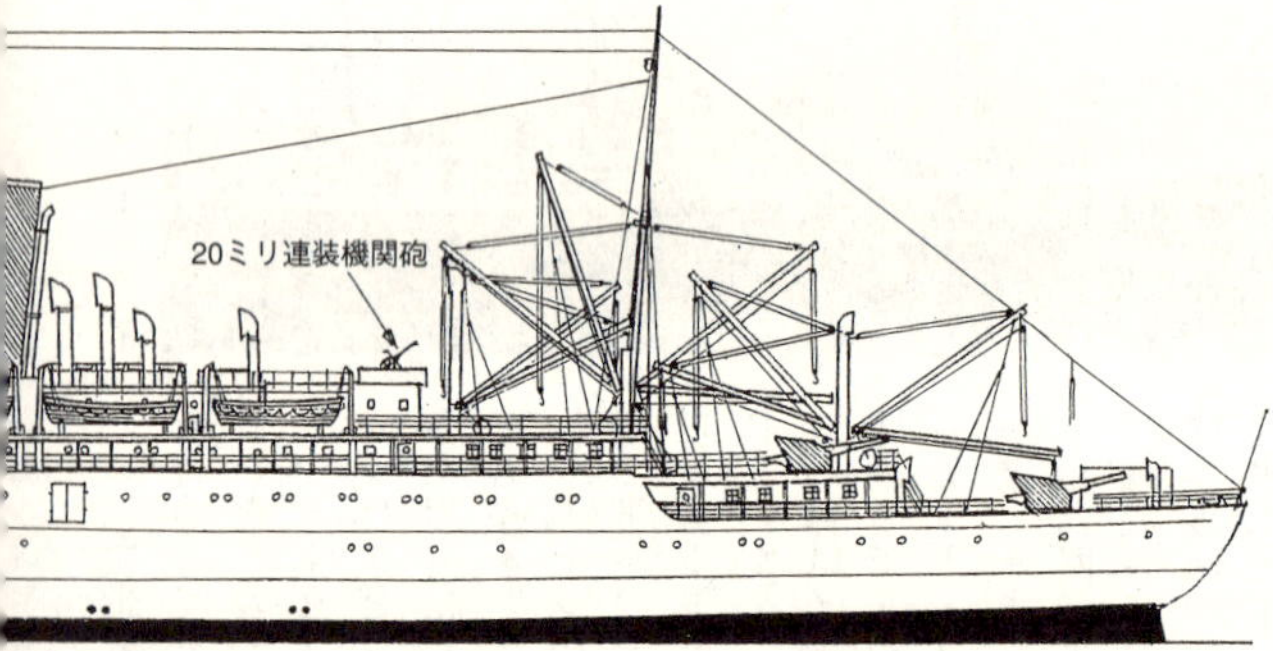
20ミリ連装機関砲

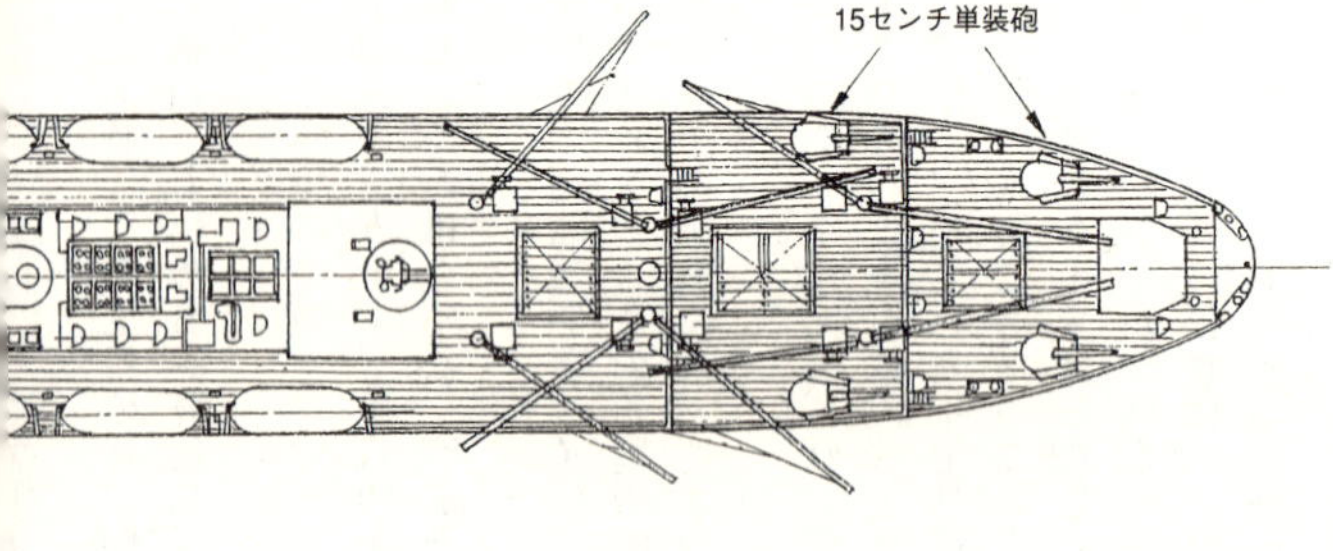
15センチ単装砲

第6図　客船ジャービスベイの武装の概念図

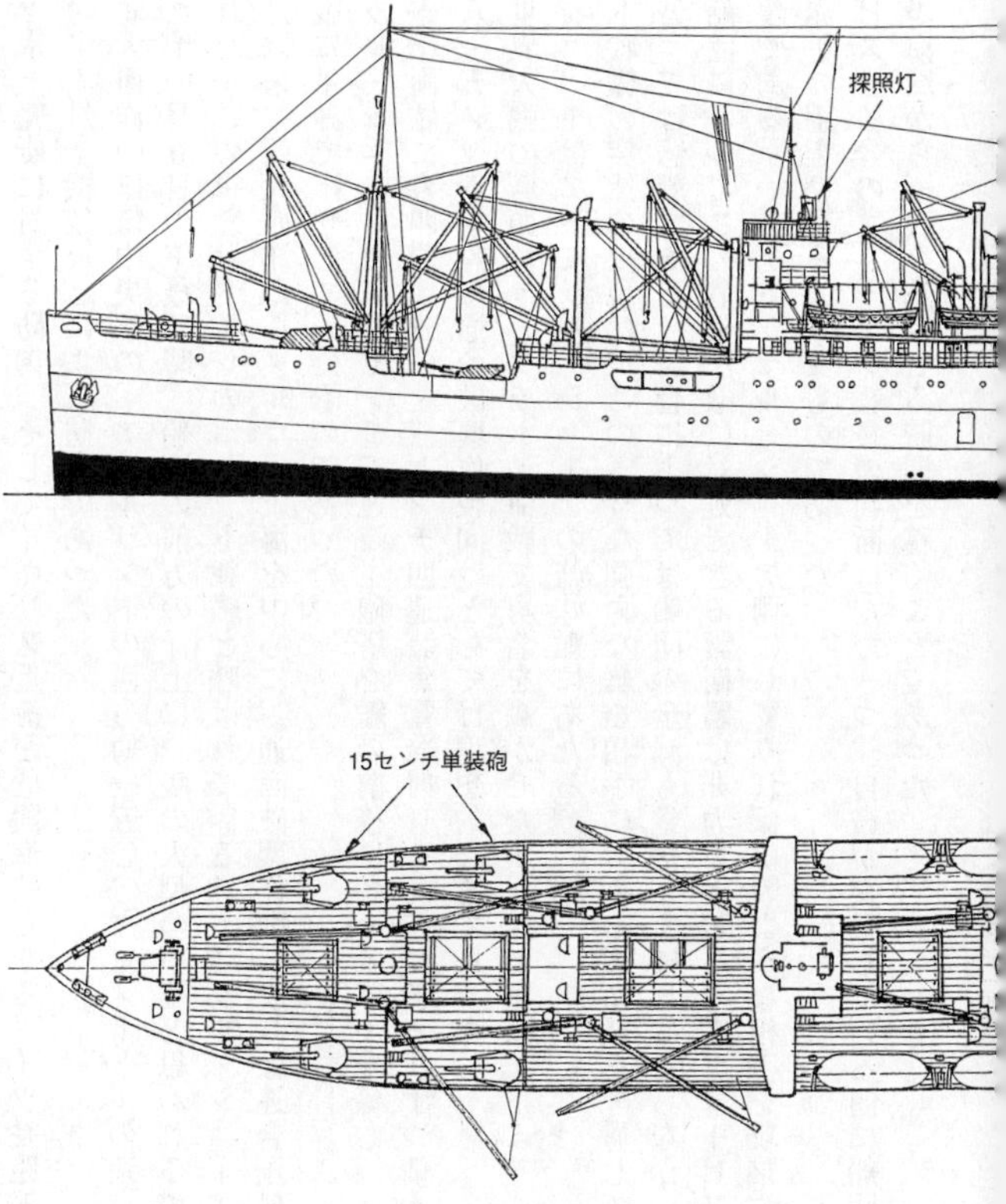

れるドイツ水上艦艇に対する防御、そしてイギリス近海が危険海域となるドイツ長距離哨戒爆撃機に対する対空機銃などによる防御であった。

船団が北大西洋のほぼ中央部の、アイルランドの西方約一五〇〇キロメートルの地点にさしかかった十一月五日の午後三時、船団の前方の洋上に一隻の大型の軍艦と思われる姿が忽然と現われた。この軍艦はドイツのポケット戦艦と呼ばれているアドミラル・シェーアで、前月の十月以来、西大西洋からノルウェー海を中心に、通商破壊作戦つまりは連合国側の商船狩り作戦に単独で出撃していたものであった。

アドミラル・シェーアは二八センチ三連装主砲塔を艦の前後に各一基ずつ配備し、一五センチ単装砲を両舷に各四門、五三・三センチ四連装魚雷発射管を両舷に各一基ずつ備え、最高速力二八・五ノットを誇る通商破壊作戦向けとしては理想的な艦であった。

第二次世界大戦の劈頭にラ・プラタ沖海戦で勇名を轟かせたポケット戦艦アドミラル・グラーフ・シュペーはアドミラル・シェーアの姉妹艦にあたる。

ポケット戦艦の突然の出現は、このような強力な艦を相手にできる護衛艦を配置していない船団にとっては悲劇である。場合によっては船団の全滅も覚悟しなければならなかった。

HX84船団にとってこの危険な敵に対処できる護衛艦は非力な仮装巡洋艦ジャービスベイ号ただ一隻である。一方アドミラル・シェーア側にしてみればこのような相手を攻撃するのはまるで赤子の手をひねるようなものであった。

ジャービスベイ号のフューゲン艦長の判断はただ一つ、自艦が交戦している間に船団が少しでも現場海域から遠のき逃げ去る時間を稼ぐことであった。

ジャービスベイ号は船団から離れると勇敢にもアドミラル・シェーアに向かって全速力で接近していった。

ジャービスベイ号の旧式な一五センチ砲はアドミラル・シェーアに向かって火を吹き始めた。それと同時にアドミラル・シェーア側も主砲、副砲の全てをジャービスベイ号に向けて射撃を開始した。

戦いの様子は一方的に過ぎた。アドミラル・シェーアの熟練した砲員によって撃ち出される弾丸はたちまちジャービスベイ号を蜂の巣のように切り裂いてしまった。

約一時間の一方的な戦いの後海上に残ったものは、今や鉄屑と化し炎上するジャービスベイ号の悲惨な姿だけであった。

ジャービスベイ号の二五九名の乗組員中、艦長を含めた一九〇名が戦死した。しかしこの戦いは無駄ではなかった。アドミラル・シェーアはジャービスベイ号を葬った後で船団を追跡したが、船団の後尾に位置していた四隻の貨物船が同艦の砲撃によって撃沈された以外、残りの三四隻全てが強力な敵から逃げ切ることに成功したのである。

アドミラル・シェーアはやはり恐ろしい存在の艦であった。同艦はドイツ水上艦艇の中では仮装巡洋艦を除き最も多数の連合国商船を撃沈した艦で、その数は一六隻、一〇万総トンに達した。

この犠牲的精神の下で戦闘を挑み戦死したフューゲン艦長には死後ではあるが、イギリス軍最高の武功勲章であるヴィクトリア十字勲章が授与されている。ジャービスベイ号の戦いは前出のラワルピンディ号の戦いと比較されがちであるが、いずれの場合も艦長の崇高な戦闘精神の発露の結果であり優劣はつけがたい。しかしその戦闘の成果がつくりだした成果としてはジャービスベイ号に軍配が上がるといえよう。

第５章　第一次・第二次両世界大戦で受けた世界の客船の災難

合計五九〇万総トン、五六〇隻の客船が両大戦で失われた

二十世紀に起きた二度の世界大戦では五二〇〇万総トン、約一万三〇〇〇隻の様々な種類の商船が戦争の犠牲になった。この膨大な数字のほとんどを占めているのが貨物船であるが、三〇〇〇総トン以上の外航客船も五九〇万総トン、五六〇隻が失われている。失われた総トン数では全喪失商船の一割を超えているのである。

五九〇万総トンという数字は、太平洋戦争の開戦時に六三九万総トンという当時世界第三位の商船隊を保有していた日本の商船量に匹敵する数字である。

なぜこれだけ大量の客船が犠牲になったのか。その理由は明白である。

二度にわたる大戦において、特に第二次世界大戦では戦闘も輸送も全てが広大な太平洋や大西洋が主要な舞台となって戦われた。そのために戦争当事国は大量の兵力や戦争資材の輸送の大半を船で行なわなければならず、そのためには否応なしに大量の貨物船や客船を使わなければならず、不幸にも兵員輸送中の客船が多数撃沈されたためであった。

これら客船や貨物船は常に敵の攻撃の標的とされ、特に大西洋では第一次・第二次両大戦

ともにドイツ潜水艦の猛攻撃によって商船隊は危急のどん底まで追いやられる事態になった。

両大戦では客船はどこの国でも常に軍隊輸送の格好の媒体として盛んに使われただけに、貨物船と同様に常に敵の猛攻撃の格好の標的にされていた。もちろん中には仮装巡洋艦に変身して戦い沈められたものもあり、また非条理にも自衛手段として自沈した客船もあった。

この章では第一次・第二次世界大戦の犠牲になった世界の客船について、その知られざる犠牲の実態について解説することにした。

I：第一次世界大戦

（1）第一次世界大戦の犠牲になった客船の数と被害の状況

三〇〇〇総トン以上の外航客船で、第一次世界大戦の犠牲になった客船の数は一七一隻、一五九万四〇〇〇総トンであった。この一七一隻の内訳を第2表に示すが、日本を例外として他の全てが欧米の客船である。しかもその損害の割合はイギリスが群を抜いており、全損失の七五パーセントを占めている。

この数字は第一次世界大戦の姿を見事に表わしているともいえる。第一次世界大戦の主戦場は本来はヨーロッパの内陸であった。戦争はドイツ、オーストリア、ハンガリー、ブルガリア、トルコの同盟軍側は内陸の戦闘で主導権を得ようと当初は戦いを進めた。

イギリス、アメリカ、フランス、イタリア等の連合軍側も同盟軍を迎え撃つために内陸に大量の軍隊を送り込み、また戦況打開のために地中海東部方面からも同盟軍を切り崩すための攻撃を展開した。

ただ連合軍側に不利であったのは、フランスとイタリアを除けば攻撃のための軍隊や物資は全て海上輸送に頼らなければならないということで、特にイギリスは兵力や物資の多くをオーストラリアやニュージーランド、あるいはカナダ等のイギリス連邦国に頼らなければならず、これらは無数の商船によってイギリス本国やヨーロッパ大陸の兵站拠点に運ばねばならなかった。またアメリカの場合も戦場に赴く大量の兵員や物資の全ての輸送は商船に頼らなければならなかった。

第2表　第一次世界大戦で失われた世界の客船（国別数量）

国　籍	隻　数	総トン数	割合（%）
イギリス	119	1196775	75.1
フランス	27	184935	11.6
イタリア	10	75619	4.7
ド イ ツ	3	42550	2.7
日　　本	4	33901	2.1
ベルギー	2	14074	
オランダ	1	13911	
ギリシャ	2	13904	3.8
ロ シ ア	1	8173	
アメリカ	1	5093	
スペイン	1	4629	
合　計	171	1593564	100

ドイツにとって商船で大量に運ばれる兵員や物資を海上で船ごと沈めてしまうことは、即同盟軍の戦況を有利に展開できることになり、内陸の攻防戦とともに海上の無制限潜水艦作戦を展開することになった。

その結果、連合軍側は大量の貨物船の損害とともに、兵員輸送用に使われた多数の客船を失うことになったのであった。

第3表は第一次世界大戦で犠牲になった客船について、失われた海域を示したものであるが、北大西洋と地中海だけで全損失客船の九〇パーセントが失われている。

北大西洋の損害は主に一九一七年四月にアメリカが

第３表　第一次世界大戦で失われた世界の客船（戦闘海域別損失数量）

戦　域	隻　数	総トン数	割合（%）
北大西洋	79	862078	54.1
地中海	67	539023	33.8
中部大西洋	18	144972	9.1
インド洋	5	37268	2.3
南大西洋	2	10223	0.7
合　計	171	1593564	100

参戦することによって、大量の兵員が客船によってヨーロッパ戦線に送り込まれるようになったために発生したものであり、地中海における客船の損失は、イギリスが西部戦線の膠着状態を打開するためにギリシャ、トルコ、ブルガリア方面に新しい戦線を構築するために、イギリスとイギリス連邦軍部隊の大量の兵員を、客船を使って地中海東部のギリシャやトルコ方面に送り込んだときに発生したものであった。

第4表に沈められた一五九万総トンの客船の損失原因を示すが、ドイツ潜水艦（一部はオーストリア・ハンガリー帝国の潜水艦）による雷撃が八〇パーセントを示している。

ドイツ海軍は世界に先がけて潜水艦戦を展開した。そして一九一五年半ば以降の攻撃方法は連合国や中立国の区別なく、ほぼ無制限な雷撃戦を展開することになった。

連合国側は第一次世界大戦の全期間を通じてドイツ潜水艦の攻撃に対する有効な攻撃及び防衛システムを開発できないままに過ごした。

連合国側がドイツ潜水艦の攻撃に対するためにとった手段は、

（イ）厳重な見張りによって敵潜水艦の潜望鏡をとにかく早く発見してその所在を探知し、速やかに爆雷攻撃を仕掛ける。

（ロ）攻撃された時には魚雷の雷跡をたどり敵潜水艦の潜伏位置を推測し、その潜伏周辺に爆雷攻撃を仕掛ける。

（ハ）浮上している潜水艦に砲撃を加える。

などで、およそ常識的に考えられる方法以外に対応の方法がなかったのであった。

第二次世界大戦時に潜水艦攻撃に多用された、水中音波探信装置によって海中に潜伏中の潜水艦の所在位置を確定する方法や、敵潜水艦が発する機関や推進器が発する音源を探知する方法、敵潜水艦が発する無電を探知して潜伏位置を正確に特定する方法などを使って敵潜水艦の攻撃を封じ込めてしまう戦法は、まだまだ先の時代まで待たねばならなかった。

ただこの中で水中音波探信装置については、当時イギリスなどですでに開発が進められていたが、その装置を駆使した潜水艦攻撃システムがどうにか実用化段階に入ったのは、第一次世界大戦も末期に入った頃であった。

ただドイツ海軍の潜水艦の建造能力は第二次世界大戦と比較すると格段に低く、潜水艦の絶対数が少なかったことが連合国側の客船を始めとする商船の被害を、決定的に低めていた原因にはなっていた。

第４表　第一次世界大戦で失われた世界の客船(戦没原因)

原　因	隻　数	総トン数	割合(%)
潜水艦	137	1235380	77.5
機　雷	16	175903	11.0
仮装巡洋艦	8	92720	5.8
海　難	6	59032	3.7
水上艦艇	4	30529	2.0
合　計	171	1593564	100

第一次世界大戦中に兵員輸送や定期航路で運航されている最中に撃沈された客船について、犠牲になった乗船者の犠牲の総数はおよそ一万三九〇〇名であるが、この数字は第二次世界大戦中に失われた客船の乗船者被害のわずかに五分の一以下である。この数字の違いは第一次世界大戦と第二次世界大戦の規模の違いとその特徴を如

第5表　第一次世界大戦で失われた世界の客船(国別：乗船者犠牲者数)

国　名	犠牲者数(名)	割合(%)
イギリス	9442	67.6
フランス	3068	22.0
イタリア	694	5.0
日　本	232	2.4
スペイン	150	1.1
ベルギー	128	
ギリシャ	92	
ドイツ	49	1.9
ロシア	24	
オランダ	16	
合　計	13895	100

実に示している。

第5表は第一次世界大戦中に客船の沈没によって失われた犠牲者を国別に示したものであるが、圧倒的にイギリス人が多い。フランス人とイタリア人も多いが、その理由は地中海東部戦線に両国の陸軍部隊が投入され、その輸送の際に被害を受けたためであった。

日本も二三〇人の犠牲者を出しているが、これらは全て大戦中を通して運航されていた日本とヨーロッパ間の定期航路の客船が撃沈されたときに発生したもので、その犠牲者の中のほとんどは、戦争も末期の一九一八年十月四日に日本郵船の平野丸（八五二〇総トン）が、アイルランド沖でドイツ潜水艦の雷撃を受け瞬時にして撃沈したときに発生したものである。

（2）第一次世界大戦中最悪の客船被害

第一次世界大戦中に敵の攻撃によって失われた客船の中で、一〇〇〇名以上の犠牲者が発生した事例は二件のみである。これは第二次世界大戦中の事例に比較すれば圧倒的に少ない数字である。この数字は第一次世界大戦が戦争の規模において、また輸送の規模において、さらに攻撃の密度において、第二次世界大戦のそれとは比べものにならないほど小規模であったことを示すものなのである。

ルシタニア

第一次世界大戦中の客船の被害の中であまりにも有名なものは、イギリスの高速豪華巨船ルシタニア号（三万一五五〇総トン、二六ノット）の雷撃事件である。

一九一五年五月七日、ニューヨーク発・リバプール行きの定期客船ルシタニア号がアイルランドの南岸沖でドイツ潜水艦が発射したたった一発の魚雷を受け、わずか二〇分で沈没、乗客と乗組員の合計一一九八名が犠牲になった事件である。

この事件は乗客として乗船していた約四〇〇名のアメリカ人の内の一二〇余名が犠牲になったことが原因の一つとなり、それまでこの戦争に中立の立場を貫いていたアメリカに参戦のきっかけを作ったことでも有名な出来事であった。

しかし翌年に犠牲者の数でルシタニア号事件を上回る遭難事件が発生した。

一九一五年に入りイギリスは、西部戦線の膠着状態を打開するために新たな戦線を構築する準備を始めていた。

この作戦はイギリスが主導権を握って進められることになった。イギリス軍は無論のこと、イギリス連邦軍やフランス、イタリアなどの連合軍を混成させた大兵力をダーダネルス海峡方面から内陸部に侵攻させ、ドイツ同盟軍戦線を背後から攻撃するという作戦であったが、強力なトルコ軍が待ち構え防備を誇るダーダネルス海峡の突破に作戦の成否がかかっていた。

結果は案の定ダーダネルス海峡突破作戦に失敗し、連合軍はダーダネルス海峡の入り口にあたるガリポリ半島への上陸と、ギリシャ北部からの侵攻によって作戦を継続させる方向に、作戦の方針転換を行なった。このために連合軍側は大規模な陸軍部隊を、ギリシャやガリポリ半島、さらにはトルコ軍の侵攻が懸念されるエジプト方面へ輸送する作戦を展開した。

以後イギリス本国やフランスのマルセーユさらにはイタリアのジェノアなどから、兵員を満載した兵員輸送用の客船が陸続としてガリポリ半島やギリシャのサロニカ、あるいはエジプトのアレキサンドリアへ向かっていった。

またこれらの激戦地からは反対に多数の戦傷病者がイタリアやフランス、あるいはイギリス本国へと客船や病院船で送り返されていた。

ドイツやオーストリア・ハンガリー帝国はこの状況にクサビをいれるために、一九一五年中頃から次々と地中海に潜水艦を送り込んだ。その数は最終的に合計四〇隻にも上った。

地中海でく繰り広げられた連合国側の兵員輸送船（客船）と同盟軍側潜水艦との戦いの結果は、第3表に見られるとおり地中海での客船の被害の多さを示すことになったのである。

この状況の中で一九一六年十月四日にフランスの客船ガリア号（一万四九九六総トン）撃沈に伴う悲劇が発生したのである。

ガリア号は戦争勃発の前年に完成したばかりの新造の客船で、フランスのボルドーと南米アルゼンチンのブエノスアイレス間の定期航路用客船として建造された船であった。ガリア

ガリア

は同型の三隻の姉妹船の二番船として完成したが、この三隻の姉妹船は極めて特徴のある独特な外観をしていることで新造当時から有名であった。

最も特徴的なことはその煙突の配置で、三本の煙突の中の第一煙突は一般的な船とはかけ離れた、まるで船橋に一体化しているような配置になっていた。ただこの第一煙突は本来の煙突の機能は持っておらずいわゆるダミー煙突であった。

ダミー煙突とした理由は他の二本の煙突との釣り合い上無理矢理に配置されたようだが、むしろ船全体を怪奇なスタイルに仕上げてしまっていた。

二十世紀に入ってから次々と完成したフランスの客船には、なぜか本来フランスに抱くスマートなデザインとは裏腹に、妙にエスプリに富み過ぎたデザインを採用する船が多く、このガリア号などはその草分け的な存在の客船ともいえた。

ガリア号は十月三日の夕刻にマルセーユを出港した。このときガリア号にはフランスとセルビアの陸軍部隊の将兵二七〇〇名と乗組員三〇〇名の合計三〇〇〇名が乗船していた。

ガリア号は速力一八ノットでジグザグコースをとりながら南南西に向かっていた。ガリア号はこの後シチリア海峡を通り東に針路を変え、エーゲ海に向かいギリシャのサロニカへ向かう予定になっていた。そしてこの航海ではガリア号は比較的高速力の持ち主であるために、護衛の艦艇は付けず全くの単独航行であった。

出港翌日の十月四日の朝にはガリア号はサルディニア島の西岸はるか沖合を航行中であった。このとき突然、ガリア号の船尾付近に二発の魚雷が立て続けに命中した。

この二発の魚雷の爆発の衝撃でガリア号の無電室の無線器は破損し、救難信号を発することができなくなった。そしてこれがその後のガリア号の悲劇を生む結果になったのであるが、このときガリア号には悲劇となるもう一つの原因があった。

ガリア号に乗船していた乗組員の多くは、乗組員の不足から俄に船員に雇い入れられ、船の知識をほとんど知らないばかりか、十分な訓練も受けていなかった者が多数を占めていた。つまりこのときのガリア号の乗組員には、非常時に際して厳正な対応とれる訓練が全く不足していたのである。

甲板員の多くは救命艇の降下手順も知らず、航海士の作業命令に対しても何も行動が起こせなかったのである。このために船尾から次第に沈下を始める船上の三〇〇〇人の将兵や乗組員たちは完全な混乱状態に陥ってしまった。

わずかな救命艇がガリア号の沈没までに海面に降ろされただけで、大多数の人々は救命胴衣もないまま、ただ甲板上にある木製の部品を浮きの代わりとして手当たりしだいに海に投げ込み、我先に海に飛び込んでいった。しかし飛び込んだ大半の人々はそのまま沈んでいった。

遭難翌日の十月五日になって偶然に遭難現場付近を通りかかったフランスの巡洋艦シャトールノーが、海面に浮かぶ数隻の救命艇と海面に浮かぶ木片に摑まり漂っている人々の姿を発見、救助作業が開始された。
巡洋艦シャトールノーの懸命な救助作業によって一三六二名のガリア号の乗船者が救助されたが、約一七〇〇名の人々の命が失われた。
これは第一次世界大戦中に起きた商船の戦禍としは最悪の記録となったのである。

（３）第一次世界大戦中に発生した日本の客船の被害

第一次世界大戦では日本の客船四隻がドイツ艦艇の攻撃を受けて失われた。それは次の四隻であるが、これら四隻はいずれも軍隊輸送船などの任務の途中で失われたものではなく、すべて定期航路の航行の途上で攻撃を受けて撃沈されたものであった。

八坂丸　一万九三二総トン　日本郵船　一九一五年十二月二十一日　犠牲者ゼロ
　地中海のポートサイド沖合で雷撃を受ける。

宮崎丸　八五二四総トン　日本郵船　一九一七年五月三十一日　犠牲者ゼロ　イギリス・シリー諸島の西二八〇キロメートルで雷撃を受ける。

常陸丸（Ⅱ）　六五五七総トン　日本郵船　一九一七年十一月七日　犠牲者一三名　インド洋でドイツ仮装巡洋艦ヴォルフに拿捕され、後撃沈される。

平野丸　八五二一総トン　日本郵船　一九一八年十月四日　犠牲者二一〇名　アイルランド南岸沖で雷撃を受け撃沈される。

日本が失った四隻の客船はいずれも日本郵船所有の船であるが、日本郵船は一八九六年

（明治二十九年）に日本の海運会社としては初めて欧州航路を開設し貨客輸送を開始した。

以後日本では欧州航路の旅客輸送サービスは日本郵船の独壇場となり、七〇〇〇総トン級から一万総トン級の貨客船を第二次世界大戦勃発の時点まで毎月二便程度の割合で運航させており、第一次世界大戦中も日本とイギリスとの間の定期航路を休航することはなかった。ただ当初はスエズ運河経由であった航路も、地中海の航行が危険になり、事実一九一五年には八坂丸がスエズ運河の入り口近くでドイツ潜水艦の雷撃によって撃沈されているために、以降はアフリカ南端の希望峰経由とコースを変更して運航していた。

日本船の最初の犠牲は前述のとおり一九一五年十二月二十一日に発生した八坂丸の雷撃沈没事件である。

八坂丸は一九一四年十月に神戸の川崎造船所で完成したばかりの、一万総トン級の貨客船としては日本最新鋭の船であった。旅客定員は一、二、三等合計一九〇名で、細長い一本煙突を持つ当時の典型的な貨客船スタイルの船で、同社は竣工早々より本船を欧州定期航路に就航させていた。

八坂丸はこの日スエズ運河の北の入り口であるエジプトのポートサイド港に近づいたとき、ドイツ潜水艦U38が発射した一発の魚雷が命中し沈没した。幸いに沈没するまでの時間が長かったために、乗客と乗組員には一名の犠牲者も発生しなかったのが幸いであった。

二番目の犠牲は同じく日本郵船の欧州定期航路に就航していた宮崎丸であった。宮崎丸は一九〇八年（明治四十一年）に完成した八〇〇〇総トン級の貨客船で、日本郵船は同型船を六隻建造している。旅客定員は各等合計二六五名で八坂丸よりも多くの旅客を乗せることができた。

一九一七年五月三十一日、宮崎丸はロンドンに向かう最終コース上であるイギリス本島の南西端、ランズエンド岬の西二八〇キロメートルの地点でドイツ潜水艦の雷撃を受け沈没した。この時も沈没まで時間があったことと乗組員の適切な誘導があったために、乗客も乗組員いずれにも犠牲者はなく、救難信号を受けて駆けつけたイギリスの艦艇によって全員が救助されている。

三番目の犠牲は同じく日本郵船の常陸丸（Ⅱ）である。この船の撃沈に至るまでの経緯は弊著書「商船戦記」に詳述してあるが、ドイツの仮装巡洋艦に拿捕された後に撃沈されるという変わったいきさつを持った船である。

常陸丸（Ⅱ）は一九一七年八月二十九日に、同船の第二七回目の欧州定期航海に向けて横浜港を出港した。そして九月二十四日にセイロン島のコロンボを出港しアフリカの南端ケープタウンを経由し、大西洋を長駆北上してロンドンに向かうことになっていた。

コロンボを出港したときには一、二、三等の各等船客四三名が乗船しており、その乗客の全てが日本人であった。

常陸丸（Ⅱ）がインド半島の南西はるか沖に点在するモルジブ諸島沖を航行中の九月二十六日の午前、突然ドイツの仮装巡洋艦ヴォルフに遭遇した。

常陸丸（Ⅱ）は一時は低速のヴォルフを振り切って逃げようとしたが、ヴォルフが発射した砲弾数発が命中し．常陸丸（Ⅱ）は停船せざるを得なかった。この時の砲撃によって常陸丸（Ⅱ）の乗客二名と乗組員一一名が命を落とした。

平野丸

その後、常陸丸（Ⅱ）の乗客全員と乗組員の大半がヴォルフに収容され、常陸丸（Ⅱ）はヴォルフの燃料や水あるいは食料品の補給船として、ヴォルフの一部の乗組員の手によってヴォルフに付かず離れず移動していたが、その役目も終わり十一月七日にマダガスカル島の北端のディエゴスアレスの東一〇五〇キロメートルの地点で、船底に仕掛けられた爆薬の爆発によって撃沈されてしまった。

ヴォルフに収容された常陸丸（Ⅱ）の乗客と乗組員は、その後六名の死者を出しながら戦争の終結までドイツ国内に抑留される運命となったのである。

四番目の犠牲は同じく日本郵船の平野丸であった。平野丸の場合は前の三隻とは違い、多数の犠牲者が出る悲劇であった。

平野丸は二番目に犠牲となった宮崎丸の姉妹船で、一九〇八年に三菱長崎造船所で完成した建造後一〇年の今や働き盛りの船であった。

平野丸は第一次世界大戦の終結まで一ヵ月に迫った一九一八年十一月三日に、リバプール港を横浜へ向けて出港した。この時の乗船者はイギリス人などを含む八六名の各等船客と乗組員一三五名の合計二二一名であった。

出港翌日の十一月四日午前五時、平野丸がアイルランド島の南岸沖三七〇キロメートルの地点にさしかかったとき、平野丸の船体中央部の水面下の機関室付近に突然二発の魚雷が命中した。平野丸の船体は魚雷命中後たちまち横倒しとなり波間に没してしまった。

当時、沈没現場付近の海域は荒天で激しい波浪によって救命艇の降下は不可能に近く、また沈没までの時間が短く、救命艇を降下する時間もほとんどなかった。

平野丸が雷撃を受けた直後に辛うじて打電した救助無線を傍受した、たまたま付近の海域を航行中であったアメリカの駆逐艦が救助に駆けつけたが、乗船者のほとんどは平野丸と共に海底に沈んでしまった。駆逐艦に救助された生存者はわずかに一一名に過ぎなかった。

（4）第一次世界大戦で撃沈された最大の客船

第一次世界大戦の犠牲になった一七一隻の客船の大きさ別の内訳を第6表に示す。

失われた最大の客船はイギリスのホワイトスターライン所有のブリタニック号（四万八一五八総トン）である。本船は有名なタイタニック号の姉妹船で、オリンピック号、タイタニック号の姉妹二隻に続く三番目の船であったが、タイタニック号が沈没したときまだ建造中であったブリタニック号は、建造工事の途中でタイタニック号の沈没事件の反省から船体の各隔壁の高さを嵩上げし、舷側の構造も二重構造にする改造工事が進められた。このために完成が大幅に遅れ、第一次世界大戦が勃発したときにはまだ完成していなかった。

戦争の勃発により建造中の客船は不急の船として皆工事が一時中断されたが、兵員輸送船や病院船に使うことを目的に工事が再開された。ブリタニック号も一時工事が中断されたが、完成最近であった同号は病院船として使うために完成が急がれた。

この工事で、それまで完成していた多数の船室や広々とした公室、あるいは広大な面積の

第６表　第一次世界大戦で失われた世界の客船（大きさ別損失数量）

船の大きさ	隻　数
４万総トン級	1
３万総トン級	2
２万総トン級	0
１万総トン級	50
１万総トン未満～５千総トン以上	96
５千総トン未満～３千総トン以上	22
合　　　計	171

プロムナードデッキなどは病室や手術室、あるいは各種検査室や診療室、さらには医療関係者の居室などにそれぞれ改装された。そして一九一五年十一月に病院船ブリタニックとして完成した。

ブリタニック号は完成直後からエーゲ海の中に位置するリムノス島のムードロスに派遣された。ここには当時激戦が続いていたガリポリ半島やギリシャ北部地区の戦闘で負傷した将兵のための一大野戦病院が建設されており、ブリタニック号の任務は彼らをイギリス本国に送り返すことと、十分に設備の整っていない野戦病院では手の施せなかった複雑な手術と治療を行なうことであった。このためにブリタニック号の船内には当時としては最新の医療設備や、十分な経験を積んだ外科医を中心にした医療スタッフが揃えられていた。

ブリタニック号は完成以来、リムノス島とイギリス本国との間をすでに五往復し病院船としての能力を十分に発揮していた。ブリタニック号はイギリスのサウザンプトン港を一九一六年十一月十二日に出港したが、これはブリタニック号の第六回目のリムノス島への航海であると同時に同号の最後の航海となった。

十一月二十一日午前八時、ブリタニック号はエーゲ海のケア海峡でドイツ潜水艦が敷設した機雷に触れた。機雷の爆発でブリタニック号の右舷船首水面下の外板が大きく破壊され、大量の海水が船首水面下に位置する船倉や錨鎖庫に次々と侵入してきた。

ブリタニック

海水の浸水の勢いは激しくブリタニック号の船首はたちまち水面下に没し始めた。この急速な沈下によって侵入した海水は次々と嵩上げされた隔壁を越えて後部の船倉やボイラー室、さらには機関室などを水没させ、被雷後五五分でブリタニック号は沈没してしまった。

タイタニック号の反省に基づいて完全な不沈構造に改造されたはずのブリタニック号が、全く同じ状態で実にアッケなく沈んでしまったことは、関係者たちにとって実にショッキングな事件であった。しかし戦時中の出来事であったために一般に知られることはなかった。

ブリタニック号の沈没は、三〇〇〇名を越えると予想された多数の戦傷病者を乗せる前の往路での出来事であったために、犠牲者は退船の際の不手際で発生した二一名のみであった。しかしもし復路でこの事件が発生していた場合には、多くの動けない患者を収容していると予想されるために、タイタニック号を上回る犠牲者が出た可能性は十分にあった。

ブリタニック号に次ぐ巨船の損失は、一九一八年七月二十日にアイリッシュ海でドイツ潜水艦の再三の雷撃によって撃沈されたジャスティシア号（三万二二三四総トン）である。

本船は本来はオランダの客船スタッテンダムとして完成の予定でイギリスで建造中であった船であるが、第一次世界大戦の勃発によって工事が一時中断した。その後工事が再開され兵員輸送船として完成した。

同号はリバプールで兵員を乗船させるために回航の途中で雷撃されたが、二隻の潜水艦から二日間にわたって実に七発の魚雷を命中された後に沈んだが、これは商船が撃沈されるまでに受けた魚雷の数としては両大戦を通じて最多の記録である。

第一次世界大戦で撃沈された巨船の第三位はすでに述べたルシタニア号（三万一五五〇総トン）である。

Ⅱ・第二次世界大戦

（1）第二次世界大戦の犠牲になった客船の数と被害の状況

第二次世界大戦では全世界の三〇〇〇総トン以上の外洋航路用客船の中で、戦禍で失われたものは合計三八六隻、四三九万総トンである。

この三八六隻の国別の内訳を第7表に示す。この表を見て分かるとおり客船の被害は、連合国側（中立国を含む）が二三九万総トン、枢軸国側（ドイツ、イタリア、日本）の二〇〇万

第7表　第二次世界大戦で失われた世界の客船（国別数量）

国　名	隻　数	総トン数	割合(%)	1隻当たりの平均総トン数
イギリス	101	1278789	29.1	12661
日　本	118	937421	21.4	7944
ドイツ	36	530913	12.1	14748
イタリア	33	530608	12.1	16079
フランス	35	454993	10.4	13000
オランダ	23	263387	6.0	11452
アメリカ	18	178968	4.1	9943
ベルギー	6	67152	1.5	11192
その他	16	147290	3.3	10521
合　計	386	4389521	100	11372

総トンと拮抗している。また失われた客船の数も枢軸国側と連合国側のそれとはほぼ拮抗しているのが特徴である。ただ枢軸国側の損害は日本がドイツとイタリアに比較すれば圧倒的に多いのは、広大な太平洋を戦いの舞台にしただけに当然といえば当然の結果であった。

連合国側の損害は客船を多く保有していたイギリスに被害が偏ったのは当然すぎる結果といえるが、イギリスの場合には兵員輸送の途中ばかりでなく、戦時中でも不定期ではあるがオーストラリアやカナダ、南アフリカ連邦などの国々との間、あるいはアフリカの植民地などとの間に客船を運航しており、これらの客船の損害も相当数に上っていた。

孤立無援となったイギリスを守り抜くために、朋友アメリカやイギリス連邦諸国から大量の物資が船によってイギリスに運び込まれ、その途中で大量の船舶がドイツ海軍や空軍の攻撃によって犠牲になった一方で、イギリスが保有する多数の客船を利用して、アメリカやイギリス連邦諸国から大量の兵員が防衛とヨーロッパ侵攻の準備のためにイギリスに送り込まれ、さらにそれらの兵員の多くがイギリスの拠点基地から地中海やアフリカの戦線に送り込まれたが、その途中で多くの客船が雷撃や航空攻撃で失われたのであった。

一方、日本の場合は遠く東南アジアや太平洋方面に拡大された戦線を維持補強するために、大量の兵員や物資がそれらの地域に送り込まれ、その途上で無数の船舶が主にアメリカ海軍潜水艦の雷撃によって失われた。

第8表　第二次世界大戦で失われた世界の客船（戦没原因）

原　因	隻　数	総トン数	割合(%)
潜水艦	198	2044308	46.6
航空機	102	1252846	28.5
自　沈	22	309190	7.0
機　雷	27	298954	6.8
砲　撃	19	209812	4.8
海　難	12	175342	1.5
その他	6	99069	3.3
合　計	386	4389521	100

日本の場合はイギリスに比べ客船の絶対数が不足していたために、兵員輸送の主力は貨物船に頼らざるを得なかったが、それでも可能な限りの客船が動員されて兵員輸送に使われた。しかし徴用された各客船の一隻あたりの大きさはイギリスのそれに比較すると格段に小型で、三〇〇〇総トンから六〇〇〇総トン規模の中型客船が圧倒的に多かった。しかしこれらのほとんどが戦禍によって失われてしまった。

第8表は全世界で失われた三八六隻の客船の損失原因を示すものであるが、潜水艦の雷撃によるものが全体のほぼ半数を占めている。そして航空攻撃によるものが約三〇パーセントを占め、潜水艦の雷撃と航空攻撃による損失だけで全体の七五パーセントを占めていることが、この戦争の特徴を示しているようでもある。つまり第一次世界大戦では航空攻撃で艦船を沈めることはまだ黎明の時代であり、事実客船が航空攻撃によって失われた事例は皆無であった。ところが第二次世界大戦では航空機は洋上作戦でも航空母艦の実用化によって自由に使われ、船舶の攻撃には航空攻撃が極めて理想的なものであることが証明されたのである。

ただドイツは洋上でも航空機を自由に扱える航空母艦をついに実戦に投入することがなく、大西洋ではその代役を潜水艦に求めることになったが、それだけにヨーロッパ戦線に関係する客船の損失は潜水艦の攻撃によるものが圧倒的に多く、一方、太平洋戦線では多くの客船が航空攻撃によって失われた。

第8表の中で損失の原因で「自沈」という原因が損失総トン数では第三位を占めているのに目が向くが、自沈の多さはこの戦争に対する戦争当事国の苦悩を如実に示すものとして、注目すべき数字であるといえよう。

自沈が最も多いのがフランスで、七隻、八万二八〇六総トンに達している。これはドイツに降伏したフランス国内に新たに樹立されたドイツに与するヴィシー政府の置かれた立場を示すもので、マルセーユ港やフランス植民地のアルジェリアのオラン港に在泊中のフランス商船を、ヴィシー政府としてはドイツや連合軍の進撃に際してどちらに手渡すかの苦悩の末に選んだ手段であったのだ。

イタリアでも五隻、八万四七八六総トンというむしろ大型客船が自沈しているが、この場合は自沈の原因はフランスとは事情が違っていた。つまりイタリアの降伏に反対の立場をとった北イタリア政府軍が、連合軍の北イタリア進撃に対して在泊中の大型客船を港内で自沈させ、港湾からの連合軍の侵入を阻止しようとしたことによるものや、あたら連合軍側の手に渡さないために敢えて自沈させたものなのである。しかしこれらの行動はイタリアの手で行なわれたのではなく、現地駐留のドイツ軍の命令の下で行なわれた可能性は否定できない。

第9表に失われた客船の沈没海域を示すが、大西洋、地中海、バルト海などヨーロッパ戦線の海域が全損失の七〇パーセントを占めており、大西洋海域でのドイツ潜水艦の攻撃がいかに凄まじかったか、そしてそれが客船にも容赦なく及んでいたことが分かるのである。

この数字の中で注目すべきことは、大西洋海域と太平洋海域では撃沈された客船の隻数では両者にさほどの差はないが、一隻あたりの平均総トン数が大西洋海域の一万二五〇〇トンに対して、太平洋海域では八五〇〇トンと小さいことである。

これは欧米の保有する客船の多くが大西洋横断用に使われていた一万総トン以上の大型客船である一方、もともと日本が保有していた客船で一万総トン以上の客船の数が少なく、遠

第9表　第二次世界大戦で失われた世界の客船(戦闘海域別損失量)

戦没海域	隻　数	総トン数	割合(%)	1隻当たりの平均総トン数
大西洋	147	1839345	41.9	12513
太平洋	140	1194760	27.2	8534
地中海	65	911066	20.8	14016
バルト海	17	294857	6.7	18429
インド洋	16	136904	3.1	8557
黒　海	1	12589	0.3	12589
合　計	386	4389521	100	11372

洋航路用や近海航路用の客船のほとんどが三〇〇〇～六〇〇〇総トン級の中型船であったこと、また沿岸航路用の一〇〇〇総トン級の客船まで兵員輸送に使われていたことを示すものである。そして日本は兵員輸送用の客船の絶対的な不足を貨物船で補うに際し、貨物船の船倉に粗末かつ劣悪な居住設備を設け過剰なまでの兵員を詰め込んで輸送したがために、雷撃などの被害に遭遇したときには脱出も困難となり、信じられないほどの犠牲者を出し続けていたのであった。

第10表に三八六隻の客船が沈んだ際の犠牲者の数を示すが、日本が群を抜いて多いことは一目瞭然である。イギリスがその客船の損害の数に比較して犠牲者が少ないことも第9表と比較して眺めれば一目瞭然であるが、この事実は日本では客船にも貨物船と同様に、一隻あたりに本来の輸送能力以上に過剰なまでに兵員を詰め込んで輸送するという、日本の過酷なまでに凄まじい独特な兵員輸送事情が隠されていたのである。

第9表と第10表の数字から単純に計算しても、日本の客船一隻あたりの平均犠牲者数は三二〇名に対し、イギリスの場合は一三七名と圧倒的に日本の場合が多いことがわかる。

日本が太平洋戦争中に撃沈された兵員輸送船について、そこで犠牲となった兵員、乗客、乗組員の総数は貨物船と客船の場合を総合すると、実に一八万八〇〇〇名という膨大な数に達しているのである。その内訳は兵員約一〇万五〇〇〇名、船舶乗組員三万五〇〇〇名、軍属他便乗者四万八〇〇〇人という信じがたい数字である。

この膨大な数字の裏には、特に兵員の場合には過密なまでに詰め込まれた各船であっても、日本の場合は欧米の兵員輸送船に用意されていたように、遭難時に対する対策が全く不十分であったことが挙げられる。欧米では兵員輸送に客船を使用する場合には、各船舶が装備する救命艇以外に、非常時に際しては乗船者全員を収容できるだけのゴム製などの大型の救命ラフトが舷側に装備されており、これらは非常事態に際しては直ちに切り放されて海上に浮かび、海に飛び込んだ人々を可能な限り直ちに救助できる準備が整っていた。

第10表　第二次世界大戦で失われた世界の客船(国別：乗船者犠牲者数)

国　名	犠牲者数(名)	割合(%)
日　本	37774	45.6
ドイツ	22834	27.6
イギリス	13911	16.8
イタリア	4988	6.0
フランス	1050	1.3
オランダ	1042	1.3
ベルギー	877	1.0
その他	281	0.4
合　計	82757	100

これに引き換え日本の場合は緊急時の救命設備も極めて粗末で、木製の急造の筏が用意はされているが、その数はとうてい乗船者の絶対数を救うに足りる数ではなく、その不足分を甲板上に大量に積み込んだ角材や竹の束で補おうとしていた。しかしこれらは実際に当該船舶が撃沈された場合には船体と共に一時沈み、その後海中から海面に向かって飛び上がってくるという、海面に脱出した遭難者に対してはまさに凶器にも匹敵する存在になる場合が多く、また海面上に漂う漂流者にとっては角材は容易に掴まること

のできる救命道具ではなかったことも、多くの遭難者の経験から指摘されていたことであった。

第10表を見るとドイツの犠牲者数が失われた客船に比較して極端に多いことが目につくが、これにははっきりした理由がある。

ヨーロッパの戦いも最終段階に入った一九四五年一月三十日からドイツ降伏間際の五月三日まで、バルト海で立て続けにドイツの大型客船四隻がソ連潜水艦の雷撃やイギリス空軍の航空攻撃によって撃沈された。

この四隻が出した犠牲者の合計は二万一六〇〇人に達した。つまり一隻あたりの平均犠牲者数は実に五六〇〇人という途方もない数字である。これは東プロイセン方面からドイツ本国に脱出する避難民などをスシ詰めにした二隻が雷撃によって撃沈されたことと、戦争末期の混乱の中で、ドイツ各地の強制収容所の収容者をなぜかリューベック湾に係船された行動不能の二隻の大型客船に移しこれを収容所としたが、その直後に事情を知らない連合軍航空部隊がこの二隻に猛烈な航空攻撃を行ない撃沈してしまった結果生まれた悲劇であった。

本件については次の項で改めて説明する。

（2）第二次世界大戦中で最悪の客船の悲劇

第二次世界大戦中には客船が主人公になった大きな悲劇が数多く発生しているが、その中でも特に悲惨な結果を招いた事件についてここでその実例を紹介したい。

（イ）イギリス客船ラコニア号の遭難事件

一九四二年九月十二日、エジプトよりアフリカの希望峰経由でイギリスに向かっていたイギリスの大型客船ラコニア号（一万九六八〇総トン）が、中部大西洋上でドイツ潜水艦の雷撃を受けて撃沈された。このときラコニア号の乗船者は合計二七三二名（内訳：イギリス陸軍将兵二八六名、イギリス民間人八〇名、イタリア陸軍将兵捕虜一八〇〇名、護衛のポーランド兵一六〇名、ラコニア号乗組員四〇六名）であった。

ラコニア

しかしラコニア号は被雷直後に沈没したために乗船者中実に二二七九名の犠牲者が発生してしまった。しかしその犠牲者の大半を占めたのがアフリカ戦線でイギリス側に投降したイタリア陸軍将兵であったことで、救助に際してはイギリス、アメリカ、イタリア、フランスの間で様々な問題が発生し、国際的な問題になったことでも有名な事件であった。

（ロ）イギリス客船ランカストリア号の撃沈事件

フランス降伏直前の一九四〇年六月十七日、ドイツ軍の追撃に追われフランスのサン・ナゼール港から脱出を図ろうとしていたイギリス軍将兵とイギリス人民間人が、脱出のために用意されていたイギリスの客船ランカストリア号（一万六二四三総トン）に乗り込んだ。その直後に同号は港内に停泊したままドイツ空軍爆撃機の直撃弾を受け転覆沈没してしまった。

このときの犠牲者の数についてイギリス政府は二五〇〇名と公式発表している。しかしこの数字は最初に乗船していた陸軍将兵の総数から、救助された人々の数を差し引いた数字が示されたもので、その後この数字については陸軍将兵が乗船後に大量に乗り込んだ民間人避難民の数は含まれていないものと見なされ、戦後になってイギリス国内で結成されたランカストリア号生存者連絡会の調査の結果では、公式数字以外に民間人の犠牲者が二五〇〇～四五〇〇名は追加されるものと判断し政府に公表数字の訂正を要請した。しかしイギリス政府は真の数字の発表は政府の守秘義務を盾に、事件一〇〇年後の二〇四〇年に発表するとして現在に至っている。

（ハ）日本陸軍輸送船「帝亜丸」の遭難

第二次世界大戦の勃発によって、仏印のサイゴン港には多数のフランス船が故国へ帰国する途を閉ざされ、係留を余儀なくされていた。

その後これらフランス商船の全てが日本政府に傭船されることになった。これらのフランス商船の中には数隻の大型客船が含まれていたが、その中の最大の客船アラミス号（一万七五三七総トン）は日本に傭船後「帝亜丸」と改名され、運航は日本郵船で行なうことになった。

帝亜丸は途中一九四三年に、戦時中に日本と連合国の間で実施された抑留者交換船として使われたこともあったが、その後は兵員輸送船として日本と東南アジア方面の拠点間の兵員輸送に使われていた。

日本軍部はごく近い将来にアメリカ軍のフィリピン侵攻があるものとして、フィリピン防

帝亜丸

衛のために日本陸軍の残存の精鋭部隊である満州駐留の関東軍部隊を、一九四四年七月頃から続々とフィリピンに送り込んだ。

一四隻の客船や貨物船そして油槽船で編成されたヒ71船団の中には、帝亜丸を筆頭に大型貨客船の阿波丸、陸軍兵員輸送専用船の摩耶山丸と玉津丸、そして能代丸や香椎丸などの貨物船など当時残存していた優秀商船が含まれ、それらには関東軍精鋭部隊が分乗していた。

一九四四年八月十八日の夜半、帝亜丸の右舷船首と中央機関室付近に立て続けに二発の魚雷が命中、帝亜丸は被雷後二八分で転覆沈没してしまった。

このとき帝亜丸には兵員と軍属そして乗組員合計五四七八名が乗船していたが、救助された者は二八二四名のみで、兵員二三二六名を含む二六五四名が犠牲となった。しかしその直後に今度は兵員輸送専用船の玉津丸（九五九〇総トン）が雷撃を受けわずか数分で沈んでしまった。

このとき玉津丸には陸軍将兵と乗組員の合計四八

二〇名が乗船していたが、救助された者はわずかに六五名で四七五五名という大量犠牲者を出した。

帝亜丸の犠牲者数は第二次世界大戦で日本の「客船」の戦禍による犠牲者数としては最大であるが、この数字は第二次世界大戦中の日本の商船が出した犠牲者数としては八番目の数字であることに注目したい。つまり上位七位までは全て貨物船または貨物船に類似の陸軍の兵員輸送専用船の沈没で記録された。このことは日本の兵員輸送の主力が貨物船であったことを如実に示すものである。日本商船で最悪の人的損害を出した記録は、一九四四年二月に雷撃で撃沈された中型貨物船「隆西丸」（四八〇五総トン）の四九九九名である。

（二）ドイツ客船ヴィルヘルム・グストロフ号沈没の悲劇

東部戦線におけるドイツ軍の敗退にともない、東部プロイセン地方にはドイツ系住民や退路を塞がれたドイツ陸海空軍部隊など約二〇〇万人が取り残された。迫り来るソ連軍から逃れるために、この大量の民間人や軍人たちは唯一の安全地帯として取り残されているポーランド東部のダンチヒ周辺に一九四四年十二月頃から続々と集結していた。

ドイツ海軍は一九四五年一月二十三日にこの大集団の救出作戦「ハンニバル作戦」を発動した。脱出路は海路しかなく、そのためにドイツ海軍は大小を問わず稼動可能な艦船全てをこの作戦に投入したがその総数は一〇〇〇隻。大小の客船や貨物船、曳船、漁船、また重巡洋艦のアドミラル・ヒッパーから駆逐艦、さらには小型の哨戒艇や駆潜艇まで、集められる限りの大小艦船を脱出作戦に投入した。

これらの艦船の中でも最も輸送力が期待できるのは二万総トンを超える外洋大型客船カッ

ヴィルヘルム・グストロフ

プ・アルコナ、ロベルト・レイ、ヴィルヘルム・グストロフ、ドイチュラント等五隻と一万総トン級の客船八隻であった。

脱出は一月三十日から開始されたが、脱出輸送第一船となったのがヴィルヘルム・グストロフ号（二万五四八四総トン）であった。六〇〇〇名を超えると推定される避難民と海軍兵員や看護婦などを乗せたグストロフ号は、この日の夕方、グディニア港を後にしドイツ本国のリューベックへ向かった。しかしグストロフ号にはこのとき想像外の多くの人々が乗船していた。

この日の海上は荒天気味で波が高くかなりの荒れ模様であった。午後八時十五分頃、ポーランドのバルト海沿岸を哨戒中であったソ連潜水艦がグストロフ号を発見し四発の魚雷を発射した。

ヴィルヘルム・グストロフ号の左舷船首付近に一発、船体中央部に二発の魚雷が命中し爆発し、グストロフ号は魚雷命中後約一時間で転覆し沈没してしまった。救助作業は護衛の二隻の哨戒艇が行なおうとしたが、それら二隻の甲板上にも多数の避難民が乗っており、救助作業を困難にしたばかりでなく荒天の影響も重なり、結果的に多数の犠牲者が出てしまった。

この事件は救助された人々の数の少なさから、早くからドイツ国内でもこの遭難では想像を絶する犠牲者が出たものと予想していた。一方この事件についてはイギリスやスウェーデンでも早くから情報を入手しており、両国の新聞紙上には事件数日後には推定の数字と断わりを入れながら五〇〇〇名から七〇〇〇名の犠牲者が出た可能性があるという記事を発表していた。

沈没年月日	沈没原因	犠牲者数	沈没位置
1945. 1.30	雷撃	9,331	バルト海
1945. 4.16	雷撃	6666	バルト海
1945. 5. 3	航空攻撃	5594	リューベック湾
1940. 6.17	航空攻撃	5000～7000	サン・ナゼール港
1944. 2.25	雷撃	4999	ジャワ海
1944. 8.18	雷撃	4755	ルソン島北西沖
1944. 6.29	雷撃	3695	奄美大島沖
1944.11.17	雷撃	3437	東シナ海
1944. 6.30	雷撃	3219	東シナ海
1945. 2. 9	雷撃	3100	バルト海
1944. 9.18	雷撃	2915	スマトラ島西岸沖
1944. 2. 8	雷撃	2765	東シナ海
1944. 8.18	雷撃	2654	ルソン島北西沖
1944. 4.26	雷撃	2651	リンガエン湾
1944. 7.31	雷撃	2496	ルソン島北方
1944. 3. 1	雷撃	2475	西太平洋
1945. 1. 9	航空攻撃雷	2287	台湾西方沖
1943. 4.28	雷撃	2176	フィリピン近海
1944.11.17	雷撃	2113	済州島西方
1943.10. 8	雷撃	2089	ルソン島西方

戦後ごく最近までこの遭難事件による犠牲者の数は五〇〇〇名という数字が一般的に伝えられていたが、戦後西ドイツでは五〇年以上にわたってこの遭難事件の真相究明のための綿密な調査が続けられていた。その調査の内容は、まず第一に遭難当時グストロフ号にはどれだけの人々が乗船していたか、ということから始まり、それに続きど

第11表　第二次世界大戦中の商船損失に伴う犠牲者上位20隻

船　名	種　類	国　名	総トン数
ヴィルヘルム・グストロフ	客　船	ドイツ	25484
ゴヤ	貨物船	ドイツ	5230
カップ・アルコナ	客　船	ドイツ	27561
ランカストリア	客　船	イギリス	16743
隆西丸	貨物船	日本	4805
玉津丸	特殊輸送船	日本	9590
富山丸	貨物船	日本	7089
麻耶山丸	特殊輸送船	日本	9433
日錦丸	貨物船	日本	5705
シュトイベン	客　船	ドイツ	14690
順陽丸	貨物船	日本	5065
りま丸	貨物船	日本	7250
帝亜丸	客　船	日本	17537
第一吉田丸	貨物船	日本	5425
吉野丸	客　船	日本	8990
崎戸丸	貨物船	日本	9245
久川丸	貨物船	日本	6886
鎌倉丸	客　船	日本	17526
江戸川丸	貨物船	日本	6968
大日丸	貨物船	日本	5813

れだけの人々が救助されたか、というところに作業が進められた。

この作業には戦後ドイツが東西両ドイツに別れてしまったという問題のために、空白の部分ができてしまっていた。ところが一九八九年に起きた劇的な東西両ドイツの合併によって、それまで不明であった東ドイツ側に生存する当時の遭難体験者の実情が次第に明らかになり、その後の調査は急展開した。そして一九九八年に調査の最終報告書が発表された。その報告書によると、遭難時のヴィルヘルム・グストロフ号の乗船者は実に一万五八二名、犠牲者総数実に九三三一名という驚愕の数字が示されることになった。

商船の遭難事件にともなう犠牲者の数としては、ヴィルヘルム・グストロフ号の沈没による犠牲者の数は史上空前絶後の値となった。しかしこの脱出作戦時にはさらに二つの大量遭難が発生しているのである。二月十日の深夜、客船シュトイベン号（一万四六九〇総トン）がソ連潜水艦の雷撃で沈没、犠牲者三一〇〇名を出した。さらに四月十六日には貨物船ゴヤ号（五二三〇総トン）がやはりソ連潜水艦によって撃沈され、六六六六名というグストロフ号に次ぐ史上二番目の犠牲者数を記録したのである。

この大脱出作戦はグディニアがソ連軍に占領された当日の五月三日まで続けられ、その間遭難事件により二万人の犠牲者は出たものの、合計二〇〇万人の避難民の脱出に成功したのであった。

（ホ）ドイツ客船カップ・アルコナ号の惨劇

この事件はドイツ崩壊が目前に迫った一九四五年五月三日に起きた極めて悲惨な出来事であった。すでに述べたハンニバル作戦では短期間の間にドイツ客船は避難民の輸送に酷使され尽くした。連日の運航では機関の整備は全く不可能であり、機関故障で航行不能になる艦船が次第に増えだした。その中にあって撤退作戦の中心的存在であった最大の客船カップ・アルコナ号（二万七五六一総トン）が機関故障でまず脱落した。そして二万トン級客船ドイチュラント（二万六〇七総トン）がそれに続いた。ドイツ国内の造船所はすでに連合軍の攻撃によって壊滅状態になっており、次々と故障を起こす艦船の機関の修理を行なう手立てはすでになく、これらの艦船はとりあえずは安全と思われる湾内などに係留する以外になかっ

カップ・アルコナ

た。

ユトランド半島の根元に位置するドイツ北部のリューベック湾には、四月末の時点で行動不能のカップ・アルコナ号とドイチュラント号の二隻が係留されていた。

この頃にはドイツ国内は全くの混乱状態にあり、ドイツ軍もドイツ国内各地で分断されかつ追いつめられ、組織としての軍機能は崩壊状態にあった。それだけに各地に分断された陸軍部隊や親衛隊等の中には、狂気の判断とも思える指令の中で独走するものも現われた。

その中の一つに、リューベック湾周辺の地域に点在する強制収容所の収容者を、なぜか湾内に係留されている数隻の船舶に移動させ、収容させるという命令が出され実行された。

この命令の理由については、いつ、誰が、どのような理由で移動させることにしたのか、今もって明確な背景がわかっていないのである。

この命令によってリューベック湾周辺に点在していたノイエンガンメン、メクレンブルグ、マグデブルグ等に存在した強制収容所から一万名を超える収容者がカップ・アルコナ号やドイチュラント号、および行動不能の貨物船ティーレベルク号に収容された。

収容作業が完了したのは四月末であったが、それぞれの船に収容された収容者の正確な数は不明であるが、推定でカップ・アルコナ号に六〇〇〇名、ドイチュラント号に四〇〇〇名、ティーレベルク号に二〇〇〇名とされている。

ところが収容作業が完了した直後の五月三日、リューベック湾やキール軍港等に存在が確認されたドイツ残存艦艇に対する、ヨーロッパ戦線最後のイギリス空軍戦闘爆撃機による大規模な航空攻撃が展開された。

原因	沈没場所
火　災	ニューヨーク港
火　災	ブレーメルハーフェン港
航空攻撃	カポ・デ・イストリア湾
航空攻撃	マラモッコ湾
航空攻撃	ノース海峡入口
自　沈	北大西洋西部
自　沈	ジェノア湾
航空攻撃	ヴァローネ・デ・ザウネ
航空攻撃	ロッテルダム港
触　雷	ラ・パリス港入口
航空攻撃	リューベック湾
航空攻撃	バルト海
雷　撃	バルト海
航空攻撃	トリエステ湾
雷　撃	オラン港沖
雷　撃	アフリカ西岸沖
航空攻撃	キール港
触　雷	エスピリット・サント島沿岸
雷　撃	中部大西洋
航空攻撃	ベリア半島沖

ホーカー・タイフーン戦闘爆撃機やブリストル・ボーファイター戦闘爆撃機の大軍が、目標の艦船に対してロケット弾や二〇ミリ機関砲による徹底した攻撃を行なった。カップ・アルコナ号とドイチュラント号にはそれぞれ一〇〇発以上のロケット弾が命中し、さらに強力な二〇ミリ機関砲攻撃の嵐に見舞われ、全船が炎に包まれたちまち横倒しになりリューベック湾の底に沈んだ。

第12表　第二次世界大戦で失われた世界の客船（大きさ上位20隻）

船　　名	総トン数	国　名	沈没年月日
ノルマンジー	83423	フランス	1942. 2. 9
ブレーメン	51656	ドイツ	1941. 3.16
レックス	51062	イタリア	1944. 9. 8
コンテ・デ・サヴォイア	48502	イタリア	1943. 9.11
エンプレス・オブ・ブリテン	42348	イギリス	1940.10.26
コロンバス	32354	ドイツ	1939.12.19
オーガスタス	30418	イタリア	1944. 9.25
ストックホルム	29511	オランダ	1944. 7. 6
スタッテンダム	29307	スウエーデン	1940. 5.11
シャンプレーン	29307	フランス	1940. 6.17
カップ・アルコナ	27561	ドイツ	1945. 5. 3
ロベルト・レイ	27288	ドイツ	1945. 3.24
ヴィルヘルム・グストロフ	25484	ドイツ	1945. 1.30
デュイリオ	24281	イタリア	1944. 7.10
ストラスアラン	23722	イギリス	1942.12.21
オルカデス	23456	イギリス	1942.10.10
ニューヨーク	23337	ドイツ	1945. 4. 3
プレシデント・クーリッジ	21936	アメリカ	1942.10.26
オロンセイ	20043	イギリス	1942.10. 9
ダッチェス・オブ・ヨーク	20021	イギリス	1943. 7.11

攻撃時の二隻の船内は一方的な攻撃の中、収容者も乗組員も衛兵たちも船外に逃げ出すこともままならず、まさに阿鼻叫喚の状態を呈した。その後の調査で両船の沈没による犠牲者は公式発表として、カップ・アルコナ号については五五九四名、ドイチュラント号については約三六〇〇名という数字が示された。

この二隻の沈没は第二次世界大戦における戦時商船の、余りにも悲惨な姿を仕上げる結果となってしまった。

第11表に第二次世界大戦における商船の損失に伴う犠牲者数について上位二〇隻を示す。

（3）第二次世界大戦で失われた最大の商船

ノルマンジー

第12表に第二次世界大戦で失われた大型客船上位二〇隻を示すが、そのほとんどが大戦の勃発まで各国を代表していた最大級の商船であるのに驚かされる。特に一位から四位までの客船は、戦前に大西洋で展開された熾烈なスピード競争のライバル同士である。

しかしこれら四隻に共通していることは、輸送船としての活躍が全くないまま、まるで魔物の手に弄ばれたように、戦争には何の功績もないまま不運な状況の中で失われてしまったことである。

第一位のノルマンジー号（八万三四二三総トン）は、世界の客船史上忘れることのできない超豪華、高速の巨船で、フランス国家の国威発揚のシンボル的存在の客船であったが、第二次世界大戦の勃発にともないニューヨーク港に待避したまま係船されていたが、フランスの降伏によってアメリカの所有となった。

アメリカは本船を一万六〇〇〇人の兵員を輸送できる兵員輸送船に改装することにし、ニューヨーク港で改装工事が開始された。ところがその最中に作業員の酸素溶断器の取り扱い

ブレーメン／コンテ・デ・サヴォイア

の不手際から火災が発生、ついに全船が炎に包まれ転覆、改修工事が不可能のまま船体は放棄されてしまった。

第二位のブレーメン号（五万一六五六総トン）は戦前のドイツ海運界の「顔」的存在で、一時はドイツに大西洋横断スピード記録保持者としての栄光であるブルーリボンをもたらした。

しかし大戦中は有効に使う手立てもなくドイツ国内の港に係留され、海軍の宿泊設備として使われていたが、乗組員の放火によって全損してしまうという、呆気ない最後を迎えた。

第三位のレックス号（五万一〇六二総トン）は、ブレーメン号に対抗してイタリアの国威を挙げて完成させた高速巨船で、見事にブレーメンの速度記録を打ち破り、イタリアに最初にして最後のブルーリボンをもたらした。イタリアが枢軸国側の一員として参戦して後はアドリア海の最奥のトリエステ港に係留されたままとなっていたが、一九四四年九月にイギリス空軍機の攻撃によって無数のロケット弾を受け、全船炎上した後転覆して果てた。

第四位のコンテ・デ・サヴォイア号（四万八五〇二総トン）は、レックス号のランニングメイトとして北大西洋航路で活躍していたが、その船内設備の豪華さは客船界でも有名であった。しかしイタリア参戦後はレックス号と同様にアドリア海の奥のヴェニス近傍の湾に係留されたままになっていたが、一九四三年十月にアメリカ空軍機の攻撃を受け炎上、そのまま浅海に沈座したまま戦争の終結を迎えた。

（4）ブラジルを参戦に導いた客船の遭難

ブラジルの客船バエペンディー（四八〇一総トン）は、一九一三年にドイツで建造された古い中型客船であるが、第一次世界大戦では連合軍側に与していたブラジル海軍に拿捕され、以後ブラジルの海運会社の持ち船となって、ブラジル東岸の沿岸航路用の客船として貨客の輸送に使われていた。

一九四二年八月十五日、一般乗客とブラジル陸軍将兵の合計二四六名と乗組員七四名を乗せたバエペンディー号は、リオ・デ・ジャネイロ港を出港しバイア経由でアマゾン川中流のマナオスに向かっていた。

この日、バエペンディー号はレシフェの東南四三〇キロメートルの海上を航行中、突然ドイツ潜水艦の放った魚雷一発が命中、バエペンディー号はわずか十数分で沈没してしまった。

このとき合計三二〇名の乗船者の中実に二八四名が命を失ってしまった。当時のブラジルはドイツと国交は断絶していたが相互に宣戦を布告するまでには至っていなかった。

しかし中立国の客船バエペンディー号の無警告撃沈で多数のブラジル人の命が失われたことに対してブラジル国民は一気に激昂してしまった。

ブラジル人の憤激は止むことがなく過熱し、大都市では連日の「ドイツ打つべし」のデモが繰り広げられ、ここに至りブラジル政府は事件七日後の一九四二年八月二十二日に、ドイツに対して宣戦を布告することになった。

第６章　日本海軍特設軍艦の活躍

様々な軍艦に変身し活躍した日本の優秀商船

一朝有事に際し商船が海軍の特殊任務のために徴用され、軍艦の代用として使用されることは別に日本に限って行なわれることではなく、およそ海軍力を持つ国であればどこでも行なわれることである。そしてこの手段は第二次世界大戦で初めて行なわれたものではなく、第一次世界大戦当時でも世界で広く行なわれていた。

日本の場合においても日清戦争（一八九四年〜一八九五年）における西京丸や、日露戦争（一九〇四年〜一九〇五年）における信濃丸の通報艦としての活躍は著名である。

西京丸（二九一三総トン）はイギリスで建造された日本郵船の上海航路用の貨客船、信濃丸（六三八八総トン）はシアトル航路用に同じく日本郵船が建造した貨客船であるが、両船は戦争の勃発と共に日本海軍に徴用され、それぞれ数門の大砲を装備して仮装巡洋艦として使われていたが、実際には「通報艦」という一種の情報収集を役目とする艦であった。

飛行機がまだ実戦に参加する以前の時代である当時は、仮装巡洋艦の役目の一つは艦隊の目となり耳となって敵艦隊やその他の敵情の偵察であった。当時はこれらの任務の艦を「通報艦」と呼んでいたが、西京丸も信濃丸も両戦争で日本海軍の通報艦としての役割を十分に果たした。信濃丸は日露戦争の時に日本の命運を決定しかねないロシア・バルチック艦隊の北上の様子を探る役目を担っていた。そして対馬海峡に向かう同艦隊を発見し、日本の連合艦隊に対して有名な「敵艦ミユ」の情報を送ったことであまりにも有名である。

日本海軍において特設軍艦とは、戦艦、巡洋艦、航空母艦あるいは駆逐艦などに代表される海軍の主力艦艇の不足を補うために、一般商船を徴用して正規の巡洋艦や航空母艦に準じて使う場合を指すもので、海軍において商船を一時的に徴用して単に輸送任務に使うような場合には、これらの船は特設軍艦とは呼ばない。輸送任務に使われる徴用商船は特設特務艦船に分類され、その中でも石油や石炭などの艦艇の行動に不可欠な燃料や、糧秣などの艦艇の行動上必要不可欠な貨物を運ぶ船舶は特設特務艦に分類され、一般的な輸送に使われる船舶は特設輸送船と呼ばれる。日本海軍の特設艦船は第13表のように分類されている。

特設艦に編入された商船は用途にもよるが多くの場合は何らかの武装が施されるが、それはあくまでも一時的用途のための装備で、とても敵の正規の艦艇と渡り合えるような装備ではなく、あくまでも自衛のための武装であるが、特設航空母艦の場合は装甲を別にすればほぼ正規の航空母艦に近い装備や武装が施されていた。

商船を特設艦として使う場合の最大のメリットは絶対数を確保し不足を補うという面もあるが、実際には商船本来が持っている特性、つまり搭載量の多さ、航続距離の長さなど正規の艦艇にはない商船特有の特性が活かせるということにある。

海軍が商船を特設艦として使う場合、ほとんどは船体をそのまま海軍がチャーターする形

第13表　日本海軍特設艦の分類

特設軍艦	特設巡洋艦　特設敷設艦　特設急設網艦　特設航空母艦　特設水上機母艦　特設航空機運搬艦　特設水雷母艦　特設潜水母艦　特設掃海母艦　特設砲艦
特設特務艇	特設捕獲網艇　特設防潜網艇　特設駆潜艇　特設掃海艇　特設監視艇
特設特務艦船	特設運送船　特設工作艦　特設港務艦　特設測量艦　特設砕氷船　特設病院船　特設救難船　特設電線敷設船　特設雑役船

式をとる。海運界で言うところの所謂「裸傭船」である。しかしその使用目的によって所用の改造が施されることは当然であるが、使用期間が終了し元の船主に返却する場合には、原則的に傭船前の状態に復旧してから返却するのが建て前となっている。

太平洋戦争では特設航空母艦に改造された客船などは、仮に用途が終了してもとうてい旧来の姿に復旧させることは不可能であるが、この場合には海軍は傭船ではなく船主から船体を購入（つまりは買収）してから徹底的な改造を行なった。

日本海軍は一九四〇年以降臨戦体制を整え、一九四一年四月頃から特設艦を目的とした商船の徴用が急速に進められた。そして九月頃からは侵攻作戦の発動に備えて兵員や物資の輸送のための陸海軍による商船の徴用が急ピッチで進められた。

一九四一年秋、日米開戦がもはや回避不可能に近い状況まで追い込まれていた日本では、世界第三位を誇っていた二四四五隻、六三九万総トンの日本の商船隊に大きな変動が起きていた。それは貨物船を中心に三七六隻、一九〇万総トンもの大型商船が陸海軍の輸送船として動員を受けていたことで、その上に大型客船や貨客船さらには貨物船を中心に三四〇隻、一四〇万総トンが海軍の特設艦として徴用、あるいは買収を受けていたことである。

つまり日本が保有していた商船の半数が、来たるべき開戦を想定して密かに戦時目的のための準備を終えていたのである。

第14表に太平洋戦争直前における日本海軍の特設艦の準備状況を示すが、実に多岐にわたった用途の艦として多数が準備されていたことがわかる。

次に日本海軍で活躍した特設艦について代表的なものについて解説することにしよう。

（1）特設巡洋艦

商船を特設巡洋艦（仮装巡洋艦とも呼ぶ）として使うのにはそれなりの理由があった。

第一次世界大戦以前までは、軍艦と商船との間には速力においてそれほど大きな違いはなく、一朝有事に際しては速力の出る商船に六〜八門の大砲（口径七〜一五センチ程度）を装備し、敵の商船の攻撃に使う手法がとられ、それなりの成功をおさめることができた。

しかし軍艦の高速化や武装の強大化の中では、商船に便宜的な武装を施しただけの所詮は「マガイモノ」の軍艦を戦力として使うには、次第に困難を感じるようになってきた。

勿論、第一次世界大戦頃は武装商船を積極的に戦闘海域に投入する時代ではなく、せめて通商破壊作戦などのような海上ゲリラ戦法の手段に使う程度に用途が限られつつあった。

しかし商船には艦艇にはない持ち味があり、艦艇の代用として使うには商船は極めて便利な存在であった。その一つは商船の特徴である長い航続力であり、一つは船体の大きな容積を作戦上有効に使うことができるということである。

この二つの特徴を合わせれば、長期間無補給で大洋を航行することが可能な、ある程度完備した乗組員の居住設備を持った、大量の機雷や弾薬や燃料や水も搭載が可能な、できれば

第14表　開戦時の主要特設艦の準備状況

特設巡洋艦	12隻	報国丸，愛国丸，浅香丸，金剛丸，金竜丸　他
特設航空母艦	1隻	春日丸
特設水上機母艦	6隻	君川丸，神川丸，聖川丸，国川丸，讃岐丸　他
特設航空機運搬艦	7隻	小牧丸，葛城丸，最上川丸，加茂川丸，他
特設潜水母艦	5隻	平安丸，靖国丸，さんとす丸，名古屋丸，他
特設水雷母艦	4隻	神風丸，神洋丸，日本海丸，首里丸
特設敷設艦	6隻	高栄丸，辰春丸，辰宮丸，新興丸　他
特設急設網艦	2隻	西安丸，須磨浦丸

水上偵察機も搭載した、「万能」の艦を生み出すことが可能なのである。そしてこの用途に最も適合した艦が第一次世界大戦で「特設巡洋艦」という形で誕生したのである。

長距離洋上哨戒、適地への機雷敷設、神出鬼没の通商破壊作戦、長距離船団護衛など仮装巡洋艦の任務は多岐にわたる。海軍にとって特設巡洋艦は既存の艦艇ではできにくい、まさに任務の隙間を埋めるのに最も適した艦種であるといえた。

特設巡洋艦として使われる商船としては、多くの場合一万総トン前後の高速貨客船または高速客船が選ばれるが、それはイギリスと日本の海軍の共通点であった。しかしなぜかドイツは特設巡洋艦に全て貨物船を選んだ。

ドイツ海軍が特設巡洋艦として貨物船だけを使ったのにはそれなりの理由があった。それは第二次世界大戦で最も多くの特設巡洋艦を使ったイギリスと比較すれば、その理由がそれらの艦の使い方に違いがあったことに原因していたことでわかる。

ドイツ海軍では特設巡洋艦は全て通商破壊作戦に投入したが、これは奇襲に際し敵の商船をまず欺くためには、客船や貨客船のように外形に特徴を持ち、それがために相手側に正体が暴かれやすい商船では作戦上不利であり、簡単な偽装で様々な国の様々な商船に変

装備
14センチ単装砲×8　13ミリ連装機銃×2　53センチ魚雷発射管×2　水上偵察機×1
〃　〃　〃　〃
15センチ単装砲×8　13ミリ連装機銃×2　53センチ魚雷発射管×2　水上偵察機×1
14センチ単装砲×4　13ミリ連装機銃×2　53センチ魚雷発射管×2
〃　〃　〃　〃
15センチ単装砲×4　8センチ単装高角砲×1　7.7ミリ単装機銃×2　水上偵察機×2
15センチ単装砲×4　13ミリ単装機銃×2　53センチ魚雷発射管×2　水上偵察機×1
〃　〃　〃　〃
15センチ単装砲×8　13ミリ連装機銃×2　53センチ魚雷発射管×2　水上偵察機×1
15センチ単装砲×4　7.7ミリ単装機銃×2
12センチ単装砲×4　7.7ミリ単装機銃×1　機雷×500発
〃　〃　〃
12センチ単装砲×4　7.7ミリ単装機銃×1　機雷×500発
15センチ単装砲×4　8センチ単装高角砲×1　7.7ミリ単装機銃×2　水上偵察機×2

身できる貨物船のほうが作戦上便利であったからである。

日本海軍は太平洋戦争勃発に先がけ、第15表に示す一四隻の特設巡洋艦を用意していた。ただ日本海軍の特設巡洋艦の使い方はドイツ海軍やイギリス海軍とは多少の違いがあった。もちろん後で説明するように通商破壊作戦用に三隻の大型貨客船を準備したが、残りの一一隻は攻撃用や護衛用としてではなく、正規の軍艦が出払った後の基地防備兵力の旗艦的な役割を担ったり、遠距離洋上哨戒に使われたり、多数の洋上哨戒用の小型特設哨戒艇の母船としての役割を担った。

日本海軍は日本本土の遙か東方洋上の哨戒のために、多数の徴用漁船を特設哨戒艇に仕立てて交代で配置したが、特設巡洋艦の重要な任務の一つが自らも洋上哨戒を行ないながら、これらの特設哨戒艇の母船として糧秣や燃料・飲料水などを補給する任務も担っていた。

第15表の中の大型貨物船改装の特設巡洋艦は、

第15表　日本の特設巡洋艦一覧

船　名	総トン数	主機関	最高速力
報国丸	10439	ディーゼル機関	20.9ノット
愛国丸	10437	〃	〃
護国丸	10439	〃	〃
浅香丸	7398	〃	19.0ノット
粟田丸	7397	〃	〃
赤城丸	7386	〃	〃
金竜丸	9309	〃	19.5ノット
金剛丸	7043	〃	18.5ノット
清澄丸	6983	〃	〃
浮島丸	4730	〃	17.0ノット
盤谷丸	5350	〃	16.0ノット
西貢丸	5350	〃	〃
金城山丸	3262	〃	14.5ノット
能代丸	7184		18.5ノット

その長い航続力を活かして洋上哨戒を行なうと共に、他の艦艇に対する洋上補給任務にも使われていた。

中型貨客船の浮島丸は、マレー・ジャワ方面の侵攻作戦が終了するとシンガポールに進出し、日本とシンガポール間を往復する輸送船の護衛を任務とする、第一護衛隊の旗艦としての役目を担っていた。しかし一九四三年四月以降に中型貨客船の西貢丸と共に特設砲艦としての任務に変更され、特設巡洋艦の任務から外れた（西貢丸の姉妹船の盤谷丸は艦種変更の前に撃沈されている）。

日本海軍の中では特設巡洋艦の位置づけは結局は明確さを欠いたまま、尻すぼみの状態のまま消滅した。特に通商破壊戦用に準備された三隻の報国丸級特設巡洋艦は、結局は当初の狙いどおりの作戦が行なえないまま損害を出し、中途半端な存在で艦種が変更されている。また作戦中に撃沈された金剛丸、金城丸、盤谷丸など五隻と、特設砲艦に艦種変更された浮島丸と西貢丸を除いた残りの七隻は、一九四三年十月に特設巡洋艦の任務を解かれ、特設輸送艦に艦種を変更され、その時点で日本海軍からは特設巡洋艦という艦種はなくなった。

結局、近代戦の中では用途に明確さを欠いていた商船改装の特設巡洋艦の生き残る途は、すでになかったのであろう。事実ドイツ海軍も一九四三年半ば以降は特設巡洋艦による通商破壊作戦は中止され、特設巡洋艦という艦種は消滅している。ただ消滅の理由は日本海軍の場合より深刻で、一九四三年半ば以降は広大な大西洋も陸上基地から発進する長距離哨戒機や、護衛空母から発進する艦載哨戒機によって広範囲に空からの見張りが利くようになり、例え孤艦であっても水上艦艇が海上でゲリラ戦を展開する時代ではなくなっていたためである。

日本では太平洋戦争の勃発を前にして、ドイツの実績を基に通商破壊作戦用に三隻の特設巡洋艦を準備していた。この三隻は姉妹船であったが三隻目は開戦当時はまだ未完の状態で、報国丸と愛国丸の二隻が開戦当日には予定の作戦海域にすでに配置されていた。

この三隻の姉妹船は、大阪商船がアフリカ東岸経由の南米航路用に建造した最新鋭の一万総トン級の貨客船で、第一船の報国丸は一九四〇年六月に、第二船の愛国丸は一九四一年八月に竣工した。報国丸だけは南米航路に一度だけ、その後は神戸と大連を結ぶ航路に就航したが、愛国丸と共に海軍に徴用され特設巡洋艦への改装を受けた。

両船は一四センチ単装砲八門、五三センチ連装魚雷発射管二基、一三ミリ連装機銃二基、水上偵察機一機を装備した特設巡洋艦に改装されたが、外形上は旧来の貨客船のスタイルと大きく変わるところはなかった。

報国丸

二隻は改装工事を完了すると直ちに連合艦隊直率の新設の第二四戦隊に配属された。この戦隊は日本海軍唯一の水上艦による通商破壊作戦を実施する戦隊であった。

二隻は開戦と同時に東南太平洋方面で通商破壊作戦を開始したが、一ヵ月半の作戦期間中に挙げた戦果はわずかに貨物船撃沈二隻（九五〇〇総トン）のみで、一九四二年一月下旬に作戦を中止している。その後も戦果のないまま第二四戦隊は早くも三月には解散している。

その後この二隻は潜水艦で編成された第六艦隊に配属され、インド洋で通商破壊作戦を展開、五月から七月にかけて貨物船一隻撃沈、二隻拿捕の戦果を挙げ一旦作戦を中断している。

その後二隻は十一月より再びインド洋で通商破壊作戦を開始したが、その直後の十一月十一日、オランダの油槽船オンディーナ号に停船を命じ臨検のために同船に接近したとき、同号に装備されていた大砲が放った一弾が報国丸に搭載されていた水上偵察機用燃料ドラム缶を破壊、付近はたちまち炎上し、その火災で直下甲板に装備されていた魚雷発射管の魚雷を誘爆させてしまった。報国丸は潜水艦に補給する魚雷を多数積み込んでいたが、誘爆はこれら予備魚雷を次々と誘爆させ、ついに報国

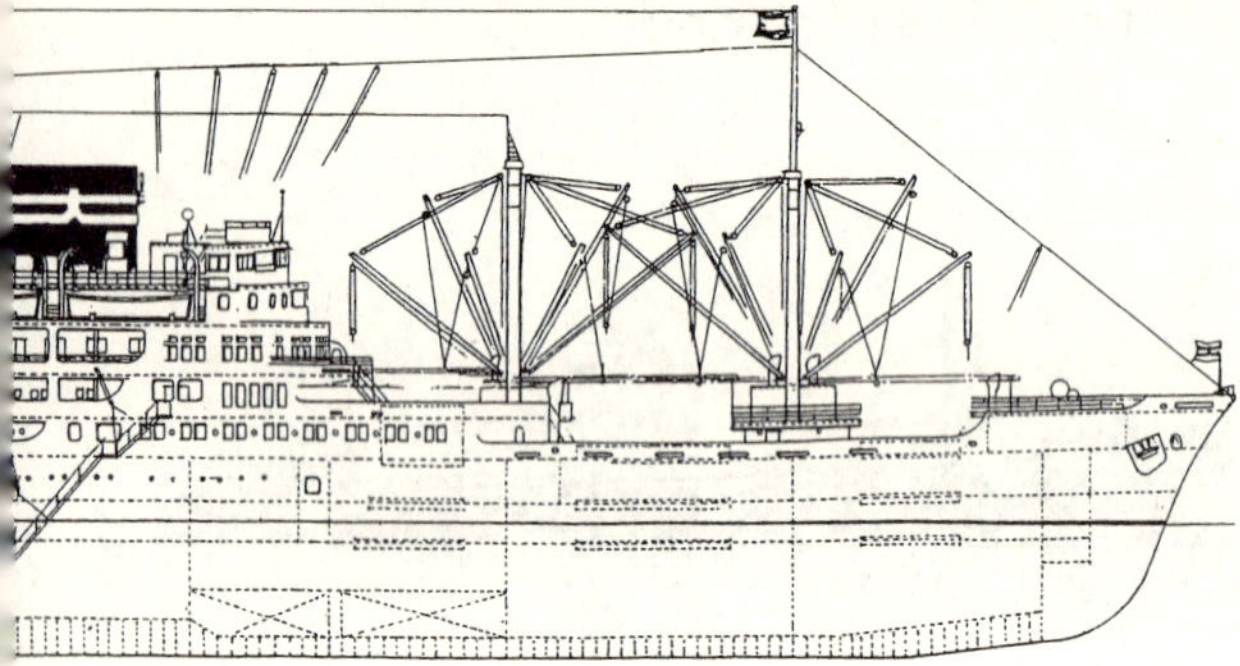

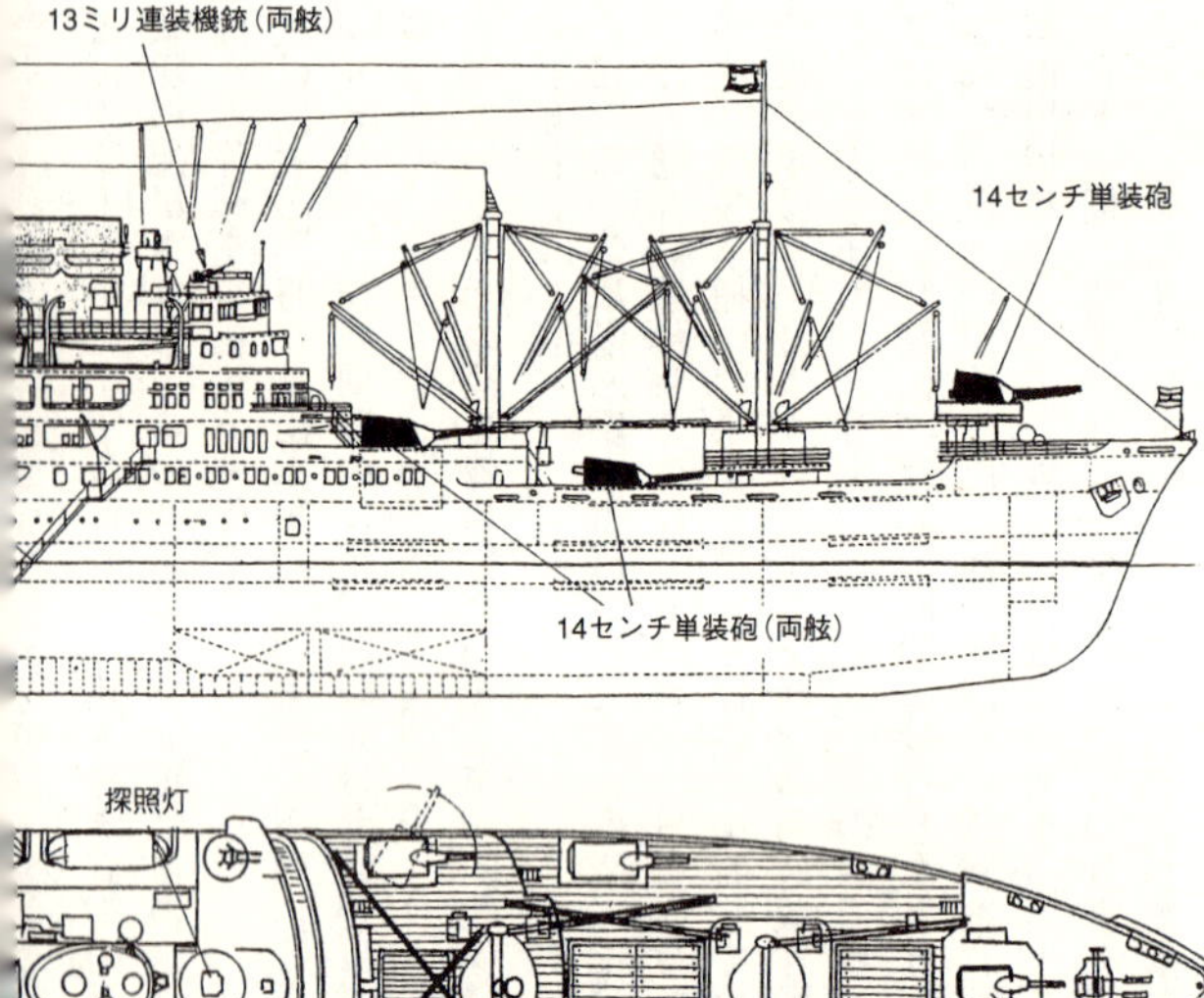

13ミリ連装機銃（両舷）
14センチ単装砲
14センチ単装砲（両舷）

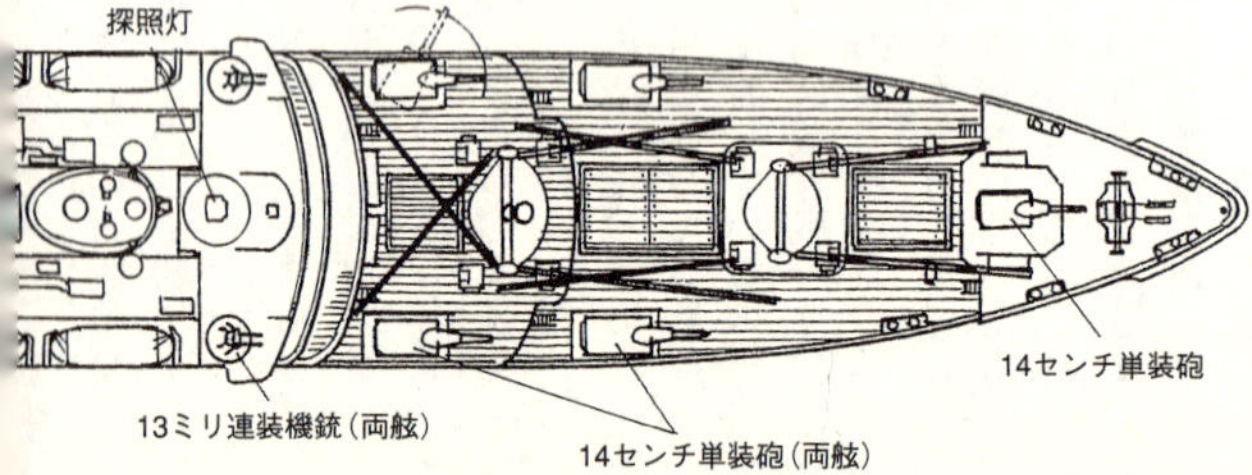

探照灯
14センチ単装砲
13ミリ連装機銃（両舷）
14センチ単装砲（両舷）

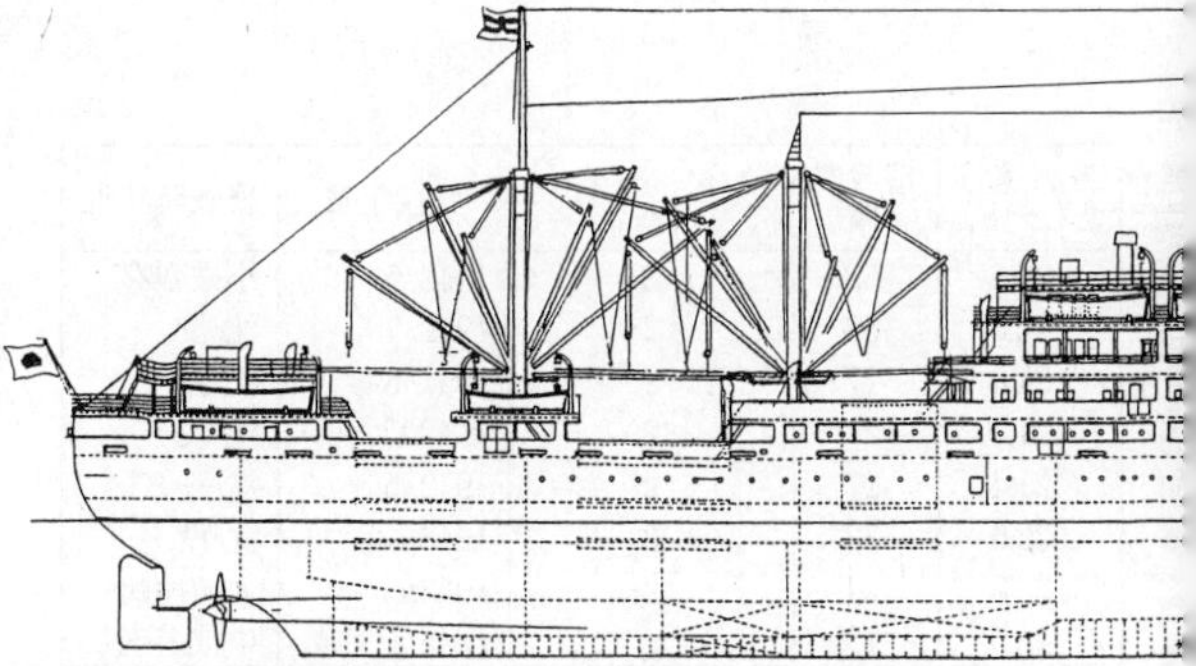

第7図　仮装巡洋艦に改装された報国丸の装備概念図

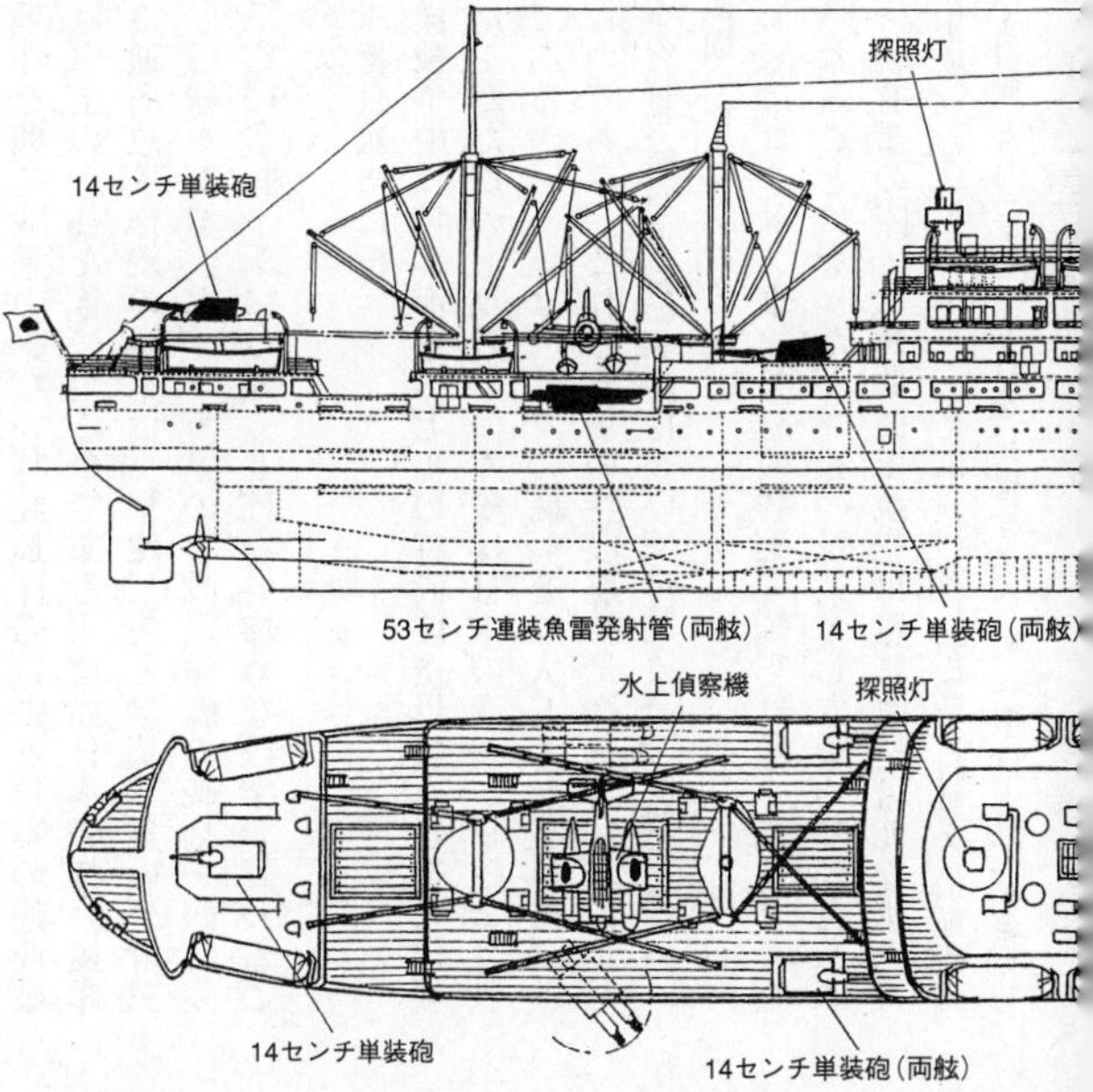

最高速力（ノット）	搭載機（機）	エレベーター（基）	就役年月	終戦時状況
25.6	53	2	1942. 5	小破残存
25.6	53	2	1942. 7	沈 没
21.0	27	2	1941. 8	沈 没
21.4	27	2	1942.11	沈 没
21.4	27	2	1942. 5	沈 没
22.0	33	2	1943.12	沈 没
23.8	24	2	1943.11	大破座州
18.5	12	1	1945.未完成	中波着底

丸は全船炎上し爆発を続けながら沈没してしまった。

この事件を機に戦果の少ない特設巡洋艦による日本の通商破壊作戦は中止の止むなきに至るのである。結局日本の特設巡洋艦による通商破壊作戦の戦果は、撃沈三隻と拿捕二隻の合計三万一四〇〇総トンで、ドイツ海軍の特設巡洋艦の戦果一四〇隻、八六万三〇〇〇総トンには遠く及ばない惨めな数字で終わることになった。

（2）特設航空母艦

太平洋戦争中に日本海軍は七隻の特設航空母艦を建造し作戦に使った。ただこの七隻の中の六隻は日本の商船から改造されたものであるが、一隻はドイツの商船を購入して航空母艦に改造したものである。これら七隻の特設航空母艦を第16表に示した（日本の特設航空母艦の詳細については弊著書「護衛空母入門」をご参照願いたい）。

日本海軍はロンドン軍縮条約の結果、航空母艦の建造を大幅に制限されることになったが、その対策として条約の網目をぬって、一朝有事の際には短期間で航空母艦に改造可能な水上機母艦「千歳」と「千代田」（これらの艦は実際には特殊潜航艇母艦として計画されたが、それを秘匿するために表向き「水上機母

第16表　日本の特設航空母艦一覧

艦　名	旧船名	公試排水量（トン）	飛行甲板全長(m)	全幅(m)	主機関
隼　鷹	橿原丸	26921	210.3	27.3	タービン
飛　鷹	出雲丸	26921	210.3	27.3	タービン
大　鷹	春日丸	20000	172.0	23.5	タービン
冲　鷹	新田丸	19239	172.0	23.7	タービン
雲　鷹	八幡丸	19239	172.0	23.7	タービン
神　鷹	シャルンホルスト	20916	180.0	24.5	タービン
海　鷹	あるぜんちな丸	16748	163.5	23.0	タービン
しまね丸		10021	155.0	23.0	タービン

艦」と呼称されたいきさつがある）や、高速給油艦「剣崎」と「高崎」、さらに潜水母艦「大鯨」の建造を開始した。

なおこれら五隻は途中から正規の軽航空母艦「千歳」「千代田」「龍鳳」「瑞鳳」「祥鳳」としての改造工事に取りかかっている。

日本海軍はこの五隻の航空母艦の他に、一朝有事に際しては短期間で航空母艦に改造できることを前提として設計された大型客船の建造を画策した。その具体的方法は一九三九年から日本政府が施行した「優秀船舶建造助成施設」という、優秀船舶の建造に対して政府が多額の助成資金の融資を行なうという政策を最大限に活用する方法であった。

この助成施設は各海運会社が貨物船や貨客船さらに客船を新造するには極めて有利な融資策であるが、その見返りとしてこの融資策で建造された商船は、一朝有事に際しては直ちに軍に徴用される義務を負うことになるのである。

この「優秀船舶建造助成施設」によって多数の商船が建造されることになったが、その中で日本郵船が建造を開始した五隻の大型客船と、大阪商船が建造を開始した二隻の大型客船については、当初より航空母艦への改造を前提とした設計が行なわれていた。この七隻の大型客船の設計に際しては海軍の艦政本部の指導があり、客船として完成はさせるものの、将来航空母艦に改造される際にスムーズな改造工事が行なえるよう、船体の強度や船体各所の寸法などに様々な制限がつけられた。

これら七隻の中で客船の姿で完成したのは太平洋戦争開戦前に完成した日本郵船の新田丸と八幡丸、大阪商船のあるぜんちな丸とぶらじる丸の四隻だけで、その他の日本郵船の新田丸の姉妹船である春日丸と、二万七〇〇〇総トン級の出雲丸と橿原丸は建造途中で航空母艦への改造が開始されている。

客船として完成した四隻も、一九四一年より逐次航空母艦への改造工事が開始されたが、ぶらじる丸だけは改造工事を直前にして雷撃で撃沈されてしまった。

日本海軍の特設航空母艦はアメリカやイギリスで第二次世界大戦中に大量に建造された商船改造の航空母艦とは、いささか違った思想の下で建造されていることに注意しなければならない。

アメリカ海軍とイギリス海軍は第二次世界大戦中に一〇〇隻を超える商船改造の特設航空母艦、いわゆる護衛空母と称される航空母艦を建造したが、これらの航空母艦は基本的には既存の貨物船などの商船の基本船体の上に簡易的な飛行甲板や格納庫あるいは対空火器を搭載し、戦時急造の改造航空母艦として完成させ、船団護衛や航空機輸送、そして時には正規航空母艦の不足を補うために攻撃用などに多用途に使われたものであり、あくまでも補助的な用途のものであった。

しかし日本の場合の特設航空母艦は、前に述べたとおり本来の用途は正規航空母艦の建造

新田丸

制限に対する打開策的な思想の下に計画されたもので、一朝有事の際には正規航空母艦の不足を完全に補完するものであった。それだけに仮に航空母艦への改造が開始されれば完全な正規航空母艦に準じた仕様の下で改造工事が行なわれるために、完成した航空母艦は特設とは名のみで完全な航空母艦になることが前提となった。

したがって「特設航空母艦」と呼ばれはするものの、他の特設艦とは一線を画す必要がある特設艦であった。

その好例が二万七〇〇〇総トン級客船の出雲丸や橿原丸を建造途中で航空母艦に改造した「飛鷹」や「隼鷹」である。この両航空母艦は開戦当時の主力航空母艦の一角にあった正規航空母艦の「飛龍」や「蒼龍」とほとんど同じ性能を有する航空母艦に改造され、日本海軍の機動部隊の主力として活躍している。

戦争に突入してから航空母艦に改造された客船の新田丸、八幡丸、春日丸、あるぜんちな丸は、それぞれ航空母艦「雲鷹」「沖鷹」「大鷹」「海鷹」として完成、また第二次世界大戦の勃発によって故国への帰還の途を閉ざされ、神戸港に係留されていたドイツ客船シャルンホルスト号は日本に売却され、特設航空母艦「神鷹」として完成することになった。

これらの改造された航空母艦は、本来の客船の原形を全く留めな

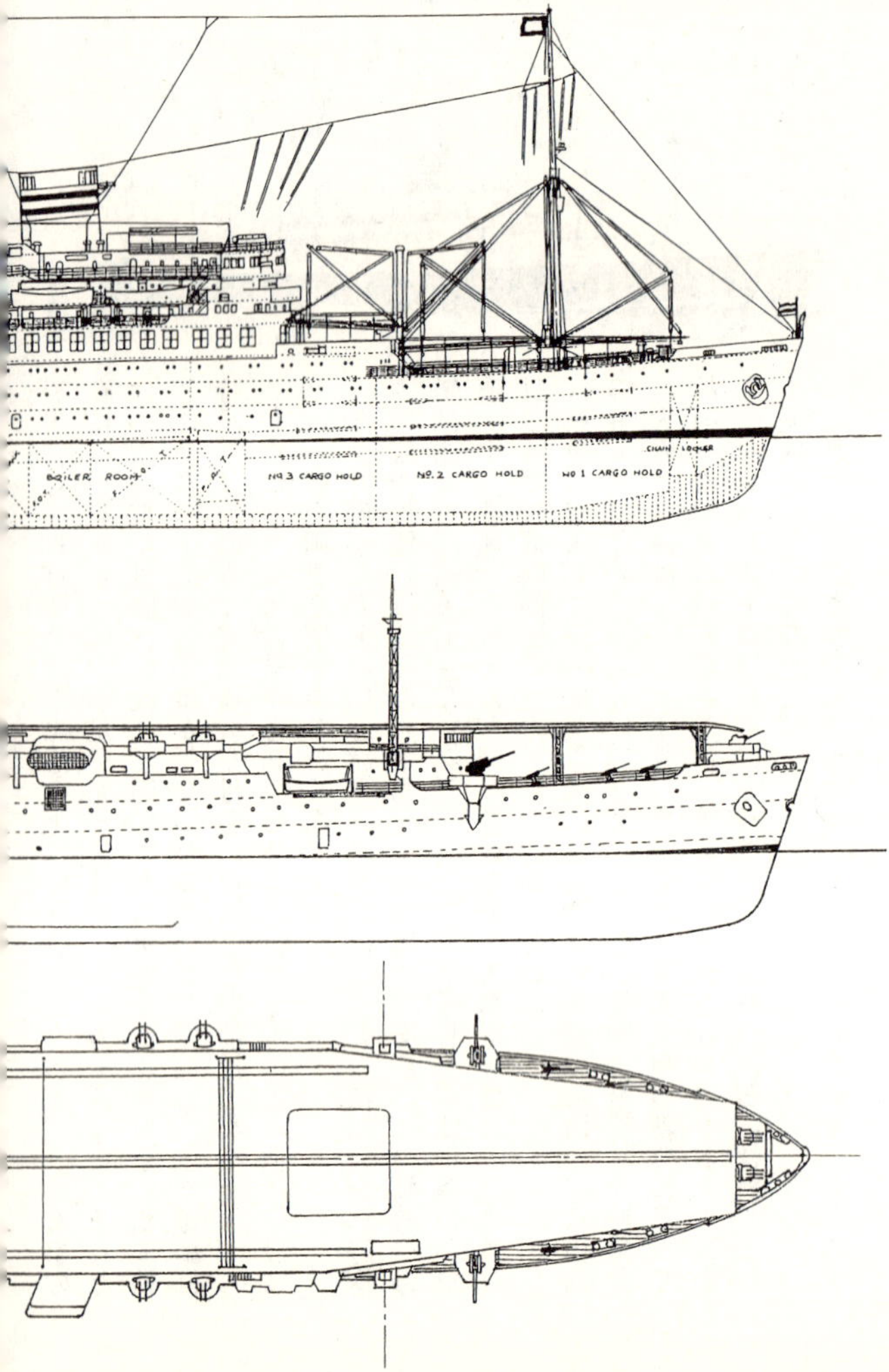
BOILER ROOM
No 3 CARGO HOLD
No. 2 CARGO HOLD
No 1 CARGO HOLD
CHAIN LOCKER

八幡丸側面図

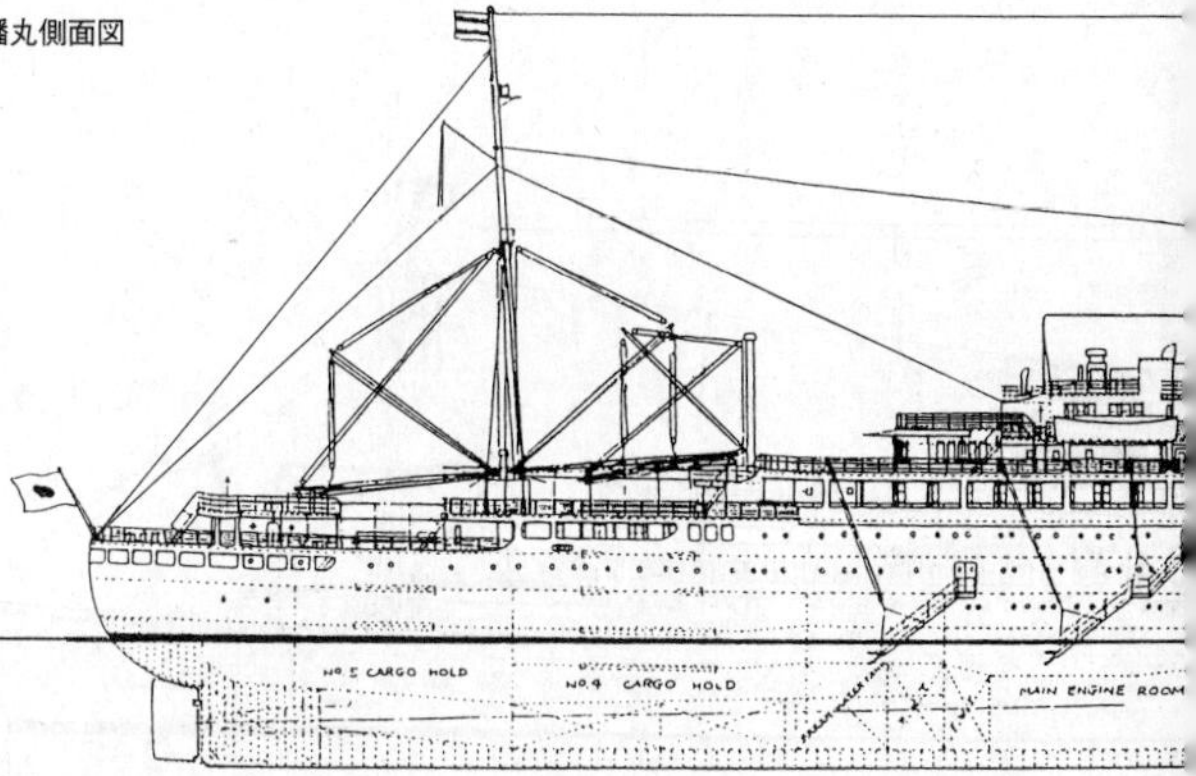

第8図　特設航空母艦「雲鷹」外形図

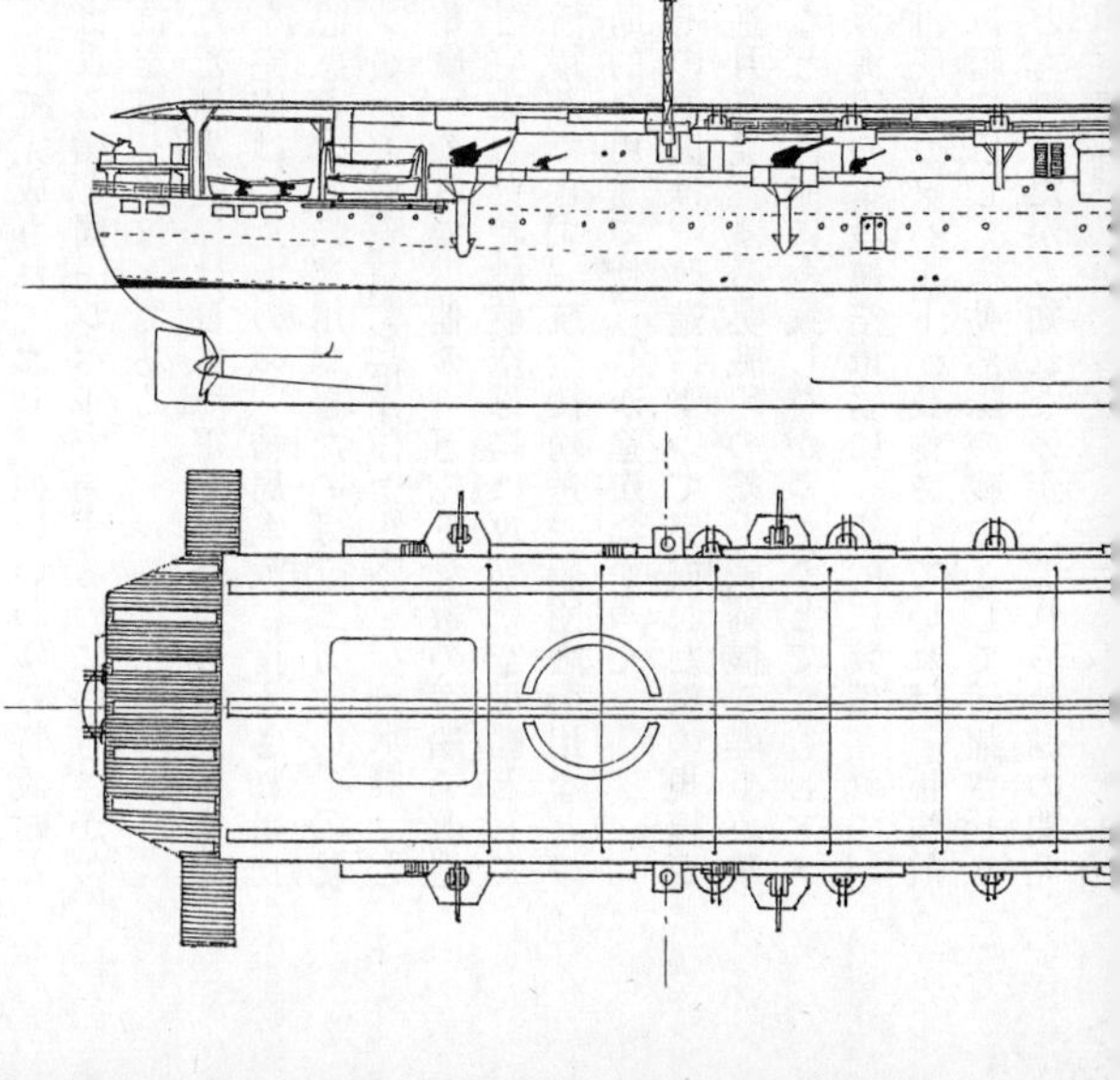

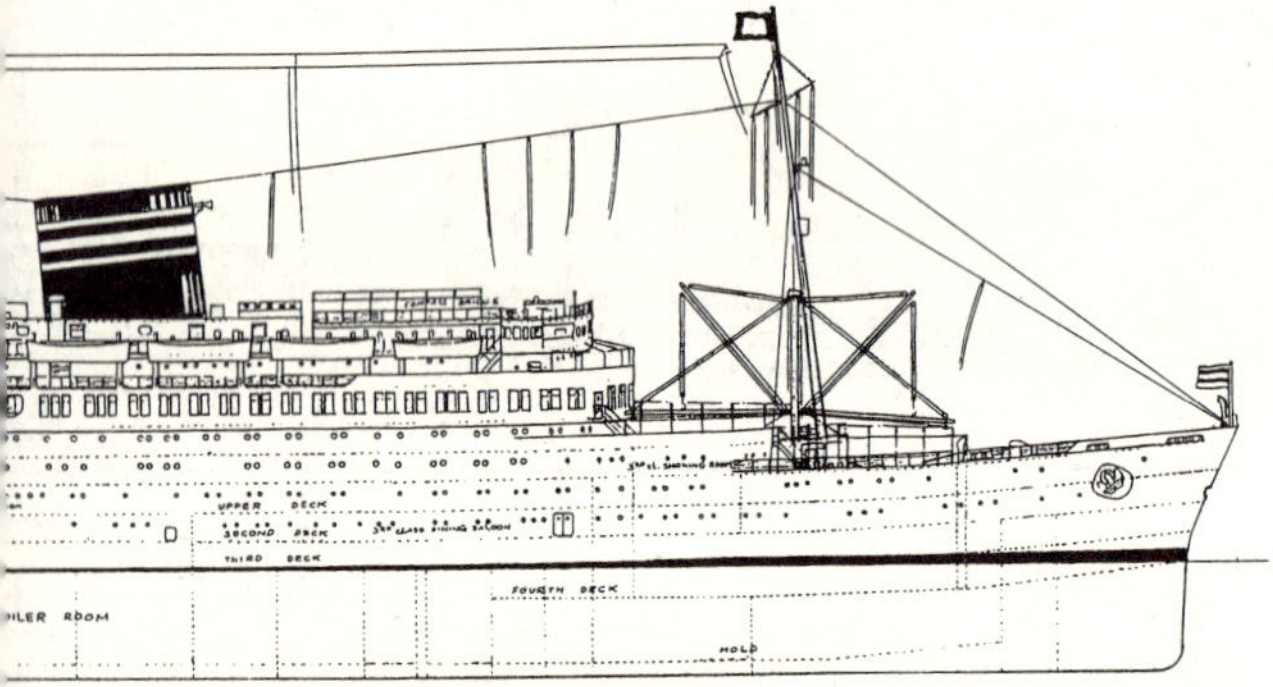

いほどの徹底的な改造が行なわれ、完全な航空母艦として完成されており、他のいわゆる特設艦と呼ばれる艦と同一レベルで論ずるのにいささかの抵抗を感じるほどである。

ただ結果的には日本海軍では七隻の特設航空母艦を完成はしたものの、結局実戦に投入され当初の思惑どおりに運用できたのは、二万七〇〇〇総トン級の大型客船を母体に完成した「飛鷹」と「隼鷹」のみで、他の一万総トン級の客船を改造して完成した特設航空母艦は攻撃航空母艦としての活躍ができず、航空機輸送や船団護衛用などの補助的な用途で使うしか途がなかった。

その原因は、改造によって完成した艦の規模が日進月歩発達する実戦用の艦上戦闘機や艦上攻撃機などの性能に合致しなかったことで、もしアメリカ海軍の特設航空母艦に一般的に装備されていた油圧式カタパルトが装備されていれば、正規航空母艦に伍して機動部隊の戦力として活躍させることもできたかも知れないが、これら装備の開発

第9図　客船出雲丸側面図（完成予想図）

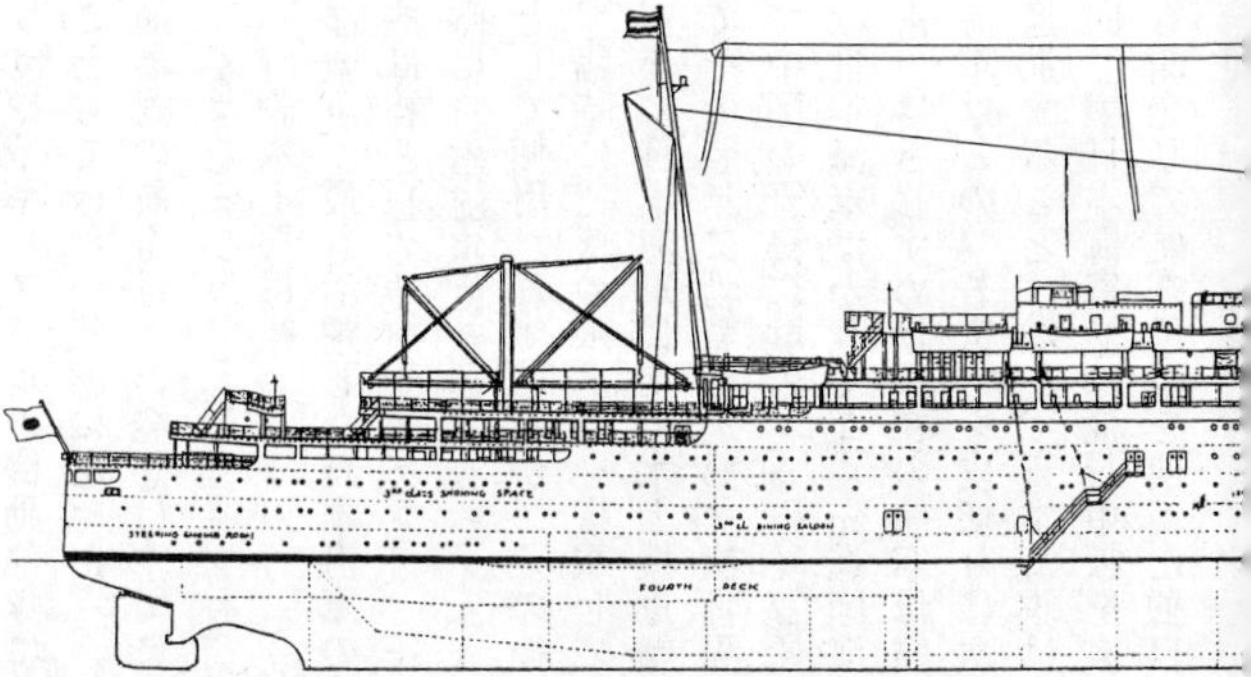

に遅れていた日本海軍では、小型特設航空母艦の活躍は結局は中途半端に終わることになった。

日本の小型の五隻の特設航空母艦が最も活躍できた分野は、日本本土からトラック島やソロモン方面（主にラバウルやカビエン）方面などへの陸海軍航空機の輸送であった。

日本海軍はこれらの七隻の特設航空母艦以外に、太平洋戦争末期に大量建造されていた戦時標準船の中から、大型油槽船（１ＴＬ型）三隻を特設航空母艦に改造する計画を実行に移した。この場合の特設航空母艦は前出の七隻とは用途が全く異なっていた。というのはここで建造が予定された特設航空母艦は用途はあくまでも船団護衛に限られたもので、基本船体は本来の油槽船の能力を持ち、基本船体の上に簡易式の格納庫と飛行甲板を搭載しただけの構造で、石油の輸送を行なうと同時に自ら飛行機を搭載して船団の護衛を行なおうとする考え方の艦であった。結局この艦は一隻がほぼ完成の状態になったが、そのときには日本の周囲はアメリカやイギリス海軍の機動部隊に包囲されており、石油輸送のための船団を南方に送り出すこともできない状態にあった。

この簡易式の航空母艦の発想はすでに一九四一年頃にイギリス海軍にあり、その後ＭＡＣシップ（Merchant Aircraft Carrier Ship）の名の下に一九隻が改造され実戦で活躍した。

（３）特設水上機母艦

太平洋戦争で最も活躍した日本海軍の特設艦は特設水上機母艦であろう。日本海軍が商船を水上機母艦として使用することは、すでに一九一三年（大正二年）に始まっている。日露戦争の時に日本海軍に拿捕されたイギリス商船レシントン（四四二一総トン）は日本海軍の運送船として使用されていたが、その後この船は一九一二年の秋に実施された海軍の大演習の際に、臨時に三機の水上機を搭載して青軍の特設の「水上機母艦」として使われたが、翌一九一三年に日本海軍最初の水上機母艦「若宮」に改造された。

そしてその翌年に勃発した第一次世界大戦では、四機の水上機（内二機は分解して搭載）を搭載して中国の青島に駐留するドイツ軍攻撃のために出撃している。

当時は日本海軍ばかりでなく先進国海軍の飛行機は全て水上機であったために、水上機母艦「若宮」はさしずめ世界初の航空母艦であったと表現することもできよう。

日本海軍はこの「若宮」を皮切りに次々と水上機母艦を建造し、それと併行して水上機の開発に邁進することになり、日本海軍は水上機では世界のトップレベルの地位を確保した。

勿論同じ頃日本海軍では飛行甲板を有する正規の航空母艦の建造も開始し、同時に優秀な艦上機も開発して航空母艦を使った独自の戦術を編み出していたが、その中で日本海軍は艦上機ではカバー仕切れない分野へ水上機を投入する戦術を編み出した。その基本的構想は航空母艦が使えない侵攻作戦において、水上機を有効に活用するという考え方であった。

水上機は敵地に侵攻する際に、陸上基地が未整備の状況でも防空や攻撃あるいは偵察に極めて効果的に使うことができ、多数の水上機母艦を整備することは、同時に侵攻作戦や防備上で多数の航空基地を整備したと同じ効果が得られるという日本海軍独特の理論である。

日本海軍は日中戦争においてこの考え方を実戦で試して成功をおさめている。日中戦争では正規の水上機母艦五隻（能登呂、神威、千歳、千代田、瑞穂）と、大型貨物船を改装した特設水上機母艦三隻（神川丸、香久丸、衣笠丸）が実戦で使われたが、いずれも満足すべき成果が得られ、理論を実戦で証明することになった。

日本海軍はこの成果を評価し太平洋戦争の開戦を前に、計画されている大規模な侵攻作戦をバックアップする目的から正規の水上機母艦以外に、大型高速貨物船を改装した特設水上機母艦の整備を急いだ。

日本海軍は特設水上機母艦用に六隻の高速大型貨物船を徴用した。さらに開戦後に一隻を追加徴用し第17表に示す合計七隻の特設水上機母艦を太平洋戦争で運用することになり、それぞれが水上機基地の開設と水上機の運搬また整備や補給に活躍した。これら特設水上機母艦には華々しい活躍の様子をうかがわせる派手な戦闘記録はないが、それぞれの艦が水上機による最前線の防空や哨戒の任務の遂行になくてはならない存在となっていたのであった。

特設水上機母艦用に徴用された貨物船には特徴があった。その基本は六〇〇〇総トン以上の大型かつ高速貨物船であることであるが、最大の特徴はその外形にある。

カタパルト	太平洋戦争勃発時の配属	改役後
1基	第3艦隊第12航空戦隊	1943年沈没
〃	第5艦隊付属	特設運送艦に編入
〃	第4艦隊付属	特設運送艦に編入
〃	第4艦隊付属(1942.7編入)	特設運送艦に編入
〃	南遣艦隊付属	特設運送艦に編入
〃	第3艦隊第12航空戦隊	特設運送艦に編入
〃	第3艦隊第2根拠地隊付属	特設運送艦に編入

の任務を解かれ特設運送艦に艦種が変更され聖川丸を覗き全て戦没した。

徴用された七隻の貨物船はいずれも船首楼付のいわゆる平甲板型であった。これは貨物船としては標準的な形状である三島型（第12図参照）では、甲板上に凹凸が出来、機体を並べる上でも取り扱う上でも作業が煩雑になるために、前後甲板が全くの平らな形状の貨物船が選ばれたのである。

また水上機母艦には作戦上高速力が要求されるために、山陽丸以外の六隻は全てニューヨーク航路用に建造された、当時の日本の最新鋭の高速貨物船であった。

貨物船が特設水上機母艦として適しているのは、広い甲板が水上機の搭載に便利であること、大きな容積の船倉が水上機の発動機の調整場所や格納場所として、さらに各種備品や燃料と潤滑油の保管場所（燃料と潤滑油は全てドラム缶で搭載された）、あるいは爆弾や機銃弾などの格納場所として、あるいは水上機搭乗員や整備員、多数の運用員の居住場所として十分に活用できるためであるとともに、既設の多数のデリックが水上機の取り扱いに便利に活用できるためであった。

これらの貨物船を特設水上機母艦として使う場合には次のような共通の改装が施された。

（1）三番デリックポストの撤去（より多くの水上機を搭載す

第17表　太平洋戦争に投入された特設水上機母艦一覧

艦　名	総トン数	主機関	最高速力	水上機搭載数
神川丸	6853	ディーゼル	20.0ノット	12機～24機(最大)
君川丸	6863	〃	20.0ノット	〃
聖川丸	6862	〃	20.3ノット	〃
国川丸	6863	〃	20.1ノット	〃
相良丸	7189	〃	19.6ノット	〃
山陽丸	8360	〃	18.5ノット	〃
讃岐丸	7158	〃	19.8ノット	〃

(注) 特設水上機母艦は1942年10月から1943年10月にかけて逐次特設水上機母艦

るためと増設されたカタパルトの旋回に支障を来たさないため)。

(2) 上甲板の四番ハッチ右舷側にカタパルトを装備する。

(3) 後部上甲板上に(一部の艦については前部上甲板上にも)、上甲板のブルワーク(露出甲板の両舷に取り付けられた波除け板)の上端と、四番・五番・六番ハッチのハッチコーミング(ハッチの縁材)の上端を同一レベルに仕上げるために、新たに木甲板を張り、甲板上での水上機の取り扱いを容易にする。

(4) 新たに設けた木甲板上に、水上機移動用のレールを取り付ける(レール上に水上機の運搬台を載せ、機体は船上では運搬台ごとレール上を移動し、カタパルトまで運び発進させる)。

(5) 船首尾に砲座を新設し、口径一四または一五センチ砲を取り付ける。また船体中央の上部構造物の両舷後端には二五ミリ連装高射機関砲をそれぞれ配置する。

(6) 船橋後部と煙突後部に探照灯各一基を配置する。

これらの改装を行なうことによって七隻の特設水上機母艦は各艦一〇～一二機の水上機の搭載が可能になった。

水上機の搭載と運用はカタパルト主体の発進が行なわれたために、ほとんどは後部上甲板に限られていたようであるが、輸送に際しては前部上甲板上にも機体を搭載していた。ただ荒天下の海上を航行する際には前部上甲板に水上機を搭載していると、船首に打ちつける激浪の飛散で機体が破損する心配があり、水上機は原則として後部上甲板だけに搭載されていた。

搭載された機体は、零式三座水上偵察機、零式観測機、二式水上戦闘機の三種類がほとんどであったが、太平洋戦争開戦劈頭には複葉の九四式や九五式水上偵察機も搭載していた。

日本海軍は特設水上機母艦を実に有効に使った。太平洋戦争の劈頭、南方方面への侵攻作戦においては、フィリピンやボルネオ島各地への上陸作戦やアンダマン諸島やソロモン諸島方面の上陸作戦で、またニューギニア東部方面への上陸作戦でも、特設水上機母艦がそれぞれ派遣され、上陸海岸近辺に特設の水上機基地を開設し、運び込まれた水上偵察機や観測機は周辺の洋上の哨戒や上陸地点の爆撃、あるいは上陸地点に来襲する敵機の迎撃戦にと多方面に活用された。

例えば特設水上機母艦「聖川丸」の場合には、一九四一年に徴用され十月に特設水上機母艦としての改装を終了すると直ちに第四艦隊付属として配置され、ウエーキ島攻略作戦に始まる東南太平洋の各攻略作戦に投入されている。そして引き続き一九四二年三月初めから展開された東部ニューギニアのラエやサラモアまたブナ上陸作戦に投入された。

東部ニューギニア上陸作戦では、上陸地点付近の海上に遊弋し、上陸地点の敵施設を小型爆弾で爆撃したり、付近洋上の対潜哨戒を行なったり、時には来襲する敵爆撃機や戦闘機と

君川丸

の空中戦まで展開している。
　このとき聖川丸に搭載されていた水上機は九機（零式三座水上偵察機三機、零式観測機一機、九五式水上偵察機五機。他に二機の予備機を船倉に分解して搭載していた）で、この頃はまだ二式水上戦闘機が実戦に投入される前であるために、来襲する敵機の迎撃戦には九五式水上偵察機や零式観測機が戦闘機の代わりに使われ、よくその任務を果たしていた。
　聖川丸は東部ニューギニア方面の上陸作戦に投入された唯一の水上機母艦であり、上陸作戦が展開された一七日間、搭載された九機と予備機の二機が連日にわたり出撃を繰り返し、オーストラリア軍守備隊基地への六〇キログラム爆弾による爆撃や、敵小型船への六〇キログラム爆弾による攻撃（撃沈一隻、大破一隻）、あるいは来襲する敵爆撃機一機撃墜、二機撃破の戦果を挙げたが、九五式水上偵察機五機（二機被撃墜、三機大破後放棄）の損害を出した。
　その後、各特設水上機母艦は北洋のアリューシャン列島のアッツ島とキスカ島へ、零式水上偵察機と新鋭の二式水上戦闘機を運び込み基地を開設、永久凍土で陸上飛行場を建設できない同方面の防空戦闘や洋上哨戒に水上機を有効に使った。

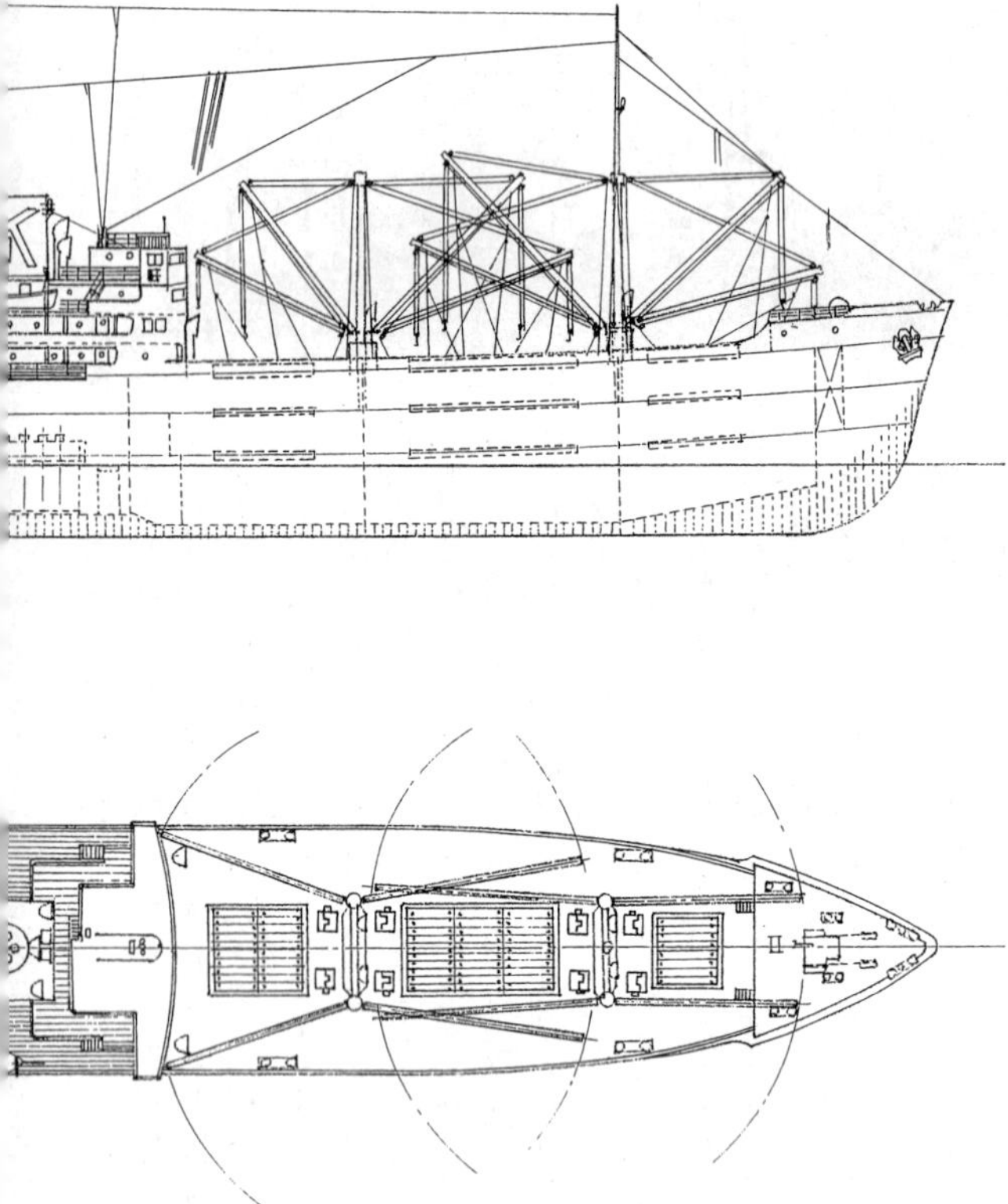

第10図　貨物船君川丸の外形図

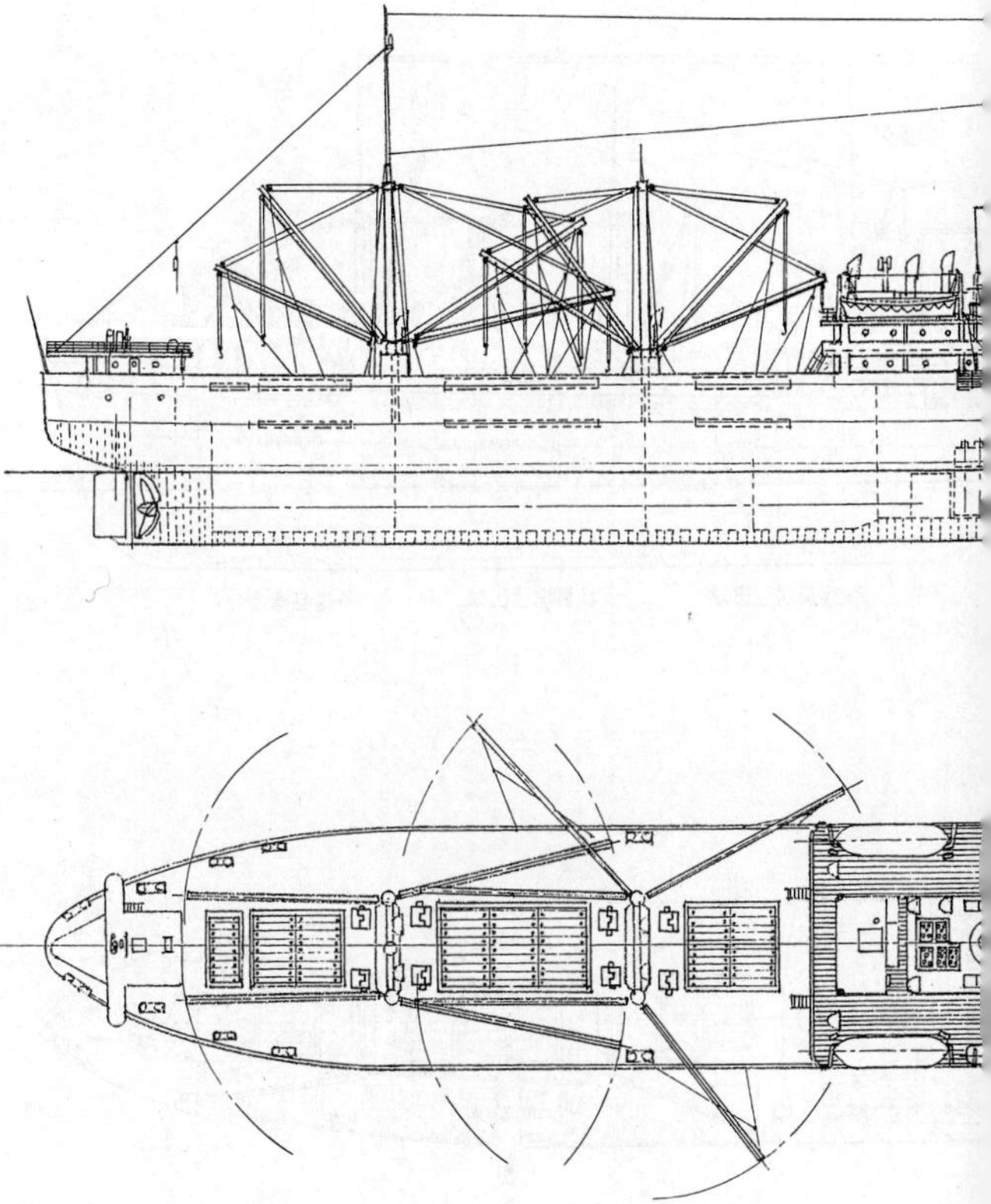

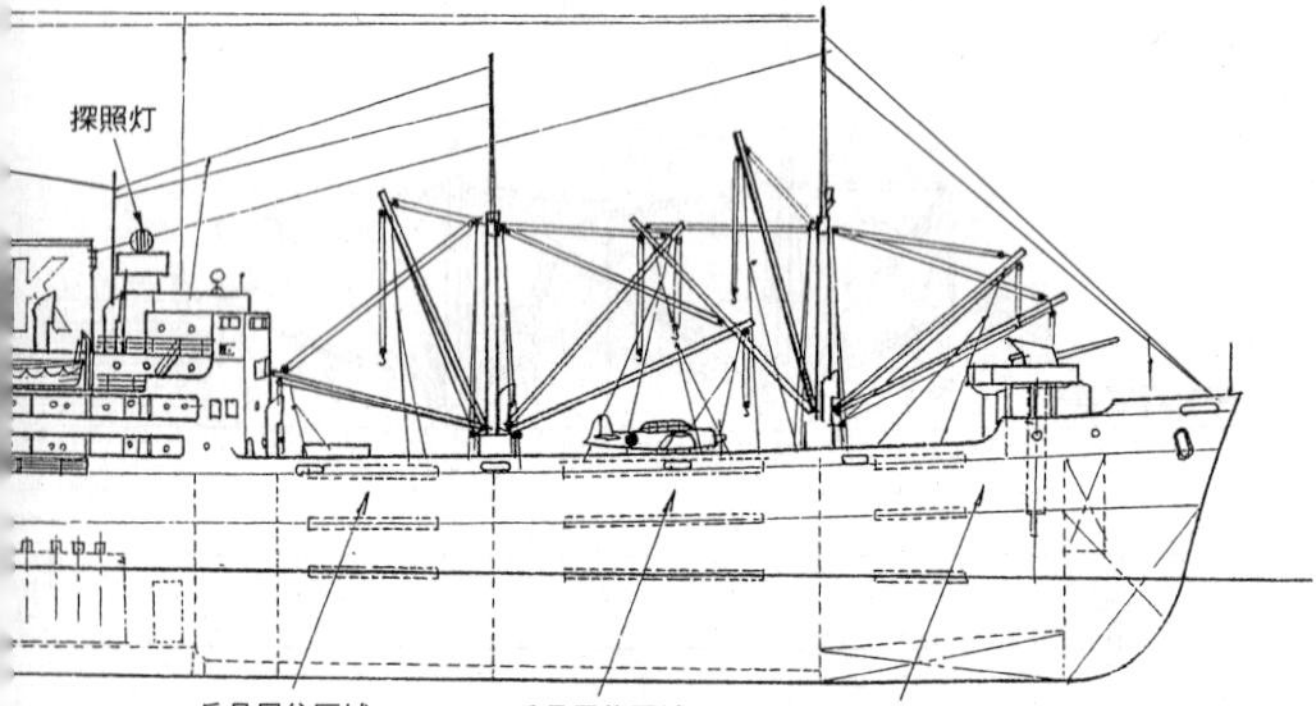
探照灯
兵員居住区域
兵員居住区域
予備品倉庫

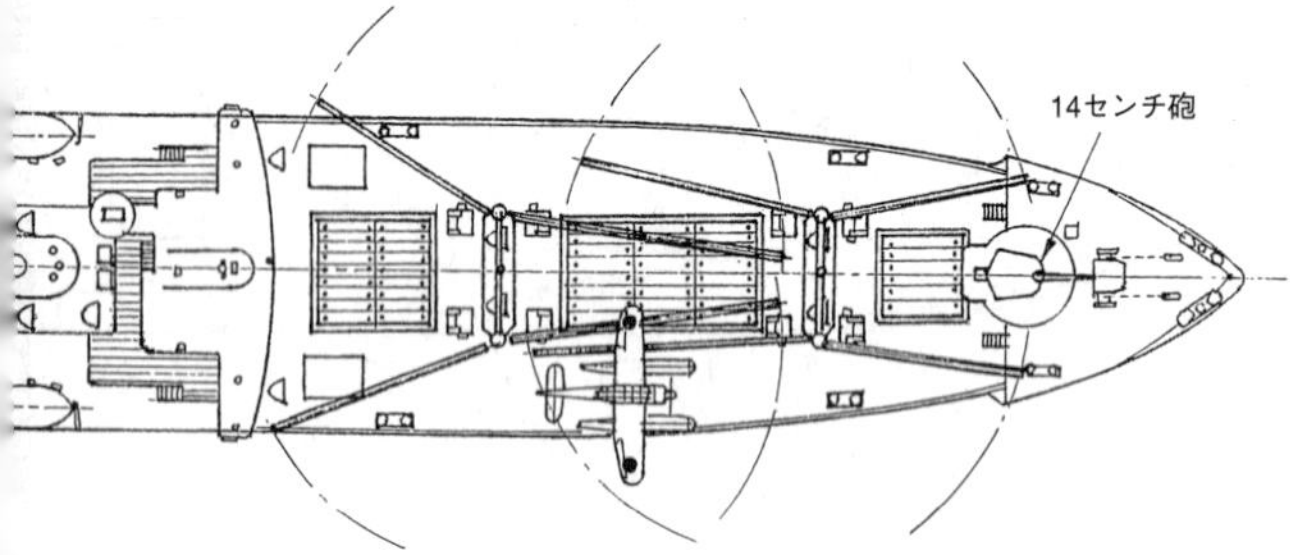
14センチ砲

第11図　特設水上機母艦君川丸の外形図

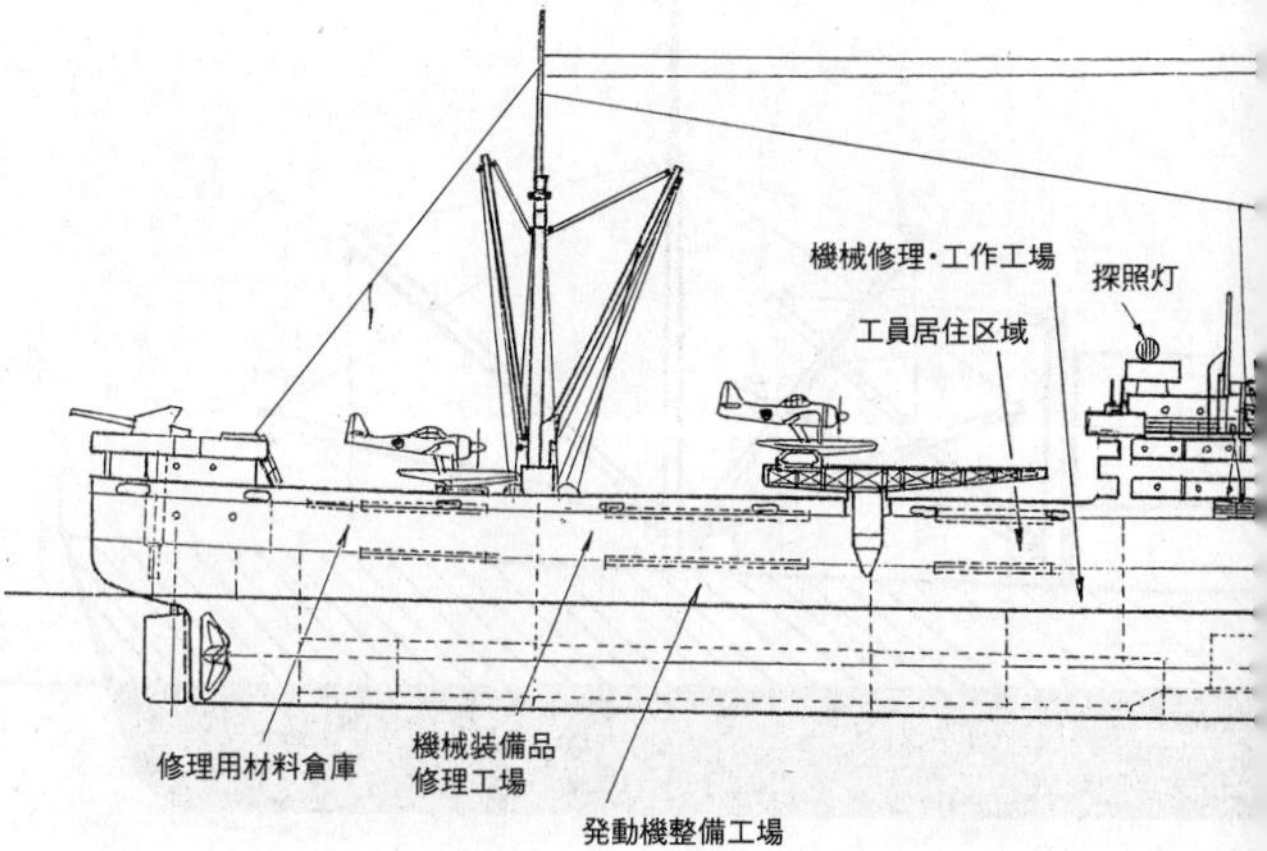

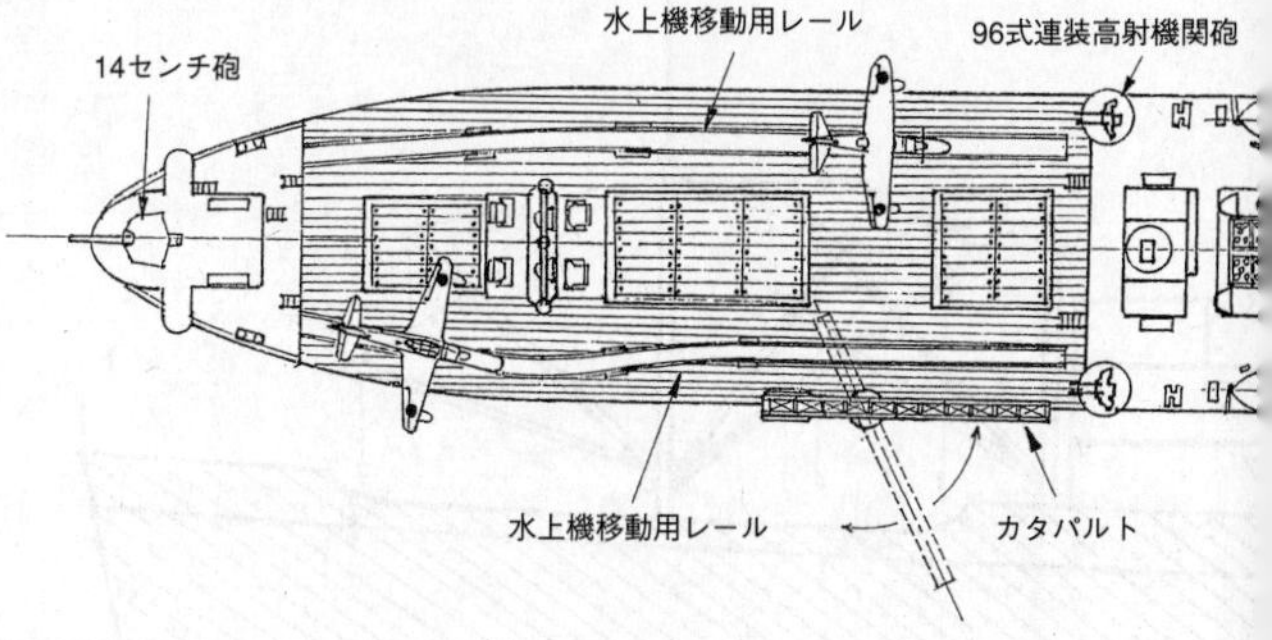

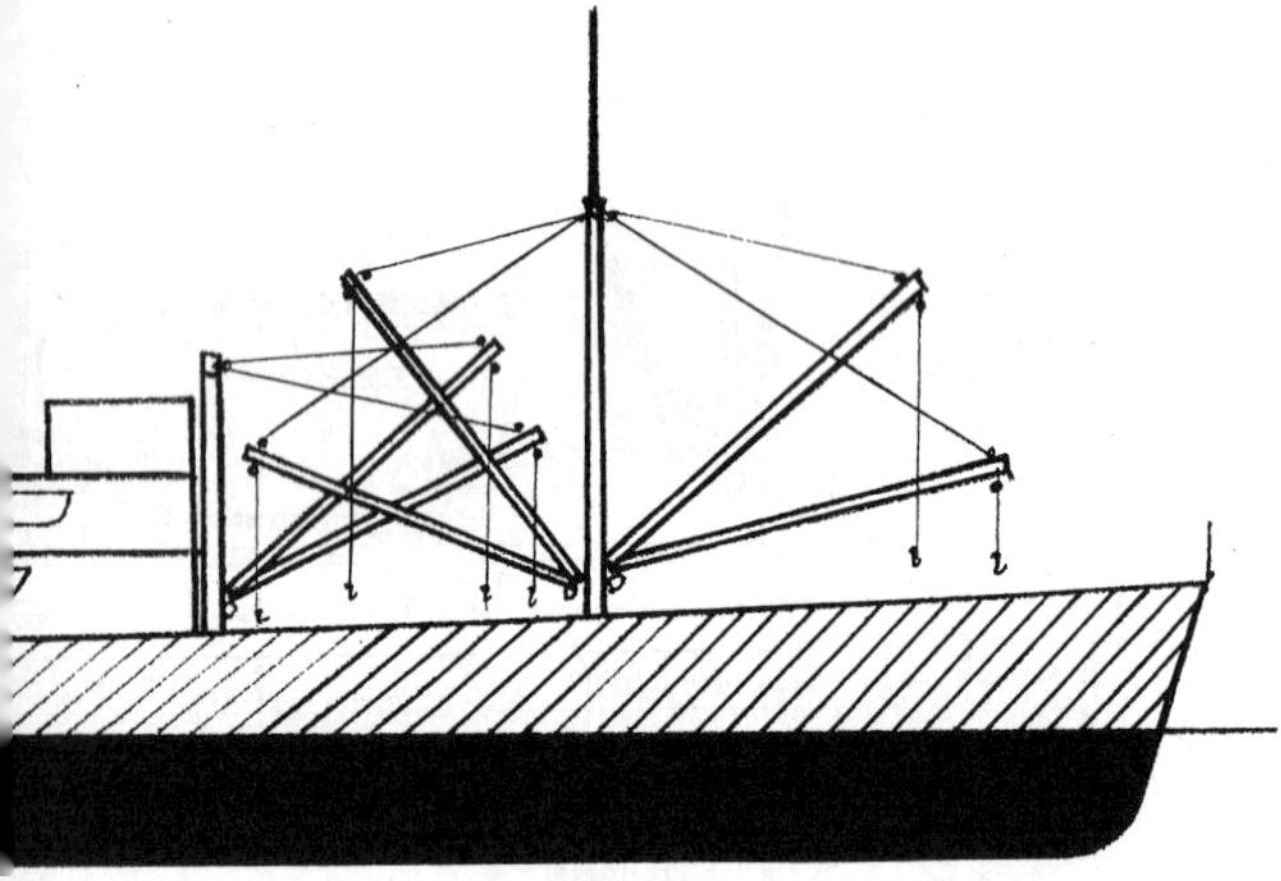

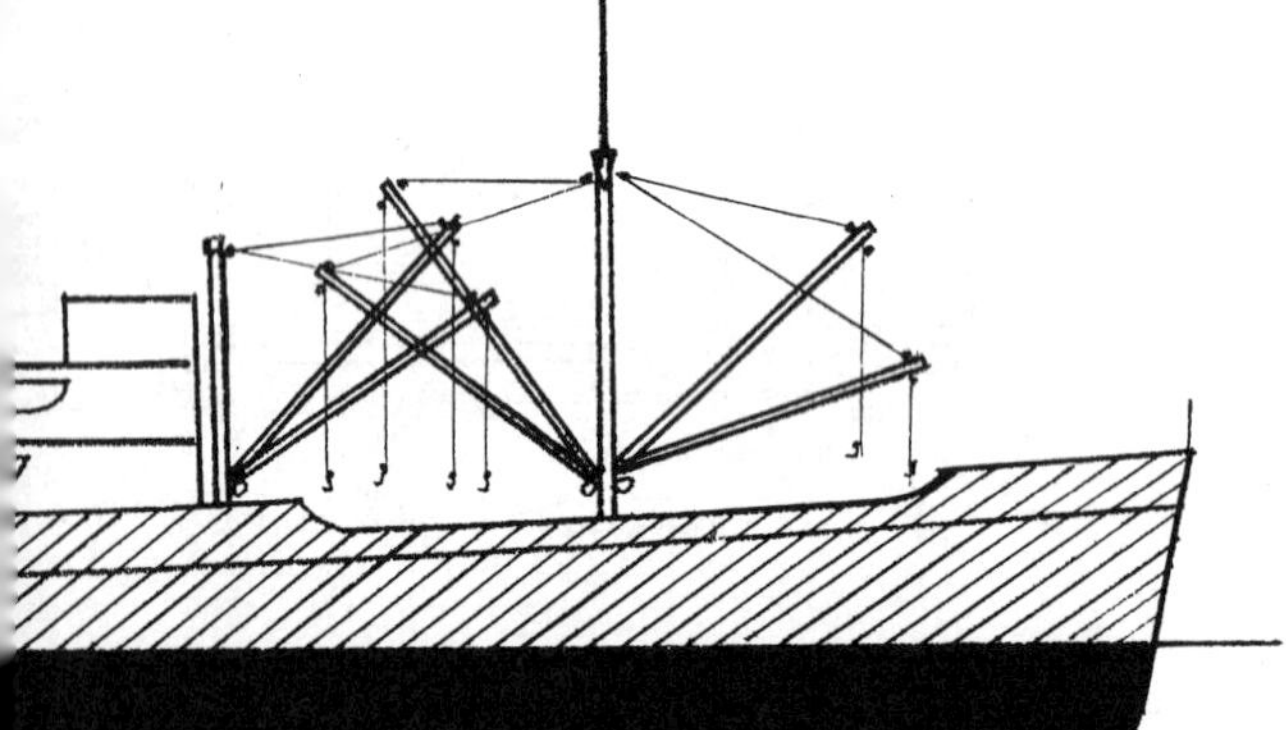

第12図　平甲板型貨物船と三島型貨物船の外形比較

平甲板型貨物船

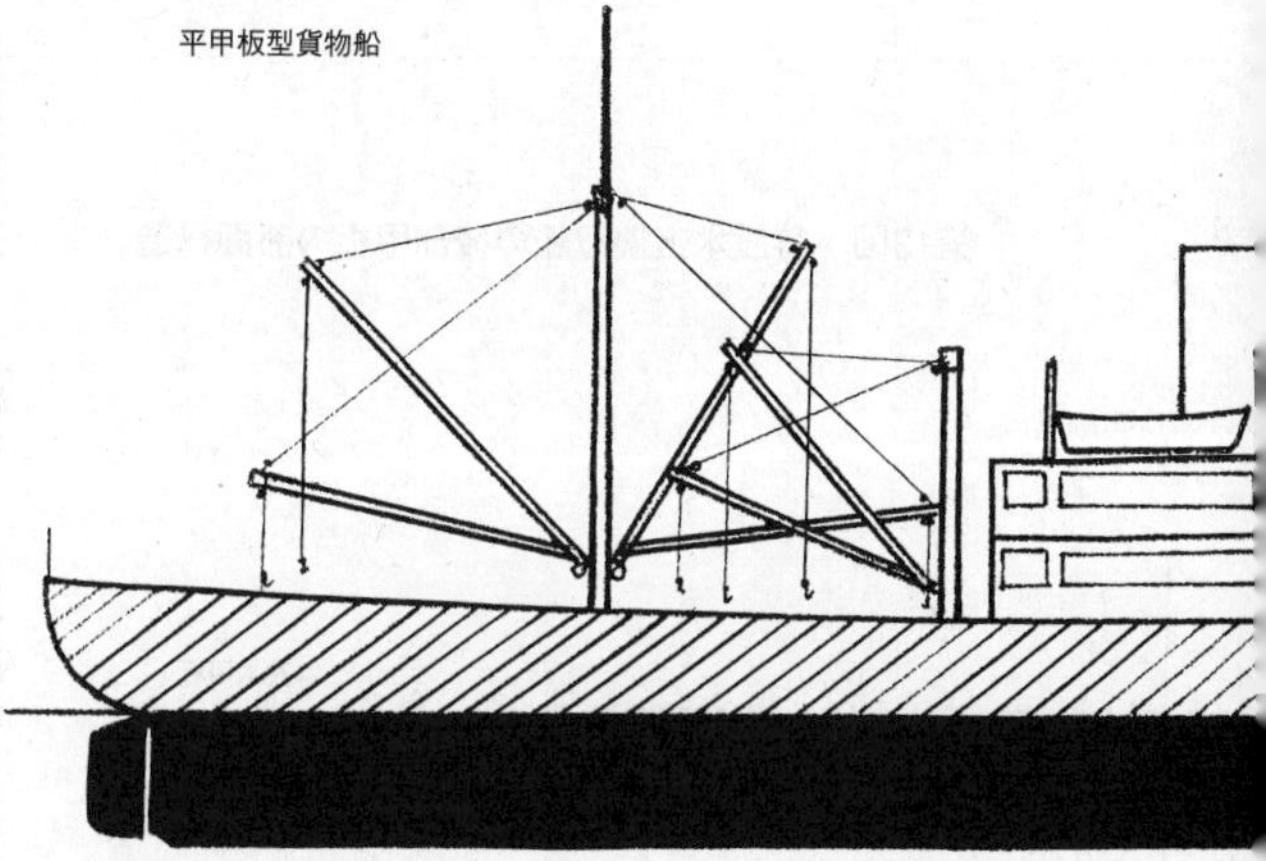

三島型貨物船

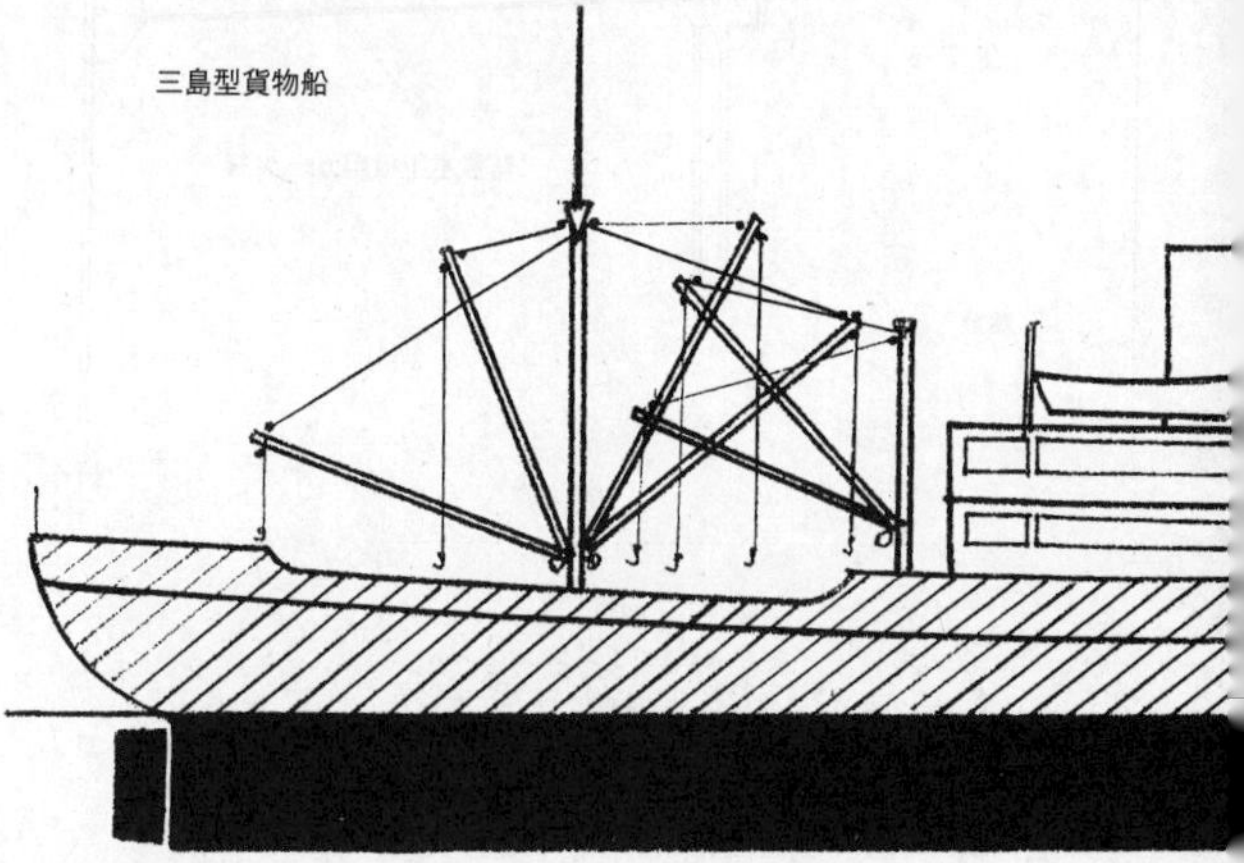

第13図　特設水上機母艦の後部甲板の断面構造

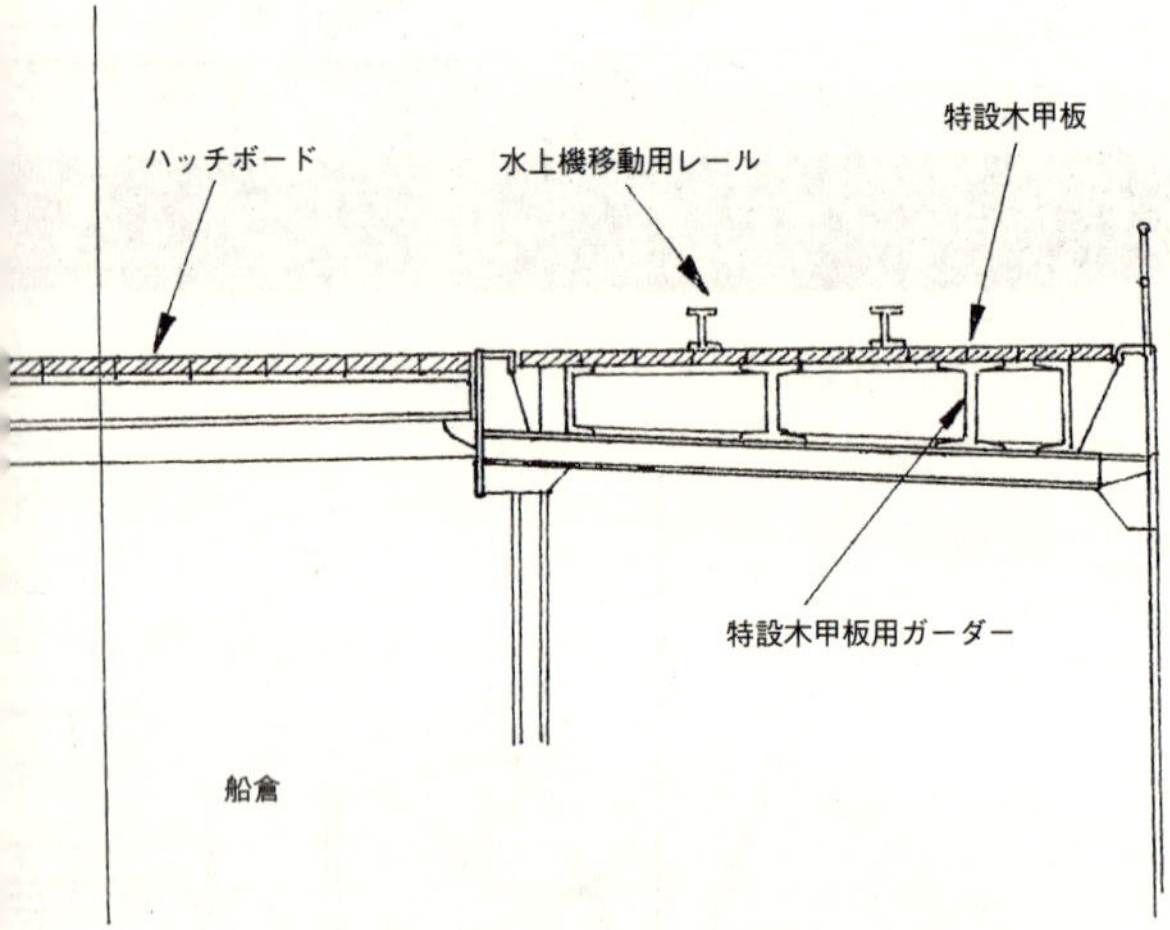

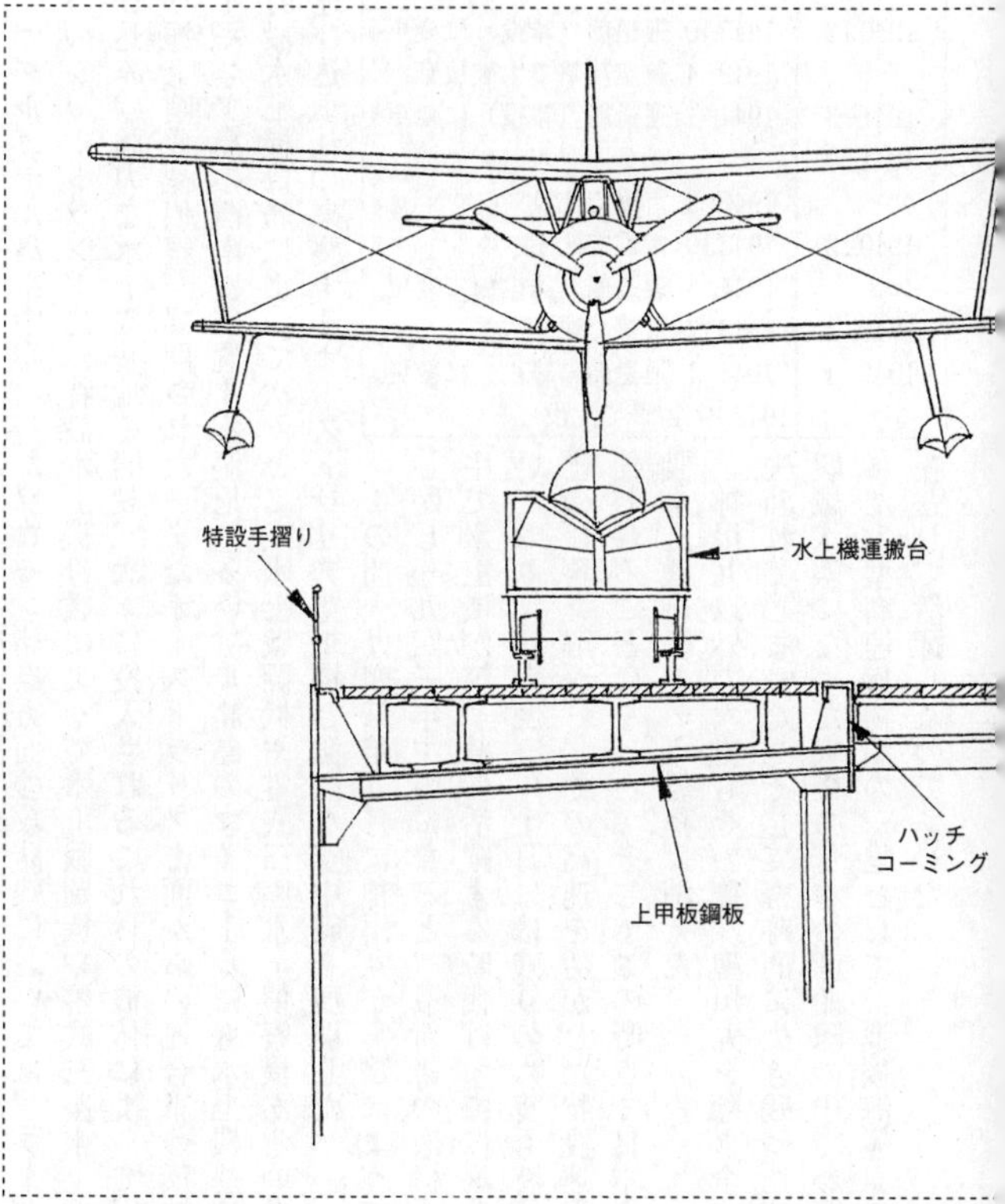
特設手摺り
水上機運搬台
ハッチ
コーミング
上甲板鋼板

またガダルカナル島を中心にしたソロモン諸島方面の攻防戦においては、ブーゲンビル島の東方のショートランド島に特設水上機母艦によって水上戦闘機や零式三座水上偵察機などを運び込み、強力な水上機基地を開設、次々に投入されるこれらの機体によって周辺地域の防空や洋上哨戒や偵察が展開された。またオーストラリア方面からの連合軍の反抗に備え、ニューギニア島の西南に位置する湿地の多いアル諸島のマイコールにも水上機基地が開設され、特設水上機母艦によって次々と二式水上戦闘機や零式三座水上偵察機あるいは零式観測機が運び込まれ、来襲するオーストラリア空軍機と激烈な空中戦を展開した。

艦籍編入	その後の動き
1940.12	1943.10 運送船（雑役）に変更
〃	1942. 4 航空攻撃で大破放棄
1941. 3	1944. 1 運送船（雑役）に変更
1941. 9	〃
〃	1942. 3 雷撃で沈没
1940.12	1942.10 雷撃で沈没
〃	1944. 1 運送船（雑役）に変更
1942. 2	1943. 7 雷撃で沈没
1942. 4	1944. 1 運送船（雑役）に変更
〃	1942. 9 雷撃で沈没

この間一九四三年五月に神川丸が雷撃によって失われた。しかし一九四三年中頃になると、最新鋭の敵機の活躍する中で水上機が第一線で活躍する時代はすでに終わりに近づいており、一九四三年十月には残りの六隻も特設水上機母艦の任務を解かれ、その高速を活かした特設運送艦として使われることになった。そしてこの時点で日本海軍から特設水上機母艦という艦種は消えた。

神川丸以外の六隻もその後、聖川丸を除き全てが戦禍で失われてしまった。そして奇跡的に生き残った聖川丸は、壊滅状態になった戦後の日本の商船隊の中でわずかに残された大型高速貨物船の一隻として、戦後海運界の希望の存在として活躍したのであった。

第18表　太平洋戦争に投入された特設航空機運搬艦一覧

船　名	種　類	総トン数	主機関	最高速力
五洲丸	五洋商船・貨物船	8592	タービン	17
小牧丸	国際汽船・貨物船	6468	ディーゼル	19
りおん丸	日本郵船・貨物船	7017	レシプロ	14.6
慶洋丸	東洋汽船・貨物船	6441	ディーゼル	15
加茂川丸	東洋海運・貨物船	6440	〃	15
葛城丸	国際汽船・貨物船	5834	〃	17
富士川丸	東洋海運・貨物船	6938	〃	15
最上川丸	東洋海運・貨物船	7496	〃	16.3
名古屋丸	南洋海運・貨客船	6071	レシプロ	16.5
関東丸	岸本汽船・貨物船	8601	ディーゼル	18

(4) 特設航空機運搬艦

この艦種は「航空機運搬」の名称はついているものの、実際には航空機を運ぶことよりもむしろ航空隊の要員や航空機のエンジンなどを含む各種備品や補充品、あるいは航空燃料や爆弾・機銃弾などを専門に輸送することを目的とした艦であった。

太平洋戦争の開戦前に合計一〇隻の貨物船が航空機運搬艦に徴用されたが、対象となった貨物船は特設水上機母艦に次ぐ高速の持ち主の優秀船であった。

国際汽船の小牧丸（六四六八総トン、一九ノット）、東洋海運の最上川丸（七四九六総トン、一六・三ノット）、五洋商船の五洲丸（八五九二総トン、一五ノット）などがその例であるが、第一線の海軍航空基地への要員や機材の強行輸送を行なうために被害も多く、小牧丸などは早くも一九四二年四月にラバウル航空基地開隊のために各種資材や要員を送り込んだ直後に、長駆ポートモレスビー基地から来襲した敵爆撃機の爆撃によって、ラバウル湾内に被弾着底し全損に帰してしまい、その後も一九四三年半ばまでに残りの半数が雷撃や航空攻撃で撃沈されてしまった。

航空機運搬艦の代役は特設航空母艦も行なっているが、残った少数の航空機運搬艦も一九四三年末には特設輸送艦に編入され、航空機運搬艦という名称が消滅してしまった。

（5）特設潜水母艦

特設艦の中でも一際異彩を放っていたのがこの特設潜水母艦であったといえよう。

日本海軍の潜水艦は一九三〇年のロンドン軍縮会議の結果、著しく制限を受けることになったが、一九三七年に軍縮条約無条約時代に突入すると、日本海軍は多数の潜水艦の建造に着手した。そして一九四〇年以降これらの新鋭潜水艦が次々と完成することになったが、連合艦隊ではこの新鋭潜水艦による新しい潜水艦戦隊の編成に全力を注いだ。

しかし次々と新しく編成される潜水艦戦隊の編成に対し、次々と新たな潜水母艦を配備する必要に迫られていた。

連合艦隊では太平洋戦争開戦の時点で七つの潜水戦隊を保有し、それに対して七隻の潜水母艦を配備していた。しかし第19表に示されるとおりその中の四隻は客船と貨客船を徴用した特設潜水母艦であった。

しかしその中の正規の潜水母艦「大鯨」は途中で軽航空母艦に改造され、残る二隻の「迅鯨」と「長鯨」は旧式化しており第一線の潜水母艦としての任務につくことが難しくなっていた。結局、日本海軍は中型・大型の貨客船や客船を徴用し潜水母艦として使う途を選んだ。第20表は日本海軍が特設潜水母艦として徴用した商船の一覧であるが、潜水母艦に客船や貨客船が選ばれたのには明確な理由があった。

本来潜水母艦の役割は、所轄する各潜水艦に対する燃料、弾薬、魚雷、予備機材、糧秣な

第19表　太平洋戦争開戦時の実戦部隊潜水母艦一覧

戦　隊	潜水母艦名	直属潜水艦数
第1潜水戦隊	靖国丸（特設）	潜水艦13隻
第2潜水戦隊	さんとす丸（特設）	潜水艦 8隻
第3潜水戦隊	大鯨	潜水艦 9隻
第4潜水戦隊	名古屋丸（特設）	潜水艦 8隻
第5潜水戦隊	りおでじゃねいろ丸（特設）	潜水艦 6隻
第6潜水戦隊	長鯨	潜水艦 4隻
第7潜水戦隊	迅鯨	潜水艦 6隻

どの補給や、狭い潜水艦内で勤務する乗組員の休養施設として使われたり、傷病乗組員の治療施設として使うことであり、数個潜水隊（各潜水隊は三〜四隻で一個潜水隊を編成）に一隻の割合で潜水母艦一隻が配備される。

特設潜水母艦に選定された船はいずれも外洋航路用の大型客船か貨客船で、貨物の搭載能力はもともと大きく（六〇〇〇トンから一万トン）、一等から三等までの多数の旅客設備を持っており、また専用の病室や医療設備も整っているために、潜水母艦に必要な条件は十分に備えているのである。

乗組員の休養施設として使う場合でも、狭い艦内のベッドやハンモックと違い、例え三等船室のベッドを使ったとしても、十分に手足を伸ばせ安眠できるし、広い喫煙室や食堂などの公室も休養施設として十分に活用することができた。

特に靖国丸などはヨーロッパ航路用に建造された客船であるために、設備的には潜水艦乗組員から見ればまさに「靖国ホテル」であった。

ただこれらの特設潜水母艦は船内の様子とは裏腹に、当然のことながら各種の武装は施されていた。南米航路用に使われていた「さんとす丸」の場合は、船首と船尾に新たに砲座が特設され、そこに

最高速力	艦隊編入	その後の動き
17.5	1940.12	1944. 1 沈没・除籍
16.4	1941. 3	1943.3 特設運送艦に変更
17.6	1941. 3	1943. 3 特設運送艦に変更
16.5	1941. 3	1942. 4 特設航空機運送艦に変更
18.5	1941.10	1944. 2 沈没・除籍
18.2	1942. 2	1943.10 特設運送艦に変更
18.6	1943. 3	1945. 1 特設運送艦に変更

で新造潜水艦の訓練部隊の第11潜水戦隊の旗艦に指定された。

一五センチ単装砲を据え付けていた。また船橋上の両舷には一三ミリ連装機銃が装備されており、夜間作業のために船橋の後部やボートデッキ後部には新たに大型の探照灯が装備されていた。

しかし一九四三年に入ると潜水艦の運用の変更にともない、潜水母艦自体が用途縮小の方向になり特設潜水母艦は順次任務解除となり運送船に用途変更されていった。そして一九四三年に竣工した客船筑紫丸一隻だけが特設潜水母艦として残ることになった。筑紫丸はもともとは大連航路用の客船として建造されたものであったが、竣工が遅れ建造の途中で潜水母艦としての用途に船内が改造されていた。その結果一九四三年三月に竣工したときには第十一潜水戦隊の潜水母艦の任務を帯びていた。ただこの潜水戦隊は実戦部隊ではなく、次々と建造される潜水艦とその乗組員を実戦に投入するまでの間、瀬戸内海で訓練を行なうための訓練部隊であった。それだけに当分の間は訓練も兼ねてそれらの潜水艦の母艦として残しておく必要があった。

しかしこの筑紫丸もその後任務を解かれ国内で石炭輸送の輸送船として使われたが、特設潜水母艦として使われた六隻は全て戦禍で失われ、生き残ったのは筑紫丸のみであった。

ちなみにこの筑紫丸は戦後も長らく用途もなく国内の港で係船

第20表　太平洋戦争に投入された特設潜水母艦一覧

船　名	種　類	総トン数	主機関
靖国丸	日本郵船客船	11932	ディーゼル
さんとす丸	大阪商船客船	7266	〃
りおでじゃねいろ丸	大阪商船客船	9626	〃
名古屋丸	南洋海運貨客船	6071	レシプロ
平安丸	日本郵船客船	11614	ディーゼル
日枝丸	日本郵船客船	11621	〃
筑紫丸	大阪商船客船	8135	タービン

(注) 大連航路用に建造された筑紫丸は1943年3月に竣工直後に徴用され、瀬戸内

されていたが、一九五二年一月にパキスタンの海運会社に売却されイスラム教徒のメッカ巡礼船に改装された。

(6) 特設運送艦(給油艦)

日本海軍の艦艇は大別すると「軍艦」「その他の艦艇」「特務艦」に分類される。給油艦や給炭艦、給糧艦などの艦隊の行動を維持するための物資や燃料などを運ぶ船は、分類上は「特務輸送艦」に区分される。

しかし軍艦とはいささかおもむきの異なる種類の、しかも戦艦や巡洋艦などの戦闘艦艇に比較すると一枚も二枚も下の位置に見られがちな特務艦にあって、給油艦の存在は主力艦と同様に無視できない存在の艦であった。

給油艦は艦隊の行動には不可欠の艦で、全艦隊の艦艇の燃料の補給を行なうのがその存在目的で、遠距離を行動する艦隊は常に給油艦と随伴しなければならなかった。

艦隊はいくつもの戦隊(複数の戦艦や巡洋艦あるいは駆逐艦などで構成される)の集まりであるが、太平洋戦争の開戦を控え、連合艦隊はその組織下の多数の戦隊の作戦行動を維持するために、多くの高速かつ大型の給油艦を必要とした。

連合艦隊は一九四一年十二月八日の開戦までに、一万総トン級

で最高速力一八ノット以上の民間海運会社の優秀油槽船一二隻を艦隊給油艦に使う目的で徴用し、これらを特設給油艦として位置づけた。海軍はその後も特設給油艦の増備を続け、大型高速油槽船ばかりでなく一〇〇〇総トン以下の小型油槽船から数千総トン級の油槽船まで、合計実に七九隻、六一万総トンの油槽船を徴用し特設給油艦として使用した。

しかし一九四四年半ば以降これらの特設給油艦の大半は、艦隊用給油艦としてではなく南方から日本へ海軍の備蓄用石油輸送に転用されている。そしてそのほとんどが石油輸送の途中で雷撃などで失われてしまった。

結局、日本海軍に特設給油艦として徴用された合計七九隻の各種高速油槽船は、ほぼ全数にあたる七一隻までが戦禍で失われてしまい実質的には全滅してしまった。残りの八隻は途中徴用が解除されたが、それらも半数は南方からの石油輸送に使われている最中に戦禍で失われてしまった。

第７章　リバティー船物語

アメリカの戦時急造船の建造にまつわる話

アメリカは第二次世界大戦の一九四一年五月から一九四五年七月までの四年間に、実に二七一二隻、一九四四万総トンの戦時急造貨物船や、この貨物船を母体にした輸送船や鉱石運搬船を建造した。いわゆるリバティー（Liberty）船である。勿論アメリカは第二次世界大戦中にリバティー船以外にも、ヴィクトリー船というリバティー船よりも質の高い戦時標準船を三〇〇万総トン以上建造している。しかし世界最大規模で急速建造されたリバティー型戦時急造商船について日本では意外にその実態が知られていない。そこでこの章ではリバティー船の建造にまつわる話を紹介することにする。

リバティー型貨物船の第一船のパトリック・ヘンリー号が起工されたのは一九四一年五月で、竣工したのは同年十二月三十日であった。そして最後の二七一二隻目のリバティー型貨物船アルバート・M・ボウ号が竣工したのは一九四五年七月一日のことであった。

つまり約四年の間に毎日ほぼ二隻の割合で、アメリカ中の何処かの造船所でリバティー型貨物船が竣工していたことになり、その建造能力はまさに工業国アメリカの底力を見せつけられた思いである。勿論アメリカの造船所は第二次世界大戦の間にヴィクトリー型貨物船やリバティー型貨物船ばかりを建造していたわけではない。この間アメリカは二〇隻を越える大型航空母艦、四〇隻を越える巡洋艦、七〇〇隻を越える駆逐艦や護衛駆逐艦、一〇〇隻を越える護衛空母まで同時進行で建造していたのである。

リバティー船の大半を占めていたのが貨物船であったが、これらは完成すると直ちにイギリスなどへ向かう輸送船団に組み入れられたり、戦場へ各種戦争機材を送り込むための輸送船として送り出されていった。そしてこの続々と完成する貨物船は、ドイツ潜水艦の猛攻の前に風前の灯火となっていたイギリス商船隊の息を吹き返らせたのであった。

一九四二年後半頃から北大西洋に五〇隻から八〇隻という大規模な船団を次々と送り出すことを可能にしたのもリバティー型貨物船の存在があったからこそ可能であったのである。

勿論リバティー船は大西洋方面ばかりでなく太平洋方面にも大量に送り込まれ、日本の防衛陣営を次々と突き崩す侵攻作戦の後方支援部隊の主力輸送船として活躍した。

日本が太平洋戦争中に建造した戦時急造船の合計は、貨物船、油槽船、鉱石運搬船など合計一三四〇隻にのぼり、数においてはリバティー船に及ばぬまでも、一見したところ相当な建造能力を示したように見えるが、その大半を占めたのが一〇〇〇総トン未満の小型の貨物船や油槽船で、建造総トン数ではリバティー船の五分の一以下であった。

一方、リバティー船は建造された全てが七〇〇〇総トンを越える大型船のみで、しかもその全数が同一仕様、同一形式の船であったのに驚く。さらに恐ろしいまでのアメリカの底力を示したのは、完全な戦時使用を目的にして設計された簡易急速建造のリバティー船ばかりを建造していたのではなく、戦争の勝利を視野に入れ、戦後の使用までを考えて準備された準戦時設計のヴィクトリー（Victory）型貨物船を四三八隻、三三三万総トンも同時に建造していたことである。このことはアメリカがこの戦争の勝利に一つの疑念も持っていなかったことを示すとともに、アメリカ国民の揺るぎない愛国心と団結心が如実に示された結果であったといえるものであろう。

結局アメリカは第二次世界大戦の間に商船だけでも、実に三〇四一隻、二二〇〇万総トンも建造していたことになり、驚くことにこの値は第二次世界大戦に突入した時、世界第一位の船舶保有量を誇っていたイギリスを抜き去るものであったのだ。そして日本の国力の総力を挙げて建造された日本の戦時標準船の建造量が、わずかに三一三万総トンであったことを考えると、日本とアメリカの工業力格差のあまりの違いにあらためて愕然とする思いである。

さてアメリカが第二次世界大戦の間に大量建造したリバティー船は、決して長い計画や準備期間を経て建造が開始されたものではない。

第二次世界大戦勃発直後から展開されたドイツ潜水艦の猛攻の前に、イギリス商船は次々と損失を重ね、その損失量はたちまちイギリスの当時の年間商船建造量を上回ってしまった。この事態はイギリス商船隊にとってはまさに危機であった。ここでイギリス戦時政府はイギリス国内の全造船所を総動員してイギリス型の戦時急造貨物船の建造を急がせると同時に、カナダやアメリカに対してもイギリス型貨物船の急速建造を要請してきた。

それと同時にイギリスは一九四〇年九月に、イギリス戦時商船建造使節団を編成しアメリカへ送り込んだ。そしてアメリカ政府やアメリカ造船工業界とイギリス使節団との協議の中から一つの妥協的な実行計画案が編み出された。それはイギリスが当時緊急に進めていた戦時急速建造船のエンパイア型貨物船を基本船形として、これをアメリカ商船規格に当てはめて改良設計した貨物船をアメリカ国内で大量建造することであった。

アメリカは第二次世界大戦勃発当時はこの戦争に対して中立の立場にあり、戦況の推移には敏感であったものの静観の立場を貫いていた。

したがって戦争勃発と同時に始まったイギリス商船の急増する損失に対しても、アメリカ海運界はある程度の危機感は抱いていたが、当時のアメリカ商船界が抱え込んでいた別の問題の対策に大きな比重がおかれていた。

アメリカは第一次世界大戦中に貨物船を中心に二五〇〇隻、八〇〇万総トンも建造したが、その結果アメリカは大戦が終了すると大量の余剰船舶を抱え込むことになった。そしてアメリカ国内のあちこちの港湾や大きな河川にはそれらの船舶が、まるで目刺しの列のように大量に舷々相接して係留される始末となった。

この状況の中で発生したのが世界的規模の経済大恐慌であった。アメリカ経済は停滞し貿易活動も発展の途は閉ざされ、当然目刺し状態で係留されている貨物船の出番もないまま、それら船舶自体に老朽化が目立ち出したのであった。そのような中ではアメリカの造船工業も新造船の建造がないまま疲弊を始め、一方ではアメリカ海運界も老朽船ばかりで、世界の貿易活動の輸送手段として競争力も弱体化するばかりとなった。

同じ問題は日本の海運界や造船工業界でも抱えていたが、日本では両者が政府の打ち出した経済不況対策の一環としての海運界と造船界立て直し計画に、素早い反応を示した。

第21表　1936年当時のアメリカ商船の老朽度

船　種	隻　数	総トン数（単位：千トン）	1942年で船齢20年に達する割合	1942年で船齢20年以内の船
外航船	439	2119	92%	37隻
内航船	339	2093	100	0
油槽船	299	2060	84	48
係船中	188	1130	85	28
合　計	1305	7402	88%	113隻

その立て直しの基本は老朽化船舶のスクラップを進めると同時に、優秀な商船を政府の資金援助の下に積極的に建造するという、典型的なスクラップ・アンド・ビルト計画であった。

その結果、日本の商船隊は計画実施五〜六年後から世界的に見て最も充実した商船を保有す国に急変身し、世界の貿易活動の中でのいわゆるマルシップの活躍は目を見張らせる結果となったのである。

この状況の中で大量の老朽化した商船を抱え込んだアメリカは苦戦を強いられるばかりとなった。事実信じられないことであるが、アメリカが一九二二年から一九三七年までの間に新造した外航商船は、わずかに貨物船二隻、油槽船数隻、大小二九隻の客船だけであった。

アメリカは一九三九年現在で確かに商船船腹量においてはイギリスに次いで世界第二位の位置にあったが、その内実は二〇〇〇総トン以上の商船の九〇パーセント以上が船齢二十年以上の老朽船ばかりという、老朽船大国であったのである。

アメリカは急速に新鋭化してゆく日本の商船隊を一つの目標として、遅ればせながら一九三六年に新しい商船法（Merchant Marine Act '36）を成立させ、世界に冠たる海運国への再起に取りかかった。

この商船法で特徴的なことは、各船主が今後新造船を建造する場合には、建造費の二分の一から三分の一を国が補助するということで、この方法は日本の商船界を立ち直らせた一九三二年に施行の「船舶改善助成施設」と同じ発想であった。

ただし日米両国が実施したこの建造費の国家補助には重要な付帯条件がつけられていた。それは将来一朝有事の事態が発生した場合には、これらの商船は「国家使用船として徴用される義務を負う」という付帯条件が付くということであった。

そしてアメリカ政府はこの新しい商船法を実際に施行する組織として、アメリカ海事委員会（United States Maritime Commission＝通称：USMC）を設立し作業が開始された。そしてこのアメリカ海事委員会は早速、実施計画書を作成し活動を具体化させていったが、その中でも特に注目すべきことは次の具体的実施計画であった。

（イ）一九三八年以降一〇年間で毎年五〇隻、合計五〇〇隻の各種商船を建造し老朽船の一掃を図り海運界の質的向上につなげる。

（ロ）今後建造される全ての客船、貨客船、貨物船、油槽船などの外洋商船は、海事委員会が規格化した設計に基づいて建造されること。

の二点であったが、（ロ）項に付いては説明が必要である。

この規格化とはアメリカが今後建造する全ての外洋商船に適用されるもので、貨物船であればC1、C2、C3、C4など、油槽船であればT1、T2、T3など規模（全長や総トン数等）によって分類され、あらかじめ基本船体の船図や主機関なども定められ、建造を希望する船主はそのいずれかの規格にあてはまる商船を建造することになるのである。

この規格化の狙いは、使用する各種鋼材からスクリュー、デリックブームあるいは錨や機関に至るまで、全てを規格化された中で計画的に同一仕様の中で量産することが可能になり、造船産業自体を効率的な一つの企業集団として運営させ、関連産業の生産工程も効率化してゆくという、実に合理的なアメリカ的発想の実施計画で、一九三九年から実行に移されることになった。

第二次世界大戦の勃発はアメリカがまさにこの新しい商船法に基づいて、商船界再スタートを始めたとたんの出来事であった。

このような状態の中でイギリスがアメリカに持ち込んできたのが、イギリス向けの貨物船の大量急速建造という難問であった。

大戦の勃発直後からアメリカは朋友であるイギリスに対する様々な面での支援、援助を約束していたが、この商船の大量建造問題はイギリスにとっての切実な問題として、アメリカは何らかの対応を迫られることになった。

アメリカが当面できることは大量の旧式余剰商船の中で稼動できる船舶を急遽イギリスに貸与することであったが、同時に貨物船の大量建造についての検討も急いだ。

一九四一年一月三十一日、アメリカのルーズベルト大統領はイギリス商船隊の危機を救うために、大量の貨物船を大量緊急建造する計画を国民の前に発表した。この発表によるとその数は二〇〇隻、一四〇万総トンであった。

勿論この発表は表向きはイギリス救援であるが、アメリカ政府はすでにアメリカが臨戦体制に入る必要を確認している時期であり、いざ参戦となった場合のアメリカ国家としての戦争による船舶の消耗をあらかじめ予測し、消耗する船舶の補充対策としてもこの建造計画を進める意向にあったことは確かであった。

この貨物船の大量建造に関しては、すでにイギリス使節団との間で数次にわたる具体的な検討会が開催されており、建造すべき船舶の形状や仕様なども一九四〇年末の段階でほぼ煮詰まっていた。

アメリカとイギリスとの検討の中でまとめられた緊急建造の商船は、イギリス国内ですでに緊急建造が進められていたエンパイア型貨物船をベースにしたものであった。この貨物船はイギリスが第一次世界大戦で大量に建造した貨物船が基本形になっていたが、アメリカが緊急大量建造を開始するにあたり一部仕様をアメリカ規格に変更し、また急速建造に適合した構造に変更する必要はあった。

アメリカが最終的にまとめた緊急建造の戦時標準貨物船は「リバティー型EC-2貨物船」と呼ばれることになり、早速基本船体図面を始め製作図面が引かれた。

この貨物船に最も期待されたことは「質」よりも「量」であり、性能の優劣はあえて問わないものとなった。

このリバティー型EC-2貨物船の要目を第22表に示す。また第14図にリバティー型EC-2貨物船の基本外形図を示す。

表からもわかるとおりリバティー型貨物船の動力には、当時ではすでに旧式化していた三衝程レシプロ機関が使われることになった。七一七六総トンの大型船に対してその定格出力は二五〇〇馬力と同時代の標準的な貨物船としては低馬力であった。そのために航海速力も一一ノット（時速二〇・四キロメートル）と低速であった。勿論あえて低速力に甘んじたのにはそれなりの理由があった。つまり製造コストの高いディーゼル機関や製造が複雑なタービン機関を採用することは、建造時間の短縮と建造コストを低減する必要のある大量建造の船舶には向かないためで、低価格で簡単に製造できるレシプロ機関が最適であったのである。

その代わり船体は可能な限り大量の貨物の搭載が可能なように設計されており、貨物の最大積載重量は、同じ規模の一般の貨物船に比較すれば一〇〇〇トン程度多くなっていた。つまり低速力を載貨重量で補おうとしたのがこの船の特徴でもあった。

その一方で船体の建造には従来の貨物船には見られなかった新機軸が取り入れられた。その一つが建造期間を極限まで短縮し、しかも大量建造を容易にするための建造手法としてブロック建造方式が大々的に採用されたことであった。

第22表　リバティー型EC-２型貨物船の要目

総トン数	7197トン
重量トン数	10920トン
全長	132.0m
全幅	17.0m
深さ	11.1m
吃水	8.1m
主機関	三衝程レシプロ機関
定格出力	2500馬力
推進器	１軸
航海速力	11.0ノット
乗組員（船員）	45名
（砲員）	19名

従来の建造方式で同じ規模の船を建造するには、まず船台上に船体の背骨にあたる竜骨を据え付け、その上に順次骨組みを組み上げ、舷側の外板や隔壁あるいは甲板を張り、その上に上部構造物やマストや様々な部品を取り付けてゆくのであるが、ブロック建造方式とは、極端に表現すれば船体全てを輪切りに見立て、それぞれ輪切りにされた各ブロックを造船所内であらかじめ次々に組み立てておき、船台の上にそれらの輪切りブロックを一気に並べて接続し、あらかじめ製作してあった必要部品も次々と取り付け、短

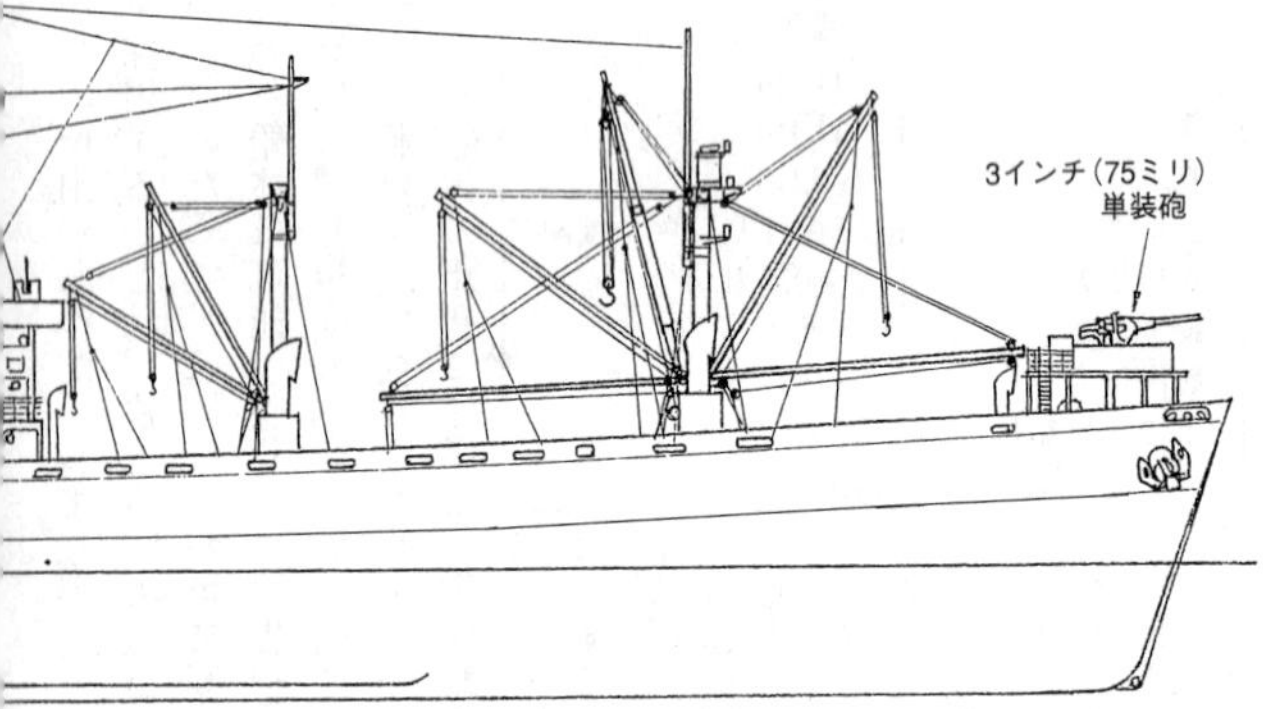
3インチ(75ミリ)
単装砲

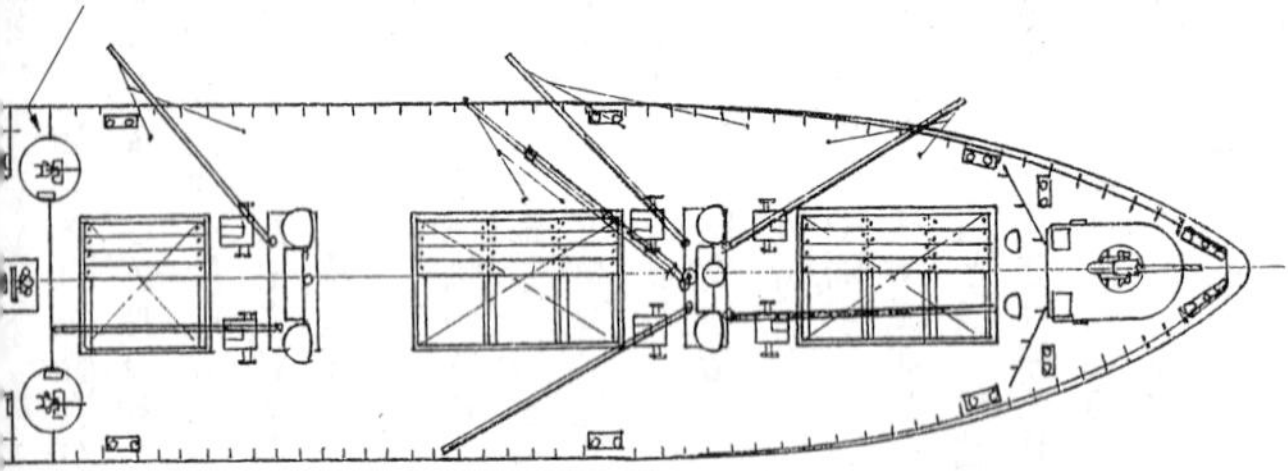
20ミリ単装機関銃

第14図　リバティー型EC-2型貨物船の基本一般配置図-1

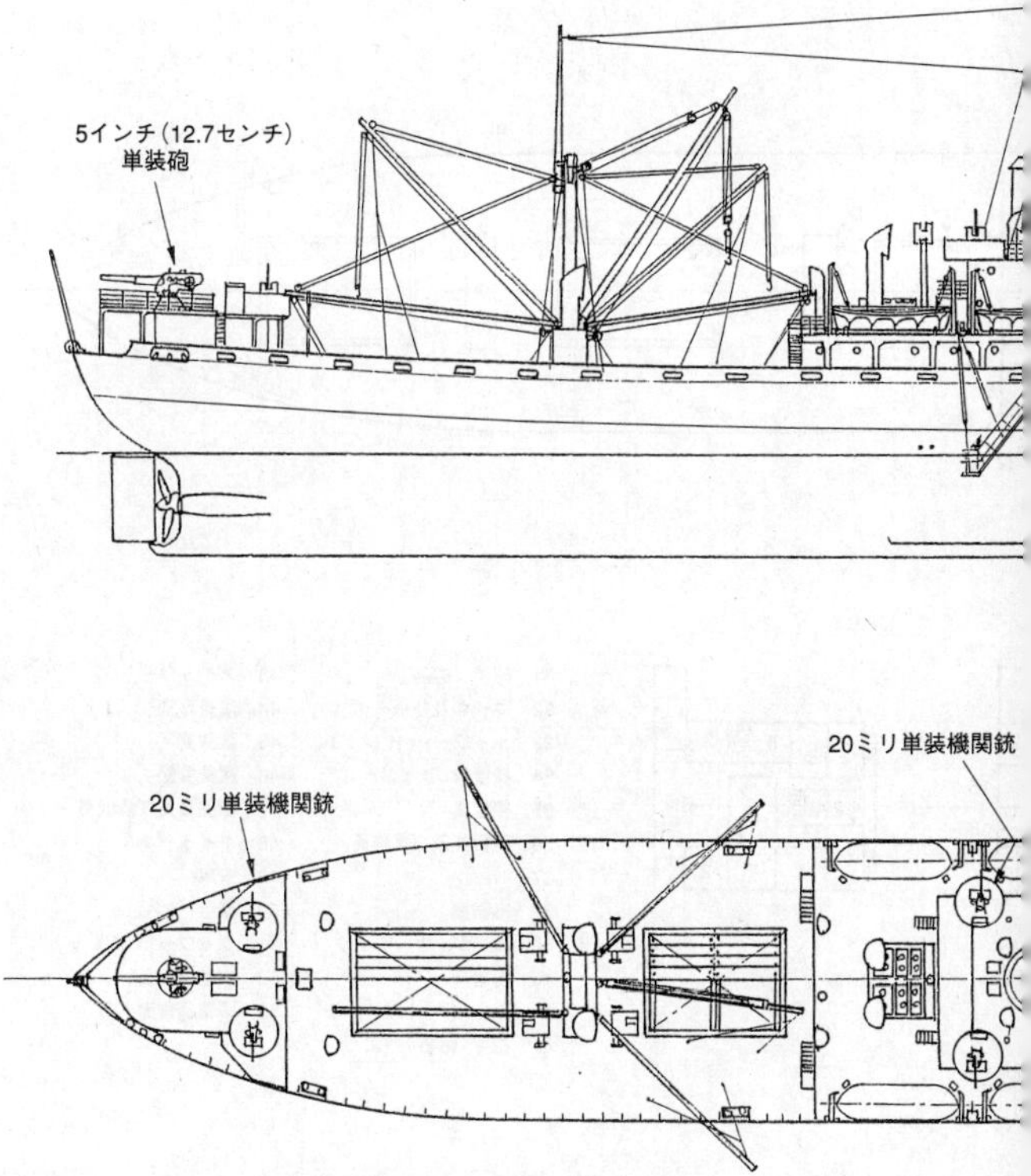

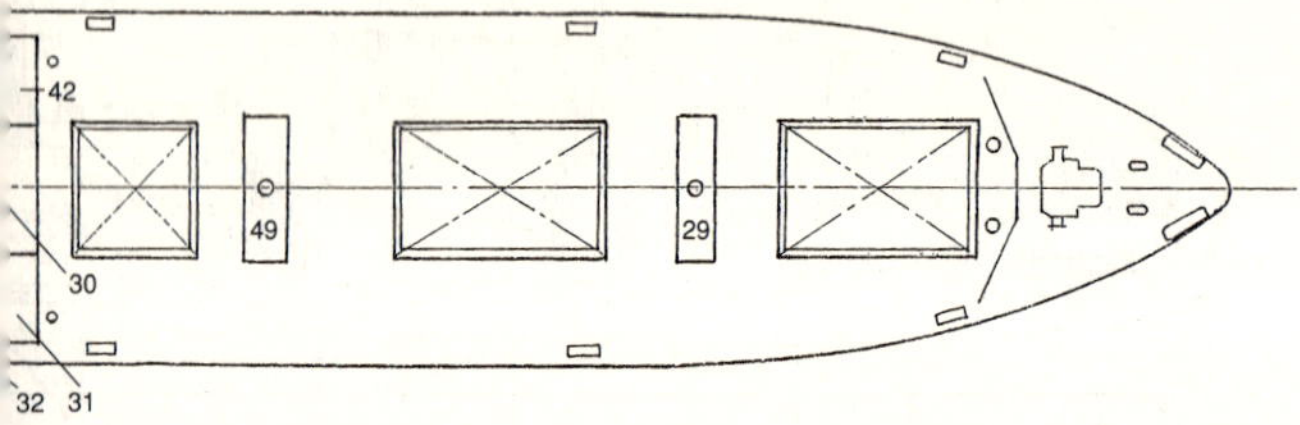

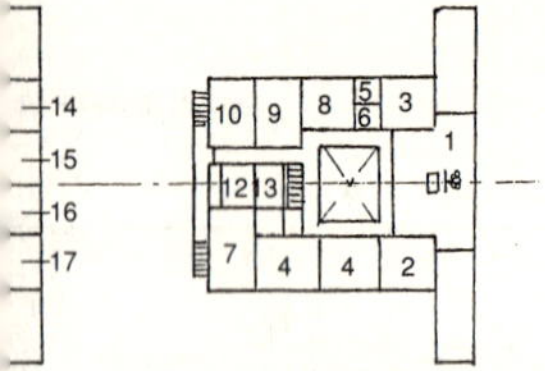

31　砲手（6名）
32　コック及びボーイ
33　シャワー・トイレット
34　操機員
35　甲板員
36　甲板長及び事務員
37　コック
38　事務室
39　エンジンケーシング
40　厨房
41　シャワー・トイレット
42　砲手（6名）
43　スチュワード
44　属員食堂
45　配膳室
46　属員食堂
47　機関員及び操機員
48　ボイラーマン
49　倉庫
50　砲手（2名）
51　シャワー・トイレット
52　病室
53　医薬品倉庫

第14図　リバティー型EC−2型貨物船の基本一般配置図−2

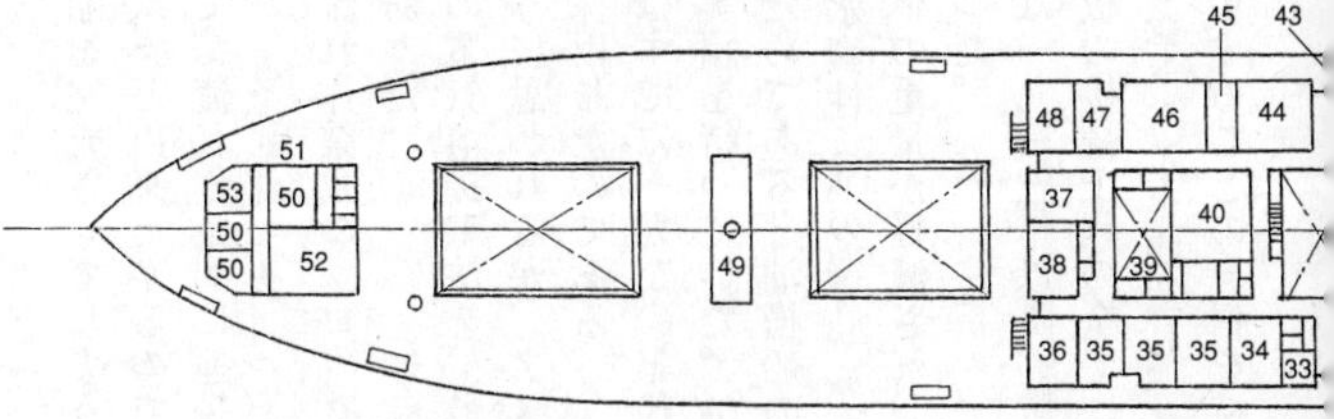

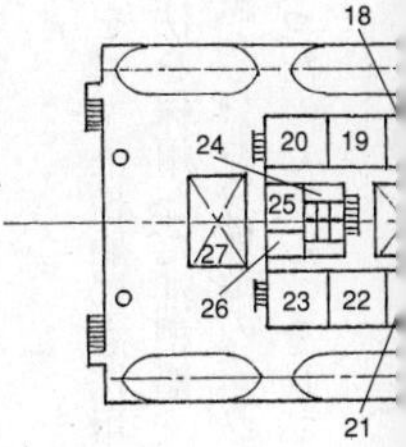

1　操舵室
2　海図室
3　無線通信室
4　船長公室・寝室
5　バッテリー室
6　トイレット
7　船長事務室
8　士官予備室
9　無線通信士
10　予備室
11　ボイラーケーシング
12　機械室
13　倉庫
14　機関長事務室
15　機関長私室
16　1等機関士
17　1等航海士
18　2等機関士
19　3等機関士
20　2等航海士
21　3等航海士
22　チーフスチュワード
23　士官予備室
24　シャワー・トイレット
25　砲術指揮官
26　倉庫
27　機関室天窓
28　通風筒
29　甲板倉庫
30　士官食堂

時間で一隻の船を完成させてしまうという建造方法である。この方法を採用すれば同時に同じブロックが次々と出来上がるので、船台が空き次第連続して次々とブロックを運び込み、次々と組み立てて流れ作業的に連続して船を建造する、つまり商船の大量生産が可能になるのである。

そしてこの流れ作業式のブロック建造方式を可能にした最大の武器が、大規模な電気溶接工法の採用であった。

この新機軸の電気溶接工法を、最重要の戦時緊急建造計画に全面的に採用すること自体極めて無謀のように思われるが、アメリカ造船界としてはこの時点でそれなりの目算と自信があったために採用したのである。

アメリカではすでに一九二〇年代から小型油槽船の建造に積極的に電気溶接工法を採用しているという実績を持っていた。油槽船の建造に電気溶接を採用するのにはそれなりのメリットがあったためである。油槽船の建造に電気溶接を使うと、従来の鋼板をリベットで接続する場合より水蜜性（油の漏れ）が格段に向上するばかりでなく、大量のリベットが節約される分だけ船体の重量が軽減され、同じ規模の油槽船より多くの石油類を積むことが可能になるためであった。

アメリカでは一九三五年以降、電気溶接工法を大型油槽船にも採用するようになり、一九三七年には鋼板の接続工程の全てに電気溶接工法を採用した油槽船、J・W・ヴァンダイク（一万一六五〇総トン）を建造し、その使用実績から船体構造の組み上げ工程に、全面的に電気溶接を採用することの自信を持つようになったのである。そして重要なことは、ヴァンダイク号の建造に際し、厚板鋼板の接続方法に自動電気溶接工法という画期的な技術を大幅に採用したことで、結果的にこの工法が成功したのであった。

この実績があったからこそアメリカは、見方によっては無謀とも思えるリバティー型戦時急造貨物船の大量建造に踏み切ったのである。

リバティー型貨物船の建造には全面的に電気溶接工法が採用されることになったが、一隻のリバティー型貨物船を建造する場合の総溶接延長は実に四三マイル（約七〇キロメートル）に達するのである。

アメリカ政府はリバティー型貨物船二〇〇隻の建造を発表したが、それから三ヵ月後の一九四一年四月には早くも第二次建造計画一一二隻の建造計画を発表した。そしてその後も建造計画は七月に第三次建造計画四一八隻、十月には第四次建造計画六三二隻と矢継ぎ早に発表され、一九四一年だけでも実に合計一三六二隻（九七七万総トン）の建造計画が発表された。

これらの計画船は発表後から次々とアメリカ中の造船所で起工されていったが、一九四一年に建造計画が発表された一三六二隻の中の七六五隻（五四九万総トン）が、なんと翌一九四二年には完成し就航しているのである。

この猛烈な建造の裏にはイギリス商船隊のドイツ潜水艦の攻撃による凄まじいまでの消耗があるのだ。そして一九四二年中に建造されたリバティー型貨物船の半数以上が、アメリカとイギリスとの間で新たに制定された戦時武器供与法（レンドリーズ法）にしたがってイギリスに貸与されている。勿論、一九四一年十二月に枢軸国側に宣戦を布告したアメリカも、自国の商船隊の主力貨物船としてリバティー型貨物船を使用し、一九四二年中には対イギリスあるいは対ソ連向けの大量の生活物資や戦争資材の輸送に活躍したが、その途上にアメリカ商船隊も多くのリバティー船をドイツ潜水艦の猛攻の前に失うことになった。

リバティー船といえば一般的には「貨物船」という印象を受けるが、油槽船や鉱石運搬船などの特殊用途の商船の不足を補うために、リバティー船の船体をそのまま流用し、建造の当初から油槽船や鉱石運搬船などとして建造されたものが合計一三〇隻（九三万総トン）存在している。そしてこの一三〇隻は全てリバティー型貨物船として扱われているが、その内訳は油槽船六二隻、鉱石運搬船二四隻、航空機専用輸送船三六隻、戦車専用輸送船八隻である。ここで航空機専用輸送船と戦車専用輸送船とは次のような任務の船であった。

航空機専用輸送船：完成した戦闘機などの小型飛行機の主翼や尾翼及び胴体を分解し、それぞれを木枠で梱包した状態で船倉内に積み込み、遠隔地に運び込むのであるが、護衛空母などで運ぶよりも輸送量が多くなり（一度に一〇〇機以上輸送可能）、主にアメリカ空軍のヨーロッパ戦線向けの戦闘機の輸送手段として活用された。

戦車専用輸送船：リバティー型貨物船の船倉内の甲板強度を強化し、専用の重量物用デリックブームを備え付け戦車や各種戦闘車両の大量運搬に使われたが、戦車揚陸艦（LST）のように戦車を上陸地点で発進させることはできず、あくまでも兵站基地への輸送に使われるものであったが、本船の利点はLSTより一度に多数の車両を運べるということであった。

リバティー型貨物船

　リバティー型戦時急造船の急速建造は発表されたが、これだけの大量の船舶を建造するにはそれだけ多数の造船所が必要であった。しかし建造計画が発表された当初はアメリカ国内にはまだこれだけの船舶を建造するに十分な造船所はなかった。

　この問題に対してアメリカ政府は建造計画と同時に造船所の拡充計画も同時にスタートさせたのである。この拡充計画では大西洋岸側に八つの造船所（合計六二船台）、太平洋岸側に六つの造船所（合計六二船台）、メキシコ湾岸に四つの造船所（合計三五船台）と、合計一八造船所（総計一五九船台）が緊急に建設されることになり、一九四三年中にはこれら全てが操業を開始し、その後も船台の増設が続き、最終的には合計四〇〇の船台が準備されリバティー型戦時急造船、さらにはヴィクトリー型戦時急造船の建造が展開されたのである。

　ちなみに日本の場合は、一九四五年一月現在の日本の造船所の規模は六三造船所、一〇〇〇総トン以上の船舶が建造可能な船台一四九であったが、この中の四九船台は海軍の艦艇の建造専用に使われ、商船の建造用としては一〇〇船台しかなかった。

　一方、造船所も急速建設することによって一九四二年中頃からはリバティー船の急速建造は完全に軌道に乗り出した。

リバティー船の第一号はアメリカが第二次世界大戦に参戦した直後の一九四一年十二月三十日に完成したが、その船名は「パトリック・ヘンリー」であった。そしてこのパトリック・ヘンリーの船名こそ、以後続々と完成するリバティー船の代名詞になった所以なのである。

パトリック・ヘンリーとは一七七五年にアメリカの独立戦争を前に、当時のアメリカ市民に向けて有名な「Give me liverty or give me death（我々に自由を、さもなくば死を）」の名演説を行なった、バージニア州出身の政治家で、この演説によって当時のアメリカ市民のアメリカ独立へ向けての気概を一つにした人物であったが、アメリカ国民のこの戦争に向けての気概を、救国の商船の第一船の船名につけたことに大きな意味があったといえよう。

第一船パトリック・ヘンリーの建造には起工から竣工まで、工程や工作の不馴れ、また各種装備品の製造の不馴れなどが原因して二八〇日（約八ヵ月）という多くの日数を要してしまったが、量産体制が軌道に乗るに従い建造期間は急速に短縮され、最終的には一隻のリバティー型貨物船の起工から進水までの工事日数は平均六〇日と大幅に短縮され、さらに艤装期間も平均三〇日以内となり、一隻のリバティー船の起工から完成までの建造期間は、平均九〇日以内にまで短縮された。この平均九〇日以内という建造期間は、同規模の貨物船の通常の建造期間の三分の一から四分の一という驚異的な短縮であった。そして建造のピークを迎える一九四三年から一九四四年にかけては、一日平均三隻のリバティー船がアメリカ中のどこかの造船所で完成していることになった。

このリバティー船の急速な建造量の増加は、一九四三年当初には大西洋海域でドイツ潜水艦によって撃沈されていた月平均の損失量を上回り出し、同じ頃から始まった連合軍側のドイツ潜水艦に対する攻撃システムの確立とあいまって、連合国側の商船の損失の危機を回避することになったのである。

リバティー船の建造期間の短縮は各造船所で競争の様相を呈したが、早くも一九四二年夏には、カリフォルニア州のリッチモンドにあるカイザー造船所で建造期間の新記録を樹立している。このとき建造されたリバティー船の船名はピエール・デュポンで、起工から進水まで三一日という記録であった。ところがその直後に同じ造船所で、船名ジョセフ・N・ティールを起工から進水までわずかに一六日というハイスピードで建造し、建造期間短縮の記録を塗り替えてしまった。

しかし記録はさらに更新されることになった。同じ一九四二年十一月に、同じ造船所で船名ロバート・E・ピアリーの建造に信じられない記録を樹立した。それは起工から進水までわずか四日と一五時間という超短時間建造記録である。

ロバート・E・ピアリーの船体ブロックが船台上に並べられたのは一九四二年十一月八日であった。各ブロックの接続のための溶接作業は昼夜兼行で行なわれ、四日後の十一月十二日には船体の全てのブロックを接続し、甲板上にマストや多数のベンチレーター類などの取り付けを終了し進水させてしまった。

そして艤装岸壁に係船されると直ちに機関の据え付け、各種補機類の据え付け、そしてデリックポストや揚錨機やボートダビット等の装備装置の据え付けが開始され、船内の艤装や各種航海設備や通信装置の取り付けも十一月十五日一杯で完了してしまった。つまりロバート・Ｅ・ピアリーは起工からわずか七日間で完成してしまったことになる。そしてこの建造記録が破られることはその後もなかった。

リバティー船を建造した造船所とその建造数は第23表に示すとおりで、アメリカ中の一七の造船所の四〇〇の船台で、一九四一年五月から一九四五年七月までに合計二七一二隻、一九四四万総トンのリバティー船が建造された。

さてそれではこのリバティー型戦時急造貨物船とはどのような構造をしていたのであろうか。リバティー船の大多数を占めたＥＣ２-Ｓ-Ｃ１型と呼ばれる貨物船型について紹介しよう。

本船の船形は船首楼も船楼も持たない典型的な平甲板型（フラッシュデッキ型）で、船体中央部の上部構造物はいかにも陸上で組み上げられたブロック建築物をそのまま甲板上に積み重ねたような、極端な簡易式上部構造物の印象を受ける。

いずれの甲板にも木甲板は使われず全てが鋼板仕上げになっている。ボートデッキ上の機関室用のスカイライトや煙突、さらには甲板各所に取り付けられた通風筒なども、地上で溶接して組み上げられたものをそのままクレーンで甲板上に運び込み、簡単にデッキの鋼板に溶接したような簡素な構造になっている。デザイン的にも一般の商船には普通に見かける曲線加工の部分は一切なく、見るからに戦時使用を目的と

鉱石運搬船 戦車輸送船 航空機運搬船
69
69

第23表　リバティー船の建造造船所と建造数

造船所名	貨物船（隻）	油槽船（隻）
アラバマ・ドライドック	20	
ベスレヘム・フェアフィールド	385	
カリフォルニア・シップビルディング	306	30
デルタ・シップビルディング	132	32
J.A.ジョン・コンストラクション ブルンスウイック造船所	85	
J.A.ジョン・コンスチラクション ウエインライト造船所	66	
カイザー・タコマ	10	
マリンシップ	15	
ニューイングランド・シップビルディング	236	
ノースカロライナ・シップビルディング	126	
カイザー・オレゴン・シップビルディング	322	
トッド・パーマネントメタル　No.1	138	
トッド・パーマネントメタル　No.2	351	
St.J.リバー・シップビルディング	82	
サウスイースタン・シップビルディング	88	
トッド・ヒューストン・シップビルディング	208	
ワルシュ・カイザー	11	
合計	2581	62

総計：2712隻

した商船の姿である。

この姿は全く同じ頃に建造されていた日本の簡易構造の二次型戦時標準船と共通しているが、リバティー型貨物船には日本の戦時標準船には見られない際立った特徴があった。

それは一般の貨物船を船体の側面から見たときに見られる、船首から船尾にかけての緩やかな弓形のカーブ（シーア＝舷弧と呼ぶ）が、戦時急造のリバティー型貨物船にも見られることである。ところがこれとは対照的に日本の二次型戦時標準船にはシーアは全く見られず、船首から船尾までが完全な直線に仕上がっているのである。

もともとシーアをつける理由の一つとして、甲板の前後に持ち上がるような弓形の構造をつけることによって船体の前後の船の水線上に余分の容積を持たせ、船に予備の浮力を与えることができるもので、従来から商船や艦艇を問わず船舶の設計上の基本構造になっていた。また船首甲板に上向きの反りを付加することによって、船体が波浪中を航行する際に前方からの波が甲板上に打ち込むことを減じさせる効果を加味することもできるのである。

船体にシーアをつけることは船体を建造する上で、舷側の鋼板に多少の曲面加工を加える必要があるために、徹底した簡易構造で建造された日本の二次型戦時標準船では曲面加工の手間を省くためにシーア構造を廃止したのであった。そのために船首や船尾の舷側は完全な平型鋼板の接続で仕上げられることになり、建造工程の簡素化には大きな貢献になった。

しかし同じ戦時急造型貨物船であるリバティー船にシーア構造が加味されていたということは、結果的には急造とは言いながら、アメリカのリバティー船建造には鋼板の曲面加工が許されるだけの製造の余裕があったことを示すものでもあった。

リバティー船は戦場にに送り出されることが第一条件であるだけに、対空及び対潜用の防衛火器の装備が建造時から標準仕様になっていた。

第14図でも示されるとおり、船首に口径三インチ（七・五センチ）対艦・対空両用砲一門、船尾に口径五インチ（一二・七センチ）対艦・対空両用砲一門を、それぞれ砲座を設けて配置されている。また上部構造物の最上甲板に四基、船尾に二基の二〇ミリ対空機関砲が標準装備されていた。ただ二〇ミリ機関砲はこれ以外にも例えば前部マストの両舷に各一基ずつ

装備される場合もあった。

船倉は機関室とボイラー室を挟んで船体の前部に三ヵ所、後部に二ヵ所配置され、合計最大一万トンの貨物を搭載することが可能で、各船倉への積み込み用のハッチがそれぞれ前部上甲板上に三ヵ所、後部上甲板上に二ヵ所開いていた。

また重量物の積載も可能なように、前後のマストには各一基ずつの三〇トンまたは五〇トン用デリックブームが装備されていた。

主機関は三シリンダ・三衡程式レシプロ機関一基で、出力は連続定格出力二五〇〇馬力であった。そして推進器は一軸で最高速力は一二・五ノット、航海速力は一一ノットである。

先に述べたように日本の二次型戦時標準船の特徴として、建造に際しての工数の簡素化から船体のシーアを省いているが、今一つ信じられないことではあるが、船舶の構造としては基本中の基本である二重底構造を排除してしまったことが上げられる。

二重底は船体の強度上と安全からも不可欠な構造であるが、大型船から二重底を排除するということは船舶の設計上全くの暴挙である。つまり日本が二次型戦時標準船の建造を計画した頃の日本の船舶事情は、二重底まで排除して建造しなければならないほど材料が不足し、また建造時間の短縮を急かされていたのであった。しかし急速建造を迫られながらリバティー型戦時標準船には立派な二重底構造が採用されており、日本の二次型戦時標準船の建造に比べ、アメリカの戦時急造船の建造には物質的にも工数的にも十分な余裕が示されていた。

次に第14図をもとにリバティー船の船内の配置について紹介することにしよう。

リバティー型貨物船の乗組員用の居室は士官は一名室が基本で、一般乗組員は二～六名用の居室が基本になっており、日本の二次型戦時標準船や戦争前までに建造された貨物船に一般的に見られる、士官以外の乗組員用の八～一二名用の大部屋が存在しない。

リバティー船にはこの船ならではの居室がある。それは大砲や機関砲を操作する隊員用の専用の居室が配置されていることで、砲術指揮官は士官と同様に一名室で、それ以外の一般砲員は二～四名室が配備されている。

船内は実用一点張りに造られており、一般の貨物船と基本的に違う点は士官や一般乗組員の居室や食堂などには、室内の壁面や天井などを装飾する木材や布地などは一切使われておらず、艦艇の艦内と同じく鋼板剝き出しで、表面が難燃性塗料で塗装仕上げされている程度であった。ただ日本の戦時標準船と違っているところは、食堂などの公室や居室にはベッドや椅子・テーブルあるいは収容簞笥の類がそろっていることであるが、それらのほとんどはスチール製であった。ただベッドはスチール製とは言いながらスプリングが利き、厚みのあるマットレスが準備されて安眠が保障されていた。また天井の照明も簡易構造ではあるがカバー付の電球が設けられていた。

この姿と日本の戦時標準船の船内の実態、つまりは急造の板造りの椅子やテーブル、天井の数個の裸電球、安眠も保障されない剝き出しの鋼板の上にアンペラやゴザを敷いての起居とを比較すると、徹底した簡易構造と設備のリバティー船とは言いながら、日米の戦時急造船の質的面でのあまりの格差に愕然とするのである。

リバティー船は第一船のパトリック・ヘンリーが起工して以来、一年八ヵ月後の一九四二年十二月末までに実に七四六隻が竣工している。そして続く一九四三年にはわずか一年間で実に一二三八隻という膨大な数のリバティー船を竣工させているのである。

一九四三年末までに竣工した合計一九八四隻（二三九〇万総トン）のリバティー船は、対イギリスや対ソ連への膨大な量のあらゆる物資の輸送を可能にしたばかりでなく、一九四三年九月からヨーロッパ戦線や太平洋戦線で展開された反攻作戦を可能にしたのである。一九四三年九月からはヨーロッパ戦線ではイタリア上陸作戦が、太平洋戦線ではギルバート諸島上陸作戦が開始され、いずれも連合軍の本格的反攻の口火となった。

これらの反攻作戦では兵員上陸船や戦車上陸艦（LST）が上陸の先陣を切るが、上陸後に運び込まれる膨大な量の弾薬・車両・燃料・糧秣・各種機材などはリバティー船が運び込み、上陸地点の兵站を強固なものに仕上げ、以後の侵攻作戦を有利に導かせる陰の立て役者になっていたのである。

リバティー船は本格的な大量生産方式で建造された世界最初の商船といえるが、一隻あたり七〇〇〇総トンの大型船を短期間で二七〇〇隻以上も建造するとなれば、当然様々な問題も発生してくる。これら一連の問題の中で、この大量建造方式を根幹から揺るがしかねない事件が建造最盛期の一九四三年一月に発生し、一時はリバティー船建造に暗雲が立ち込めた。

リバティー型貨物船の大量建造が進められている傍らで、一九三七年に海事委員会が定めていた規格型油槽船の建造も同時進行で進められていた。そしてこの規格型油槽船の中でも大量建造が進められていたのがT2型（一万六〇〇〇総トン、一万六七〇〇重量トン、全長一五二メートル、航海速力一四・五ノット）で、この船体の建造にも途中から電気溶接工法が全面的に採用されていた。

厳寒の一九四三年一月、アメリカ太平洋岸北部オレゴン州のポートランド造船所で一隻のT2型油槽船「スケネクタディ」が竣工し、ドック内で海水を張ったまま船体の点検作業が行なわれていた。

そのとき突然、何の前触れもなくスケネクタディ号が、船体中央の船底を支点にしてまるで船体が「へ」の字型に持ち上がるようにポッキリと折れ曲がってしまった。

破壊は突然で、最初に船体中央部の上甲板のデッキ鋼板を横断するように大きな亀裂が走り、その亀裂は次第に両舷側の鋼板に伝搬してゆき、次には船体を構成する主要な構造材であるガーダー（船体の縦方向を貫く貫通材）を断裂し、そして船底のボトムガーダーに進行したところで亀裂は止まった。

この事件が発生するまでにも、一九四二年中に完成したリバティー船が荒天下を航行中に、突然船体が中央部付近からポッキリと二分してしまう事故が数例発生していた。しかしスケネクタディ号の場合は船体に何ら負荷がかからない状態での断裂であっただけに、にわかに全工程を電気溶接で建造する船舶に対する危機意識が高まった。

そうこうしているうちに二ヵ月後の三月に今度はニューヨーク港入り口で、スケネクタディ号の姉妹船にあたるエッソ・マンハッタン号が波穏やかな中で船体の中央部から突然折れ曲がるという事故が発生した。

この衝撃的な事故の中でもとりあえず電気溶接工法を全面的に採用しているリバティー型戦時標準船の建造やT2型油槽船、あるいは護衛空母の建造は中止されることなく続行されていた。アメリカはこれらの一連の事故発生故に、電気溶接工法を採用している全艦船の建造を中止するわけにもゆかず、建造計画はそのまま実行される一方で、スケネクタディ号の破壊事故に焦点を当てた破壊事故原因調査委員会が四月に設置され、精力的な原因究明が進められた。

事故調査委員会が最終的な事故原因報告書を提出したのは戦争終結後の一九四六年であった。そして調査委員会が最終的にまとめた事故原因を要約すると次のようなことであった。

当時、艦船の建造に世界的に広く使用されていた鋼板はリムド鋼と呼ばれ、炭素や硫黄、リンなどを比較的多く含む鋼材であった。しかしこの鋼材は従来の艦船建造方式であるリベット接続工法で鋼板を接続するのには適しているが、電気溶接という瞬間的に高温を発生させ、鋼材を局部的に溶解して接続するという方式には不適であることが判明したのである。

リムド鋼を高温によって局部的溶解を起こして接合すると歪みが発生しやすく、結果的には歪み個所を中心に断裂を起こす可能性が大きいことが分かってきたのである。

スケネクタディ号の断裂の場合は鋼材に収縮が発生しやすい低温という条件の中で、船体の中でも最も応力が集中しやすい船体中央部の上甲板部分に、たまたま電気溶接の不良箇所が集中的にあり、溶接部分の強度が応力に対して耐久力を満たさず、一気に断裂し、その断裂によって限界状態にあった鋼板に次々と亀裂が伝搬していったものと推定されたのである。

この事故をきっかけにアメリカでは電気溶接工法に適した鋼材の開発が進められ、キルド鋼という電気溶接向けの鋼材が一九五〇年頃から使用されるようになり、その後世界的に広まっていったのである。

その後建造された全リバティー型貨物船に対する強度調査が行なわれたが、その結果、建造された全リバティー型貨物船の中の約二〇パーセントに強度不足や大小の亀裂の発生が認められるという事実が判明した。そしてこの事実が戦後世界的に広まったリバティー船粗悪説の元になったのであった。

ここでリバティー船の今次大戦中の損失状況を述べてみたい。

リバティー船の全損失は建造総数の八・七パーセントに当たる二三五隻である。その内訳は枢軸国側潜水艦や航空機の攻撃による損失一五六隻、触雷によるもの一八隻、枢軸国側水上艦艇による砲撃による損失五隻、海難による損失五一隻、その他の原因によるもの五隻であった。

この中で特徴的なことは海難事故で失われた場合の状況である。座礁や座州の海難事故を起こしたリバティー船の多くが、船体の中央部、特に前部上甲板と中央上部構造物の接続位置で船体が二つに折れていることで、ここにも潜在的な全電気溶接工法の工作不良による構造的欠陥が現われていたのであった。

戦争終結とともに不良構造のリバティー船は次々とスクラップ処分されたが、それでも一九四七年現在で合計約一七〇〇隻のリバティー船が残り、第一次世界大戦後と同じくそれらの船はアメリカ中の港湾や大きな河川の河口付近などに、一群となってモスボール（一種防錆処理）状態で係船された。また一部の船は海軍の現役輸送船として存続することになった。

しかし、これら大量のリバティー船はアメリカにとっては完全な余剰船舶であり、第一次世界大戦後の大量の老朽貨物船保有の再来を連想させたが、アメリカはこの余剰船を大戦の結果大量に商船を損失した世界の海運界に向けて大々的に売却を始めた。

一九五〇年代中頃でもまだ約一〇〇〇隻のリバティー船が残っていたが、戦後の世界の海運界の発展は急速で次々と優秀な高速貨物船が出現し、リバティー船のような低速の商船を対外貿易の輸送手段として使う海運会社は激減していた。

この間のエピソードとして、アメリカは一九五〇年代の後半から数年間続いた穀物過剰生産に対する対策として、アメリカ各地に係船されているリバティー船の船倉を膨大な余剰穀物のストックヤードの代用として数年間使用したことがあった。

リバティー船の耐用年数は設計上では五年とされていただけに、係船されているリバティー船の老朽化は急速で、建造以来一三年以上を経過し始めた一九五七年から大量のスクラップ化が進められた。そして一九六六年までに合計八三二隻のリバティー船が、世界中のスクラップ業者に買い取られスクラップにされた。

二七一二隻も建造されたリバティー船で現存する唯一のものは、一九四四年に建造された今年（二〇〇五年）船齢六十一年になるジェレミア・オブライエン号である。このリバティー船は現在でもボランティアの手によって整備され稼動状態でサンフランシスコ港内に保存されている。

本船は竣工後、直ちにノルマンジー上陸作戦に参加しているが、一九九四年六月にフランスのノルマンジー半島で開催されたヨーロッパ解放五十周年記念では、船齢五十年の老体にも関わらず、この記念行事に参加するためにジェレミア・オブライエン号は自力で大西洋横断を行なっている。

最後にリバティー船に関する隠されたエピソードを紹介しよう。

リバティー船はその数の多さから逸話やエピソードには事欠かないが、その中でも同船の建造に際して建造推進の裏方が大きな問題を抱え込んで日夜悩んでいた話はほとんど知られていない。その悩みとは二七一二隻も建造されたリバティー船の船名のことである。

世界の海運界では同一形式の船には、また同一海運会社の持ち船には系統だった船名をつける習慣がある。リバティー船の場合は第一船のパトリック・ヘンリーを基本に、当初はアメリカ建国以来の歴史上のリーダーやヒーローの名前が次々とつけられることになっていた。ところがアメリカの歴史は二〇〇年そこそこしかなく、二〇〇隻目頃から該当するヒーローやリーダーの名前が尽きてしまった。そこでその後はアメリカ歴史上の著名な作家・作曲家・俳優や女優を含めた芸術家・声楽家・実業家・経済界の代表者・冒険家・スポーツマン・ボーイスカウトやガールスカウトの著名なリーダーなど、ありとあらゆる歴史上の人物の名前が手当たり次第船名に採用された。ただ船名には世界的に一つのタブーがあり、これが足かせになった。そのタブーとは現存している人物の名前は一般的には船名に採用しない、ということである。特にリバティー船のように戦場が主な活躍場所となる商船の場合は、生存者の名前を船名につけその船が仮に撃沈されてしまった場合には「縁起が悪い」ことになり、生存者の名前をつけることはリバティー船では特にタブーとされた。

それだけに船名に現存の該当者の名前をつけるわけにはゆかず、結局は過去の人名の中から何としても人名を選ばなければならなかった。

結局次に選ばれたのが過去にアメリカに功績のあった各界の外国人の名前を選び、それもたちまち種が尽きてきた。そこで選ばれたのがその船が建造されるまでに戦死した勇敢な商船乗組員の名前まで選ばれるようになった。しかしその種が尽きると次にはタブーを破り、本人の同意を得た上で生存する勇敢な乗組員の名前まで選ばれるようになった。

ただ海軍軍人や陸軍軍人の名前は駆逐艦などの艦名に使われるために、原則として使うことができなかった。結局何とかかんとか二七一二名の人名をひねり出してリバティー船全船の船名をつけることはできた。

実際にリバティー船の船名を眺めると優に一冊の人名辞典を紐解くのに等しいほど、ありとあらゆる有名無名の人物の名前が出てくるのである。例を示すと、作曲家フォスター、女流冒険飛行家アメリア・エアハート、電話の発明家グラハム・ベル、航海家アメリゴ・ベスプッチ、蒸気機関車の発明家ジョージ・スチーブンソン、科学者ベンジャミン・フランクリン、アメリカ大統領リンカーン、ハンガリーの物理学者ニコラ・テスラー、大学創設者ブリガム・ヤング、作家ラフカディオ・ハーン（小泉八雲）、作家オー・ヘンリー、西部の女性ガンマンであるアニー・オークレー、西部の名保安官ワイアット・アープ、イギリスの海賊船長フランシス・ドレーク。

実に多士済々で、船名簿を見るのが楽しくなるほどである。

第８章　日本の商船として戦った外国船

日本船にされたフランス商船の太平洋戦争

一九三七年七月に勃発した日中戦争は、国民の一人一人に至るまで日本国内に様々な変化をもたらした。国民の生活の中からは次第にゆとりが消え、様々な生活物資の不足が日を追うごとに顕著に表われはじめた。その一方では国際的にも日本の急速な軍事邁進の政策に危機感をつのらせ、日本の将来と東アジアの将来に暗雲が立ち込みはじめた。

その最中の一九三八年四月に、国会において法律第五五号「国家総動員法」が公布され五月から施行になった。

この法律は戦争や事変を含めた戦時の際に、国防目的達成のために国家の全力を最も有効に発揮するよう、人的にも物的資源についても国家の統制の中に運用するというもので、この法律の施行によって日本は完全に戦時体制に入ったのであった。

国民生活の中には食料品から様々な生活物資に至るまで配給制度が施行され、鉄鋼の生産や石油類の生産においても需要と必要度に応じた物資供給に対する統制が始まった。

一九三九年九月にヨーロッパの地に第二次世界大戦が勃発すると、世界の情勢はにわかに緊張がみなぎり、世界経済の先行きは全く不透明な情勢となった。

しかしこのような情勢の中にあって、日本の海運界では一九三〇年代の初めに始まった船舶のスクラップ・アンド・ビルドは続けられ、老朽船の淘汰と新鋭優秀船の充足が国家政策として続けられ、世界の中での日本の商船隊の競争力は強化される一方であった。

そしてその中で日本海運界に対する国家政策の一つとして、近い将来想定される戦時に対応できるような商船隊の増強計画の一つとして、外国船の積極的な購入や傭船が進められた。

運航会社	その後の状況
自社運航	1944.12.30 フィリピン・空爆沈没
〃	1942. 1. 1 フィリピン・触雷沈没
〃	1943. 3. 3 ニューギニア・空爆沈没
〃	1944. 7.19 南シナ海・雷撃沈没

しかし第二次世界大戦の勃発によって世界の船舶事情は一変し、船舶は目に見えて供給不足になっていった。そしてこのあおりを受けたのが外国船の購入と傭船計画であった。購入するにも売却に出される商船は激減し傭船料は急騰を始めた。

この時期の日本では国家総動員法の中で物価統制令が施行されており、傭船料に対しても一定の基準内での対応しかできないために、高騰する傭船料の中で外国船を傭船するには海運会社の努力の中では次第に困難がともない始めた。また外国船の購入についても同じく高騰する購入価格に各海運会社の負担の中では対応不可能になっていた。

ここに至り日本政府は高騰する傭船料と船価を国家で補助する方策を打ち出し、以後の外国船の傭船や購入は各海運会社に任せるのではなく、傭船と購入を一元的に行なう国策会社を設立させ運営を行なうことを決めた。

第24表　帝国船舶(株)の四隻の持船一覧

船　名	旧 船 名	旧国籍	船 種	建造年	総トン数
帝海丸	フルダ	ドイツ	貨物船	1924年	7691
帝雲丸	ブレーメルハーフェン	ドイツ	貨物船	1920年	1548
帝洋丸	ザールラント	ドイツ	貨客船	1924年	6801
帝龍丸	アウグスブルグ	ドイツ	貨物船	1915年	6550

そしてこの受け皿となる国策会社を「帝国船舶株式会社」として一九四〇年七月に設立した。

ただこの会社は表向きは日本の当時の大手海運会社九社から均等出資で設立するものとした。その九社とは日本郵船、大阪商船、川崎汽船、大同海運、山下汽船、国際汽船、辰馬汽船、三井物産船舶部（後の三井船舶）、三菱商事船舶部（後の三菱海運）であった。

帝国船舶の当初の業務は外国船を購入し同社の持ち船として運行することで、会社設立早々に一一隻の外国船の購入を行ない、この中の七隻は帝国船舶の出資会社以外の日本の他の海運会社に購入価格で譲渡し、残る四隻を自社船として運行することになった。ちなみにこの四隻はたまたま日本の港に寄港中に第二次世界大戦が勃発し、帰国の途を閉ざされた貨物船三隻と貨客船一隻で第24表に示される四隻である。

帝国船舶の事業が進められてゆく中で、同社のその後のあり方に大きな影響を与えるような事態が出来した。

帝国船舶が設立される直前の一九四〇年六月にフランスはドイツの軍門に下り、実質上降伏した。そしてフランス国内はドイツとドイツの傀儡ともいえるヴィシー政府によって統治されるという複雑な状態になった。

当時のフランスは海外に広大な植民地を領有していたが、ドイツはこれらのフランス植民地の統治にはあえて参入することはなく、ドイツの睨みの中でヴィシー政府が統治することになった。

フランスは東南アジアにはインドシナ半島全域にまたがるフランス領インドシナ（通称：仏印＝現在のベトナム・ラオス・カンボジア）を領有していた。

この時期の日本は海外の様々な包囲網の中で抜け道を見出せないまま苦慮していたが、東南アジアへの軍事的な進出の一つの足がかりとして、この機を見逃さず仏印への進出を画策していた。

日本の軍部には近い将来避けられない戦争の遂行のための手段として、東南アジア侵攻の足がかりのためにインドシナやタイを前進基地とする構想を固めていた。その具体策として実行したのが一九四〇年に行なった強引な北部仏印への進駐で、さらに一九四一年七月にはフランス（ヴィシー政府）に対し、南部仏印への日本軍の進駐を要求した。

これは極めて強引な提案であるが、実質的にはドイツの勢力下にあるヴィシー政府はドイツと軍事同盟を結んでいる日本に対して「否」の返事はできず、仏印におけるフランスの主権を日本が認めることを条件に、日本軍の南部仏印（現在のベトナム南部とカンボジア南部）進駐を認めざるを得なかった。

ここに仏印では太平洋戦争中に日本とフランスが共存するという奇妙な関係が生まれることになり、仏印からはフランス・ヴィシー政府の管理下で日本に対して良質な石炭（ホンゲー炭）や生ゴム、米などが輸出され、戦争期間中の仏印フランスと日本との関係は決して悪い関係ではなかった。

この間に太平洋戦争が勃発したが、このとき南仏印のサイゴン港などには多数のフランス船が係留されていた。これらの船はフランスと仏印間の定期航路に就航していた客船や貨物船で、戦争の勃発によって帰国の途がふさがれ仏印の各港に係留されていたものであった。

日本はこの係留されたままになっている多数のフランス船に注目し、仏印のフランス代表部との折衝を続けた。その結果在泊する合計一一隻のフランス船の全てを、「表向き」は日本が強制傭船するという処置がとられた。「表向き」とした理由の裏には、この時点で仮に仏印フランスが日本との妥協の下で傭船を契約した場合、もし近い将来フランスの勝利で戦争が終結した場合には、この契約が「日本側との妥協下の下で契約したのではない」とする、フランス側の責任回避が隠されていた、と解釈できるのである。

この結果、日本は労せずして一度に一一隻、八万八〇〇〇総トンの船舶を入手することができた。

これら一一隻の中にはフランスの極東航路を代表するMMラインの大型客船アラミス（一万七五三七総トン）や、同じくMMラインの大型客船ダルタニアン（一万五一〇五総トン）など四隻の大型客船が含まれていた。

これら一一隻のフランス船の接収は日本海軍が行なったが、接収後の管理は帝国船舶が行なうことになった。同社はこれら一一隻の維持と日本船としての運行の管理の責任を負うことになったが、同社独自ではこれら一一隻の全てを管理することが不可能であるために、実際の運行は同社の各共同出資会社の責任において数隻ずつを運行することになった。

一九四一年十二月に太平洋戦争が勃発すると、日本軍が侵攻した東南アジアの諸港で多くの商船を鹵獲することになった。ただその中の二八隻はイタリア、ドイツ、デンマーク、スウェーデンなどの船で、第二次世界大戦の勃発によって帰国の途を閉ざされ、各港に長期係留していたものであった。

日本政府はこれら二八隻についても先の一一隻のフランスと同様に強制徴用の形式をふんでそれぞれの国の了承の下で傭船することになり、その運行管理を行なうところとしてフランス船と同じく帝国船舶が選ばれた。

帝国船舶はフランス船に倍する商船を一気に保有することになったが、フランス船の場合と同じく同社の各出資会社に数隻ずつを割り当て、実際の運行管理を任せることになった。

結局、帝国船舶は四隻の自社保有船に加えて合計三九隻の商船を傭船の形式で保有することになったが、同社ではこの三九隻については「管理船」の名称で呼ぶことにした。そしてこの「管理船」は、戦争が終結した時点で傭船契約を解除し各国の元の持ち主に返却しなければならなかった。第25表に管理船の一覧を示す。

その一方で戦争の進展によって新たに多くの商船が日本側の手に入り、これらの運航も帝国船舶が行なうことになったのである。これらの新しい商船とは占領地で鹵獲した船のことであるが、それればかりとは限らなくなってきた。

日本軍の急速な侵攻に対して、港を逃げ出す機会を失った多くの船が港内で自沈するケースが多かった。しかしその後これらの船舶はほとんど日本の手によって浮上させて、修理の上再び運航可能な状態にしたが、鹵獲船とともにこれらの浮上船の運航管理も帝国船舶が行なうことになった。

鹵獲船と浮上修理船の合計は最終的には一五五隻、三四万八〇〇〇総トンという大きな数となり、その後大量の商船を失ってゆく日本の商船隊にとっては極めて重要な存在となったのである。そしてこれら一五五隻の鹵獲船と浮上修理船は、逐次、軍の手から「貸下船」として帝国船舶に引き渡され運航管理を任かされることになったが、前出の管理船と同じく帝国船舶独自の手では運航管理することが不可能であるために、管理船と同じく出資会社ばかりでなく広くその他の海運会社にも貸し与えられた。

帝国船舶は太平洋戦争の終結とともにその役割を終え一九四六年六月に整理解散された。会社としての歴史はわずかに七年であったが、この七年間に合計実に二〇〇隻、約四六万総トンにのぼる商船の運航と管理に携わり、日本最大の海運会社の立場にあった。

しかし同社が保有した商船のほとんどが戦禍で失われている。自社船の四隻、管理船については一部不明のものもあるが三九隻中少なくとも三〇隻が失われた。そしてこの管理船こそ不本意ながらも日本のために働き、そして日本のために犠牲になった船といえよう。

帝国船舶所有の船と管理船は他の船と明確に区別できる特徴があった。それは船名で、四隻の自社船と三九隻の管理船の大半の船名に「帝」の字が冠せられていたことである。勿論他社の船にも「帝」の字が付くものはあるが、同社の所有あるいは管理船を判別する目安になることは確かである。

次にこの管理船の中からいくつかの代表的な船についてその姿を紹介したい。

（イ）帝亜丸

この船については本書の中でも別章で紹介するのでここでは多くは述べないが、本船は帝国船舶のいわゆるフラッグシップ的存在の船で、その活躍も帝国船舶という会社のように特

旧国籍	総トン数	運航会社	状況
イタリア	5387		雷撃沈没
デンマーク	2332	三井船舶	雷撃沈没
ドイツ	5198	三井船舶	雷撃沈没
フィンランド	5067	山下汽船	不明
ドイツ	7974	川崎汽船	空爆沈没
ドイツ	5050	三菱海運	雷撃沈没
イタリア	5248	山下汽船	雷撃沈没
イタリア	3710	山下汽船	空爆沈没
イタリア	2278	山下汽船	空爆沈没
イタリア	3904	山下汽船	座礁沈没
イタリア	1809	山下汽船	雷撃沈没
ドイツ	8428	大同海運	触雷沈没
ドイツ	5113	飯野海運	雷撃沈没
ドイツ	1230	川崎汽船	雷撃沈没
ドイツ	1239	川崎汽船	雷撃沈没
フランス	17537	日本郵船	雷撃沈没
フランス	15105	日本郵船	雷撃沈没
フランス	10086	大阪商船	雷撃沈没
フランス	8009	大阪商船	触雷沈没
フランス	9877	大阪商船	触雷座礁
フランス	7110	三井船舶	空爆沈没
フランス	7007	三井船舶	雷撃沈没
フランス	5798	三井船舶	雷撃沈没
フランス	2251	東亜海運	雷撃沈没
フランス	3044	東亜海運	空爆沈没
フランス	1972	東亜海運	空爆沈没
イタリア	3832	山下汽船	空爆沈没
デンマーク	4472	日本郵船	雷撃沈没
イタリア	5753	大阪商船	空爆沈没
イタリア	1911	山下汽船	触雷沈没
スウエーデン	1555		不明
ドイツ	2768	東亜海運	不明
中華民国	1422	南洋汽船	不明
イタリア	18765		触雷沈没

第25表　帝国船舶(株)管理船一覧

船　名	旧　船　名	船種	建造年
1　帝安丸	ヴェネチア・シウイア	貨物船	1928
2　帝久丸	グスタフ・ディーデリツエン	貨客船	1930
3　帝福丸	R.C.リックマー	貨物船	1921
4　トルナトール	トルナトール	貨物船	
5　帝祥丸	ハーフェンシュタイン	貨物船	1921
6　帝仙丸	ウルスラ・リックメンズ	貨物船	1917
7　安宅丸	アダ	貨物船	1920
8　青木丸	アンバ・アラギ	貨物船	1910
9　燕京丸	エンデルタ	貨物船	1907
10　巴龍丸	グラディエール・パデユラ	貨物船	1909
11　杭寧丸	フリエーレ・コンソルニ	貨物船	1917
12　帝瑞丸	モーゼル	貨客船	1927
13　帝抻丸	ヴィンネト	油槽船	1913
14　帝珠丸	キトー	貨物船	1938
15　帝宝丸	ボゴダ	貨物船	1937
16　帝亜丸	アラミス	客船	1932
17　帝興丸	ダルタニアン	客船	1924
18　帝美丸	ベルナルディーデ・セントピエール	貨客船	1926
19　帝香丸	カップ・バレラ	貨客船	1921
20　帝立丸	レ・コンテ・デ・リスレ	貨客船	1922
21　帝楓丸	ヴーゲンヴィル	貨客船	1913
22　帝村丸	ヴィルド・ヴェルダン	貨物船	1921
23　帝北丸	ペルセー	貨物船	1935
24　帝春丸	タイ・セン・ホン	客船	1902
25　帝連丸	アレックス・ヴァレニ	貨物船	1909
26　帝欣丸	キンディア	貨物船	1919
27　プルート	プルート	貨物船	1914
28　帝望丸	モルドボ	貨物船	1923
29　帝雄丸	カリグナント	貨客船	1918
30　帝王丸	マッテオ・リッチ	貨物船	1906
31　帝山丸	ミラ・メール	貨物船	1938
32　A.フリッツェン	アンネッテ・フリッツエン	貨物船	1903
33　南進丸	ユン・アン	貨物船	1930
34　帝京丸	コンテ・ヴェルデ	客　船	1923
35～39船名不明			

アラミス

異な存在の船であった。

　本船はフランスのマルセーユと日本を含めた極東の間に主要航路を持つＭＭ（Messageries Maritiems）ラインの旗艦ともいうべき客船アラミス号で、フェリックス・ルーセルとジョルジュ・フィリッパールの二隻と同型の姉妹船であった。

　船体全てが純白に塗られ、二本の煙突は客船の煙突としては異例ともいえる箱形をしていることで、日本でもヨーロッパ諸国でもその名が知られていた。

　三姉妹客船の長女はフェリックス・ルーセルで、戦前の横浜港や神戸港では馴染みの客船であり、瀬戸内海を航行する純白の同船の姿は瀬戸内海の風物詩でもあった。次女のジョルジュ・フィリッパールは、マルセーユから横浜への処女航海の帰途の一九三二年五月、紅海の入り口付近で火災を起こし全焼沈没してしまった。三女アラミスはマルセーユ・シンガポール・サイゴン・香港・上海・日本（神戸・横浜）の定期航路に長らく就航していたが、一九三九年九月に第二次世界大戦が勃発したときサイゴン港に停泊中であった。

帝亜丸（アラミス）

一万七五三七総トンという大きさは日本最大の客船鎌倉丸の一万七四九八総トンとほとんど差はないが、少なくとも太平洋戦争中に日本が保有していた客船の中では最大であった。

船内の配置や装飾にはフランス芸術の粋が集められ、ラウンジやスモーキングルームなども、熱帯を航行する客船だけに極めて開放的で清潔なイメージのデザインが施されていた。

本船は接収後は日本陸軍の軍隊輸送船として使われる機会が多かったが、使用後の返却が条件になっているだけに、船内はできるだけ清潔にしかも丁寧に使う必要があった。

軍隊輸送船に使用される必要上、船内の装飾や調度品の損傷は避けがたく、そのために公室や客室の家具や調度品あるいは豪華な床の敷物などは全て撤去され、造船所などの倉庫に保管された。そして兵員の居住区域としては船体前後の船倉が使用されることになり、貨物船の船倉に設けられた兵員用の居住棚（木製のいわゆるカイコ棚）と同じものがアラミスの船倉に設けられた。ただ一九四四年当初からは軍隊輸送船の主力にもなっており、この頃は各客室や公室にも居住用の棚が設置されていた可能性があるが、当時の船内設備の詳細は不明である。

アラミスは帝国船舶の所有船になった時点で「帝亜丸」と船名が代えられた。

帝亜丸は軍隊輸送船に使われる傍ら、一九四三年九月から十月にかけて実施された第二回戦時抑留者交換の日本側交換船に選ばれている。帝亜丸が交換船に選ばれたのは、当時の日本には本船以外には一〇〇〇名を超える人々を一度に輸送できる客船がなくなっていたためであった。

勿論、当時唯一生き残っていたかつてのサンフランシスコ航路用の一万七〇〇〇総トン級の浅間丸があったが、同船は最大乗客定員が九〇〇名であり、また軍隊輸送船として船内にかなりの改造が施されていたために、内装面でも通常の客船として使用されることが前提の交換船には使用できなかった。それに引き換え船内の荒らされ方は帝亜丸の方が少なかったためか、抑留者交換船に選ばれた帝亜丸には、保管されていた調度品や家具類が再び運び込まれ整備され、交換船として使用されたのである。

帝亜丸は一九四四年八月十八日の深夜、満州に駐屯していた精鋭の関東軍の一部と同船乗組員の合計五四七九名を乗せ、フィリピンのマニラに向かう船団の一隻としてルソン島の北西岸沖を航行していた。

この時、帝亜丸は二発の魚雷を船体前部と中央部に受け、被雷後二〇分で沈没してしまった。帝亜丸の沈没の犠牲者は、陸軍将兵二三二六名、軍属二七五名、乗組員五三名の合計二六五四名に達した。しかしこの悲劇的な数字は、太平洋戦争中の日本の商船の沈没時の犠牲

ダルタニアン

者数としては八番目の数字で、最も悲劇的な数字は一九四四年二月にジャワ海で貨物船隆西丸（四八〇五総トン）が撃沈された際の四九九九名であった。

（ロ）帝興丸

この船は前出のアラミスと同じく、フランスのＭＭラインの極東航路用の客船ダルタニアン（一万五一〇五総トン）を接収したものである。ＭＭラインの極東航路用の客船は、アラミス、ダルタニアンの名前で連想されるとおり、フランスの文豪デュマ原作の「三銃士」に出てくる勇士の名前が付けられており、その他に日本の接収時点に仏印の港に在泊していなかったアトス、ポルトスも存在した。

ダルタニアンはアラミスより七年前の一九二五年に完成した客船で、アラミスとは違い普通の長い二本煙突を持った時代相応のスタイルの客船であった。

ダルタニアンはアラミスのように正常な状態で接収された船ではなかった。ダルタニアンは第二次世界大戦勃発時にサイゴン港に停泊していたが、その後はサイゴンから香港などを経由して上海とをつなぐ中国沿岸航路に就航していた。その最中の一九四一年十月に上海港に停泊中に火災を起こし、船内の相当部分を焼失した状態で日本に接収された。

ダルタニアンはその後日本に曳航され改修工事が行なわれたが、旧来の客船に戻ることはなく、完全な軍隊輸送専用船に改装されてしまった。そして改装が終了したのは一九四三年のことであった。

ダルタニアンは帝興丸と船名を変え早速軍隊輸送に使われていたが、一九四四年二月二十二日にボルネオ島西岸のダトー岬の北西一〇〇キロメートルの地点で雷撃によって撃沈された。この時は被雷から沈没まで時間が長かったために犠牲者は一九九名ですんだ。

（ハ）帝美丸

この船もフランスのMMラインの極東航路用の客船ベルナルダン・デュ・サン・ピエール（一万八五総トン）で、一九二六年に完成した。前出のダルタニアンを一回り小さくしたような客船であった。

この船は本来はマルセーユとフランスの植民地であるマダガスカル島との間の航路に就航していたが、一九三六年からマルセーユとサイゴン間の航路に就航していた。しかしそれもしばらくで、それから間もなく仏印の諸港とフィリピン間の航路に就航することになった。

日米間の雲行きがにわかに険しくなってきた一九四一年十二月初め、中国の上海や漢口方面からフィリピンに引き揚げるアメリカ人の輸送のために、本船は揚子江を遡上し漢口に至り、さらに上海でアメリカ人引揚者を乗せてマニラに向かった。そしてマニラに到着したのが十二月六日で折り返しサイゴンに向かい、サイゴン港に入港したときには太平洋戦争が勃発していた。

同船はサイゴン港で日本に接収され帝美丸と船名が変わり、当初は日本陸軍の病院船として使う予定であった。しかし船内の配置がフランス客船特有の複雑な配置のために、病院船に適していないとして軍隊輸送船に転用されることになった。

ところが本船は実際には軍隊輸送船としては使われず、日本・台湾・サイゴン・シンガポール間を結ぶ特別旅客（政府役人、軍人、軍属、特別任務の民間人など）専用の不定期運航の客船としてしばらく使われていた。

しかし一九四三年十月十日、サイゴン港を出港し台湾の高雄に向かう三隻から成る小さな船団の一隻として航行中、インドシナ半島のクアングアイ東沖一〇〇キロメートルの地点で、左舷中央部に一本の魚雷が命中し命運尽きた、と思われた。

ところがこの魚雷は不発であった。しかしそれも束の間、再び一本の魚雷が船尾に命中し、舵とスクリューが破損し航行不能となった。当初は被害は軽いと思われていたが、船齢十七年の船体は魚雷の爆発の衝撃で予想以上に破損しており、特にプロペラシャフトのトンネルを通して機関室への浸水が急速に始まり、被雷二〇分後に沈没してしまった。

乗船者が少なかったことも幸いし、犠牲者は機関室内で作業中に浸水のために脱出できなくなった合計一三名の機関員が命を失った。

（二）帝立丸

この船は帝国船舶でも数少ない終戦時の残存船であるが、実質的には半没状態での残存であった。

本船は一九二二年建造のフランスMMラインの極東航路用の客船ル・コンテ・ド・リル

(九八七七総トン)を、サイゴンで接収し後に帝立丸と改名した船であった。前出の三隻に比べると一回り小型で接収された客船の中では最も古い船であった。外形は太めの船体に釣り合わないほど低い配置の上部構造物を持ち、古い客船を連想させるような細く長い煙突を二本備えていた。

コンテ・ド・リル時代はマルセーユとサイゴン間の定期航路に就航していたが、同じ時代のフランスの植民地航路の客船と比較しても、船内の造りはかなり質素なたたずまいであるのが特徴である。一等船室などには普通配置されている豪華なスイートルームもなく、主体は一等船室にしては質素な三人室が主体で、公室もスモーキングルームとベランダ、それに一・二等共用のダイニングルームがあるだけであった。

本船の船内配置の特徴として、一・二・三等船客の他に移民用設備が備えられていた。移民用船室は船首上甲板下のBデッキとCデッキに大部屋として配置され、そこには二段式の簡易ベッドが四七八名分ビッシリと並べられていた。そしてこれらのベッドは乗客がいないときには片づけられ船倉として使われるが、この仕掛けは日本の南米移民船の場合と同じものである。

ただ船内の居室や様々な施設の配置はフランス船の多くに見られるように非常に複雑で、接収後軍隊輸送船として使われたが、その場合には大幅な配置の改造を行なわねばならず、その一方で傭船という立場から都合次第で勝手な改造もできず、兵員の収容には相当の苦労があったものと想像される。また万が一雷撃などで遭難した場合には、船内の配置が複雑であっただけに相当の犠牲者を出さずにはいられなかったものと想像するのである。ただそのような事態に至らなかったのは幸運であった。

帝立丸は幸運にも戦禍にあわずに終戦を迎えようとしていたが、B29爆撃機が六月から七月にかけて日本海側諸港湾に投下した磁気機雷に、避難先の舞鶴湾入口付近で船尾に被雷した。船長は沈没を避けるために付近の海岸に乗り上げようとしたが、その際に船首を岩礁に挟みそのままの姿勢で船体中央部から船尾にかけて水面下に没したまま終戦を迎えた。

幸いに触雷による人的な被害はなかったが、終戦と同時に船体はそのままの状態で放置され荒れるにまかされた。

しかし一九四六年十月に占領軍最高司令部（GHQ）の命令により、帝立丸の浮揚と元の客船の状態に復元する工事命令が出された。

復元工事は一九四七年六月より飯野産業の手によって開始されたが、岩礁に挟まれた船体の浮揚は容易でなく完全に浮揚したのは一年二ヵ月後の一九四八年八月であった。

その後、船体は近くの飯野産業舞鶴造船所（後の日立造船舞鶴造船所）に移され、困難な復元工事が開始された。

帝立丸はル・コンテ・ド・リルを傭船したものであり、接収時と全く同じ状態に戻して元のMMラインへ戻すことが基本の約束であるが、MMライン側は戦後の日本の極限の物資不足など全く念頭に置かず、完全復旧を盾に装備品の一つ一つに至るまで厳しい注文で復旧を求めた。注文の中には旧の状態に復元することが不可能なものもあり、例えば一・二等ダイニングルームの入り口扉などは、代替として日本の伝統工芸の全面漆仕上げの上に蒔絵仕上げを施す超豪華扉で復旧する要求もあり、これは実行された。

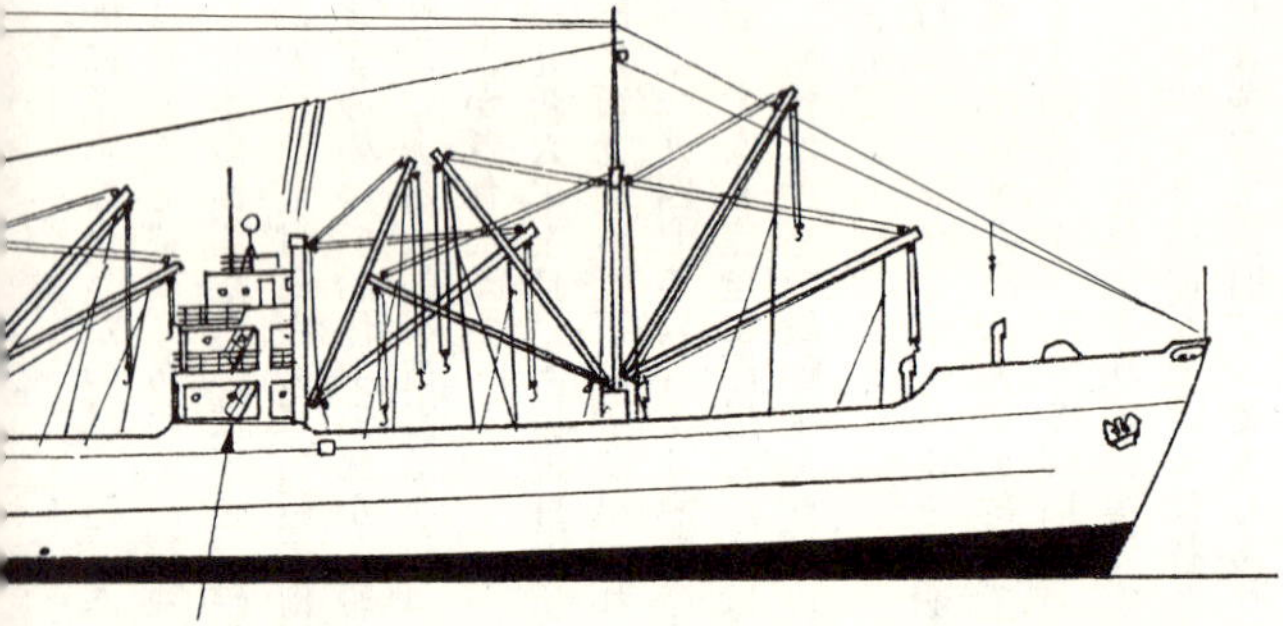

ル・コンテ・ド・リルとして復元されたのは工事開始二年四ヵ月後の一九五〇年十二月であった。

同船の復元工事に際しては様々なエピソードが伝えられているが、半没状態で放置されている間に、地元の住民などが船内に入り込み、物資不足の折から残されていた船内の各種の家具調度品からカーテンや敷物に至るまでほとんどが持ち出されてしまっていた。しかし復元工事の命令が出され、しかも当時は泣く子も黙るほどの威圧を持っていたGHQの厳命は、備品を持ち出した人々に対し恐怖感を与え、結局持ち出されたほとんどの備品が回収されたという、笑えない逸話が残っている。

復元工事完了当時のル・コンテ・ド・リルは船齢二十八年という、本来なら引退の時期に来ている船であった。そしてフランスに戻された同船は若干の航海に使われた後、困難な復元工事の甲斐もなく係船されたまま放置され六年後

第15図　分離船橋型貨物船の外形図

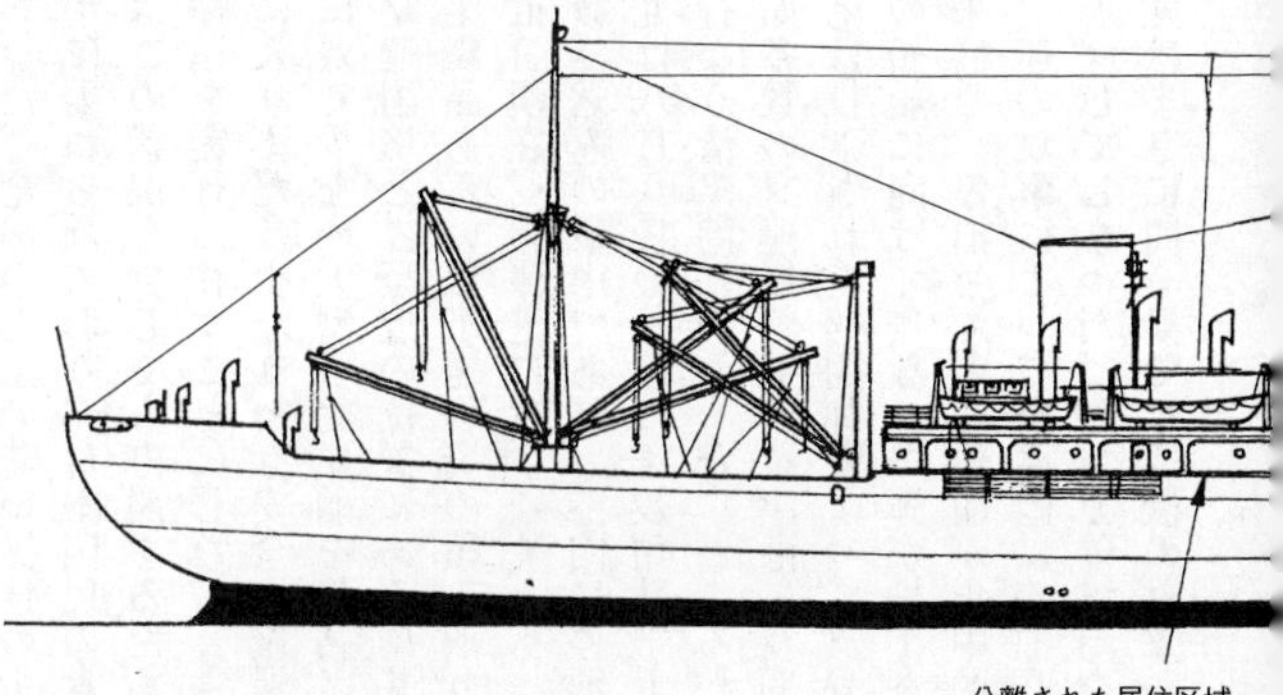

の一九五六年には解体されてしまった。

（ホ）帝北丸

この船は一九三五年に建造されたフランスの貨物船ペルセー（五七九四総トン）がその前身であるが、サイゴン港に係船された状態で日本に接収された。そして接収された一一隻のフランス船の中では最も若い船齢の船であった。

貨物船ペルセーの外形はフランスを含めた北ヨーロッパの貨物船にはよく見かける、分離船橋型（船橋と居住区域が一体ではなく、間に貨物積み込み用ハッチが配置されているタイプ。第15図参照）の貨物船である。

本船は帝北丸と改名されて軍用輸送船として使われていた。本船の戦時中の運航記録の多くは不明であるが、激烈な戦場を生き延び終戦間際には国内の港に在泊していた。そしてここで再び帝北丸の名前が出てくる。

一九四五年八月初めには日本国内はすでに末期症状にあり、特に国民の食料の欠乏は深刻な状態にあった。全国の農家の若い男性の労働力は根こそぎ徴兵され、食料の生産は女性や老齢者の手に委ねられており、日本国民の食料自給率は最低ラインを割っていた。

政府はこの状況を少しでも打開するために、多少なりとも備蓄に余力のある満州の雑穀類の大量輸送を実行に移すことにした。

八月に入りまだ多少なりとも安全が確保されていた日本海ルートを使い、敦賀・舞鶴・新潟などに残り少ない大型可動船舶を集結させ、北朝鮮の清津や羅津、あるいは羅津の北側に位置しソ連国境とは至近の位置にある雄基などに向け、集結した多数の船舶を食料積み取りや鉱工業製品あるいは軍需物資の積み取りのために出港させた。

八月七日現在、羅津港には少なくとも一六隻、約七万三〇〇〇総トンの貨物船が着岸して貨物の積み込みの最中であり、港内に停泊し積荷待ちの状態であった。

帝北丸は八月八日の午後に雑穀類数千トンの積み込みを終わり羅津港を出港し、次の積み込みを行なう清津港に向かった。ところがこの日の深夜、日付が九日に変わろうとする直前に、突如多数のソ連爆撃機が羅津港に夜間爆撃を仕掛けてきた。

羅津港は投下された照明弾によって真昼のように照らし出され、岸壁の倉庫や停泊している多数の船舶に向けて無数の爆弾が投下された。そして夜明けとともに今度は単発の攻撃機が多数来襲し、停泊している船舶が集中的な攻撃を受けた。

この一連の攻撃によって羅津港に停泊していた一六隻の貨物船の内一三隻が大破炎上し、港内に着底してしまった。そして羅津港を無事に脱出したのは三隻だけであった。

帝北丸はまさに間一髪でソ連機の攻撃から逃れたのであった。そして同船は翌九日の早朝に清津港に入港し雑穀類約三〇〇〇トンを積み込み、危険の迫る同港を出港すると敦賀に向かった。ここでも帝北丸は間一髪で危機を脱出している。ソ連機は翌十日に今度は清津港を攻撃してきた。そして積み込み中の阿波川丸（六九二五総トン）他数隻が撃沈されてしまった。

帝北丸は再度虎口を逃れることになったが、十一日深夜に朝鮮半島東岸の三渉の北西一四〇キロメートルでアメリカの潜水艦の雷撃によって撃沈されてしまった。犠牲者二七名。

太平洋戦争中に日本は二〇〇隻を超える連合国側あるいは枢軸国側の商船を傭船、接収、あるいは沈没状態を引き揚げ修理の後日本船として使用したが、これらのほとんど全てが戦禍で失われてしまった。

第９章　日本最大の砕氷船オホーツク海に沈む

知られざる短命の砕氷型客船高島丸の航跡

高島丸という船は日本郵船が戦時中の一九四二年に完成させた、北海道の小樽と樺太を結ぶ航路用の砕氷型貨客船であった。そしてこの高島丸は、一九六八年に海上自衛隊が南極観測支援艦として完成させた砕氷艦「ふじ」が完成するまで、日本が建造した本格的かつ最大の砕氷船であった。

しかしこのような商船が存在していたことは、戦時中の完成でしかも完成後わずか二年の生涯で失われてしまったために、国民にはほとんど知られることはなかった。

日本の領海のほとんどは日本列島を挟むように流れている暖流の影響で、太平洋側も日本海側も海が氷結して船舶の航行ができなくなるということは、まず有り得ないことであった。ただ樺太（サハリン）がまだ日本の領土であった頃は事情がいささか違っていた。

南北に細長い樺太は、北海道の北端の稚内とはたった一〇〇キロメートルの宗谷海峡で隔てられているだけであるが、稚内港が厳寒の時期でもほとんど氷結しない状態でも、樺太側の拠点である大泊港（現コルサコフ）やさらに北の恵須取港（現在ウグレゴルスク）は、冬期間の十二月から三月頃までは港内は完全に結氷し、一般の商船の入港は不可能になるばかりか途中の亜庭湾も結氷し、一般船舶の航行は完全に不可能になってしまうのであった。

日露戦争後のポーツマス条約により樺太の南半分が日本の領土となると、樺太の開発のために日本人の往来が急増した。

当初から樺太への往来は北海道の稚内や小樽が拠点となって船による渡航に頼らざるを得なかったが、冬期間の亜庭湾の結氷のために冬期間の船舶の航行は休航せざるを得なかった。

しかし樺太の開発が佳境に入るにつれて冬期間の船舶の航行を望む声は大きくなり、通年の定期航路の設定が必要不可欠になってきた。勿論、日本政府にとっても樺太を速やかに開発することは重要な課題であり、樺太航路の通年の航行は国策の様相を呈してきた。

様々に検討された結果、亜庭湾の冬期航行を可能にする船舶の条件としては、五〇センチメートルの暑さの氷を連続的に砕氷する能力を持つことと結論づけられた。

この条件を満足するための暫定的な対策としては、一般の商船の船首水面下の基本構造を補強し、船首水面下の外板の厚みを増すことで可能とされた。

その最中、第一次世界大戦直後の一九一八年に起きた日本のシベリア出兵を契機に、日本海軍では北洋警備のための砕氷艦の整備が検討され始め、一九二二年（大正十年）十一月に川崎重工造船所で日本最初の砕氷能力を持つ警備艦「大泊」が完成した。「大泊」は艦艇の分類上では特務艦で一般的には砕氷艦と呼ばれることになった。

「大泊」は基準排水量二三三〇トンと比較的小型で、日本で初めての砕氷構造を持つ艦船として全く手探りの設計で建造された。そして公称砕氷能力は二メートルとされていたが、現実は厳しく、完成直後の一九二一年から翌年にかけての厳寒の亜庭湾での砕氷能力の性能試験では、最大砕氷能力は一メートルが限界で、連続砕氷航行が可能なのは一層薄い氷の状態でなければ不可能と結論された。砕氷構造船舶の設計の難しさを思い知らされた結果であった。

この間樺太航路用に幾隻もの中型の貨物船や貨客船が建造されているが、結氷海域での航行は可能とされてはいるが、その砕氷能力はせいぜい五〇センチメートル程度で、砕氷船というよりは「耐氷船」と呼ぶにふさわしい商船であった。

その後続々と建造された中型貨客船の北日本汽船の月山丸や気比丸、日本郵船の千歳丸、あるいは大阪商船の白竜丸などはいずれも「耐氷船」と呼ぶほうがふさわしい商船であった。

ただその中で唯一例外的に本格的な砕氷商船として最初から建造された船があった。それは稚内と大泊の間に就航することになった日本国有鉄道の稚泊連絡航路用に建造された鉄道連絡船（実際には車両を搭載しない貨客輸送専用船）の亜庭丸と宗谷丸である。

亜庭丸（三二九八総トン）は一九二七年（昭和二年）十一月に完成、宗谷丸（三五九三総トン）は亜庭丸よりも近代化され一九三二年（昭和七年）に完成し、直ちに稚泊連絡航路に就航した。

両船の公称砕氷能力は一メートルで厳寒の時期の同航路の通年航行を可能にした。亜庭丸の建造に際しては、低温に強い厚板鋼板の製造が当時の日本ではまだできなかったために、同船の船首部分から水面下舷側部分に使う外板用厚板鋼板が大量にドイツから輸入された。

一方、日本海軍は船齢十六年と老朽化し始めた砕氷艦「大泊」の代艦として一九三七年に、より強力な砕氷艦一隻の建造予算の申請を行なった。しかし主力艦の建造に全力を注いでいた中で、不急と判断されていた砕氷艦の建造は認められなかった。ただその代案として当時優秀商船の建造促進のために施行されていた国家助成金制度の「優秀船建造助成施設」に便乗し、日本海軍は日本郵船と大阪商船に対して各一隻の大型砕氷型貨客船の建造を認めさせた。

この優秀船建造助成施設で建造された商船は、一朝有事の際には無条件で陸海軍に徴用される義務を負うことになり、特設特務艦や輸送船として使用されるようになっている。

この結果、日本郵船が建造した大型砕氷型貨客船が高島丸で、大阪商船が建造したのが白陽丸である。両船は同じ船図で建造されているが上甲板以上の形態に差があるので容易に識別できる。

高島丸は太平洋戦争勃発後の一九四二年七月に三菱横浜船渠で完成した。五六三四総トン、機関は戦時を想定してあえて石炭炊きのレシプロ機関とされた。

旅客の収容力能力は一等船客一八名、二等船客七六名、三等船客五五五名の合計六四九名であるが、この数は亜庭丸や宗谷丸に比較すると一〇〇名程度少ないものとなっているが、その代わり貨物の積載量は両船に比べ三二三一トンと大幅に増加している。

高島丸の船体の水面下の形状は一見してこの船が砕氷船であることを示している。船体の断面は吃水線付近から船底にかけて一般の商船には見られない、独特の緩やかなカーブを描いており、舷側から船底にかけての外板が砕氷時に剝氷しやすい構造になっている。

また船首の構造は吃水線付近からほぼ直線状におよそ三〇度の鋭い角度で船底に向かって

高島丸

傾斜しており、砕氷時には船体が氷上へのし上がり、船体の重量で連続して氷を破砕し連続砕氷しやすい構造になっている。

また船尾の吃水線下も砕氷船特有の構造になっており、舵面の上部には流れ出した氷塊による舵面の破損を防止するために特有の張り出しが設けられている。

船首部分の吃水線付近から船底に向かっての外板は、厚さ二五ミリの鋼板の二重張構造になっており、砕氷時の衝撃にも十分耐えられるようになっている。そしてこれらの結果、高島丸の公称連続最大砕氷能力は一メートルとされた。

高島丸と白陽丸の完成によって日本海軍は強力な補助の砕氷艦を手に入れたのも同じとなり、同時に厳寒時でも樺太や千島列島方面への兵力や物資の輸送が確保されることになった。

一般には馴染みの薄い砕氷型貨客船であるが、船内の配置は同じ規模の貨客船と大きく変わるところはないが、唯一外部との出入り口の構造に特徴があった。

その構造は北海道や東北北部の民家などでは冬には一般的に配置する構造を船にも採用したもので、外の寒気が扉の開け閉めで直接室内に侵入するのを防ぐための緩衝区域が設けられること、つまり二重出入り口方式を採用していることである。

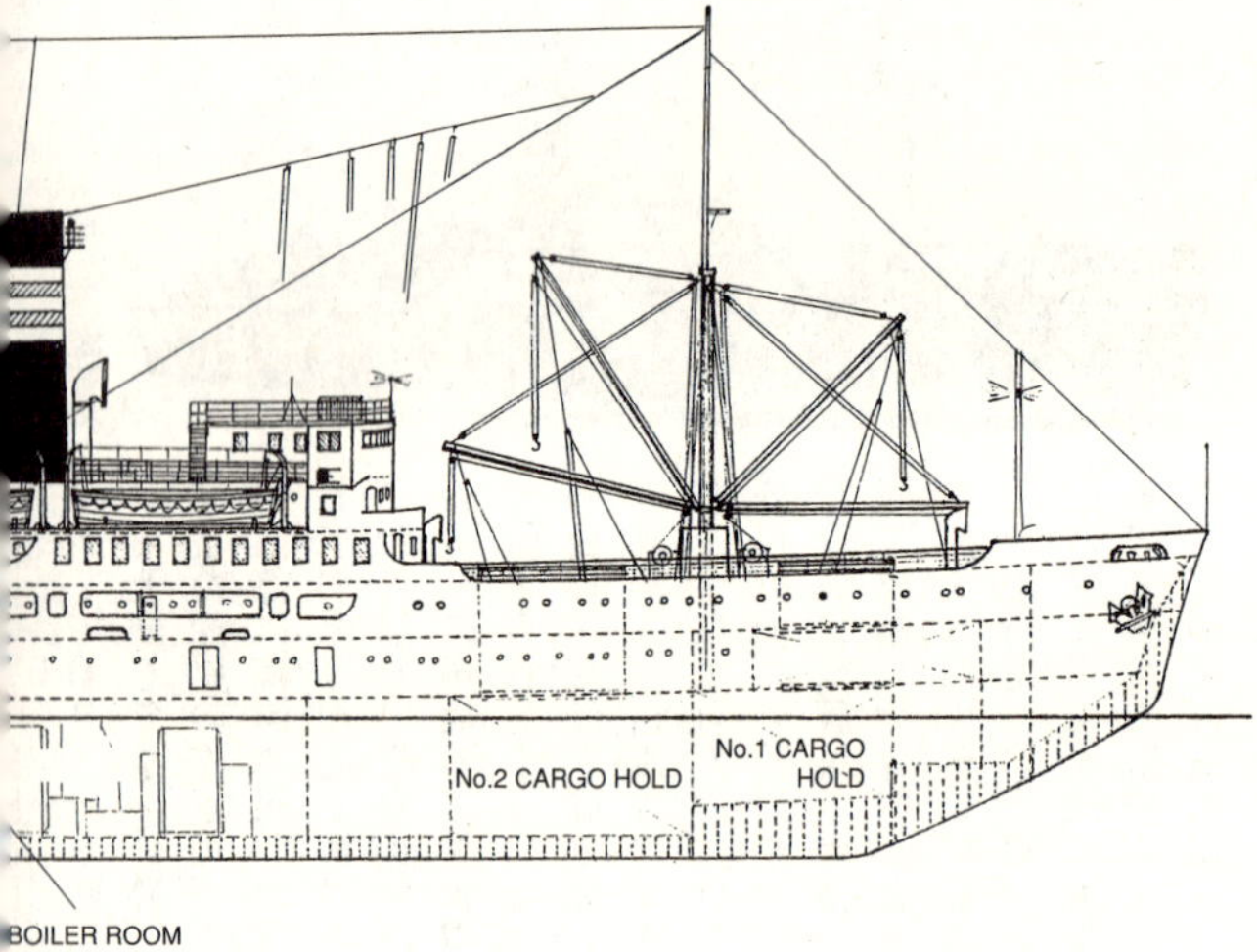
No.1 CARGO HOLD
No.2 CARGO HOLD
BOILER ROOM

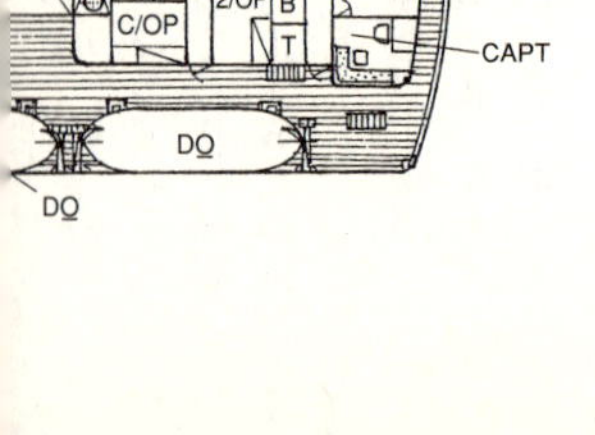
DO
DO
W/T OFF
3 OP
2 OFF
C/OFF
3 OFF
B
ST
T
2/OP
B
C/OP
T
CAPT
DO
DO

第16図　高島丸の一般配置図-1

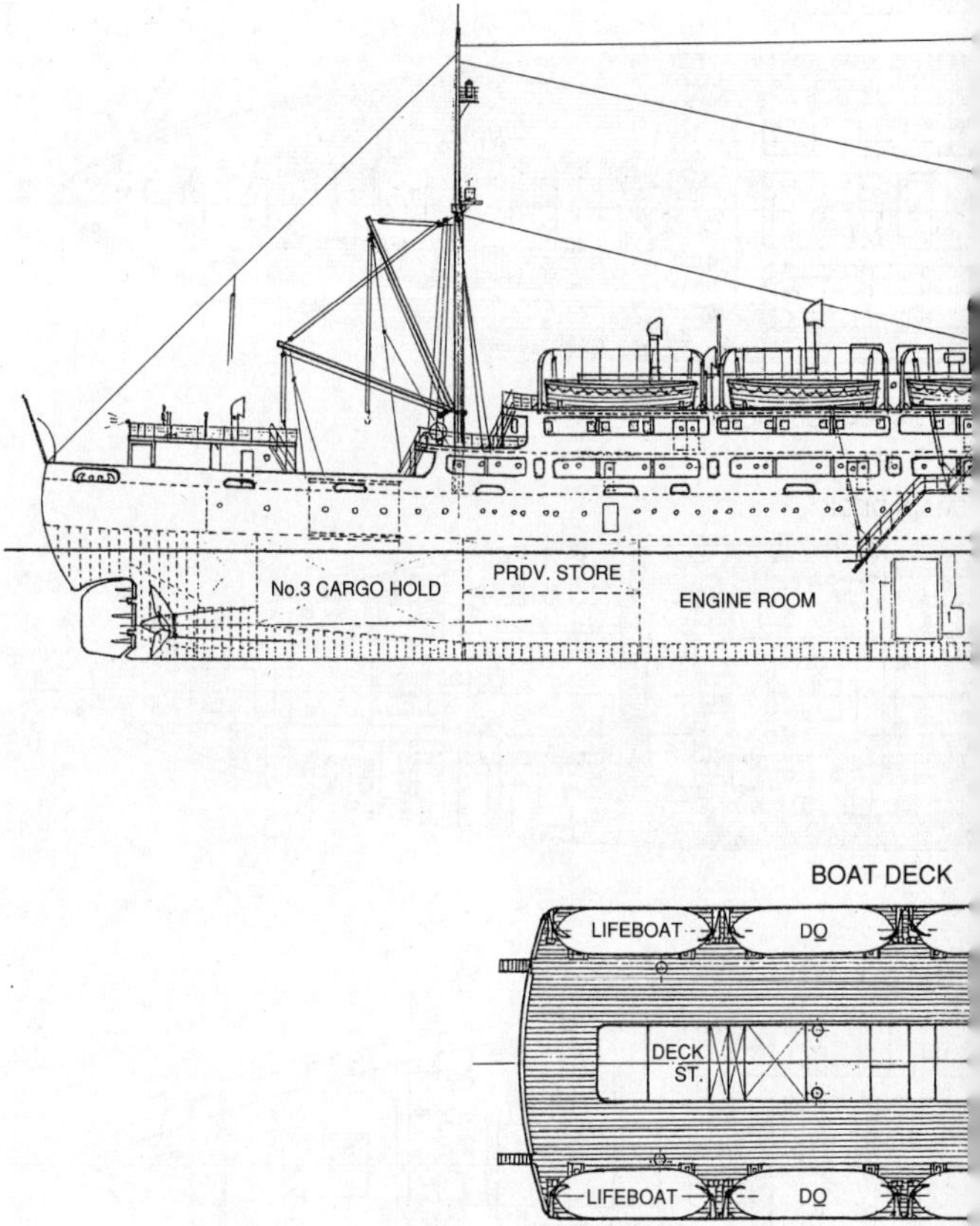

BRIDGE DECK

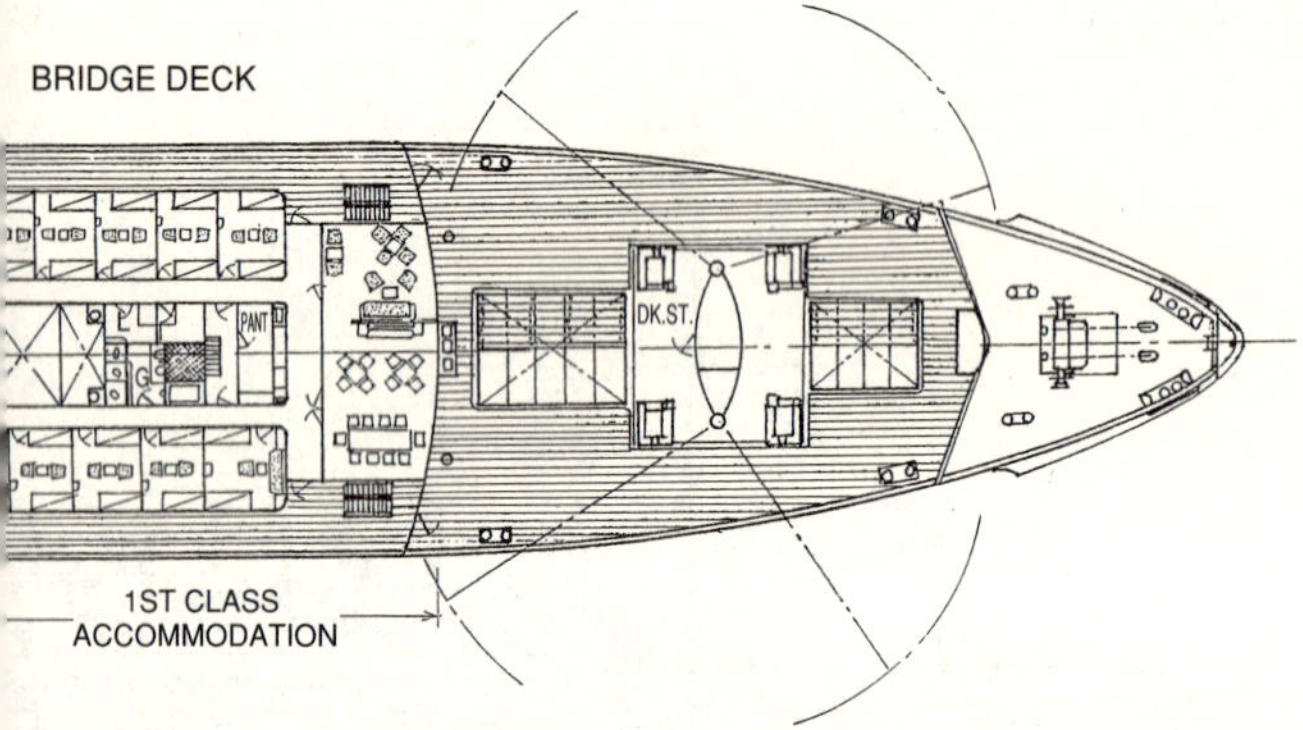

MAIN DECK

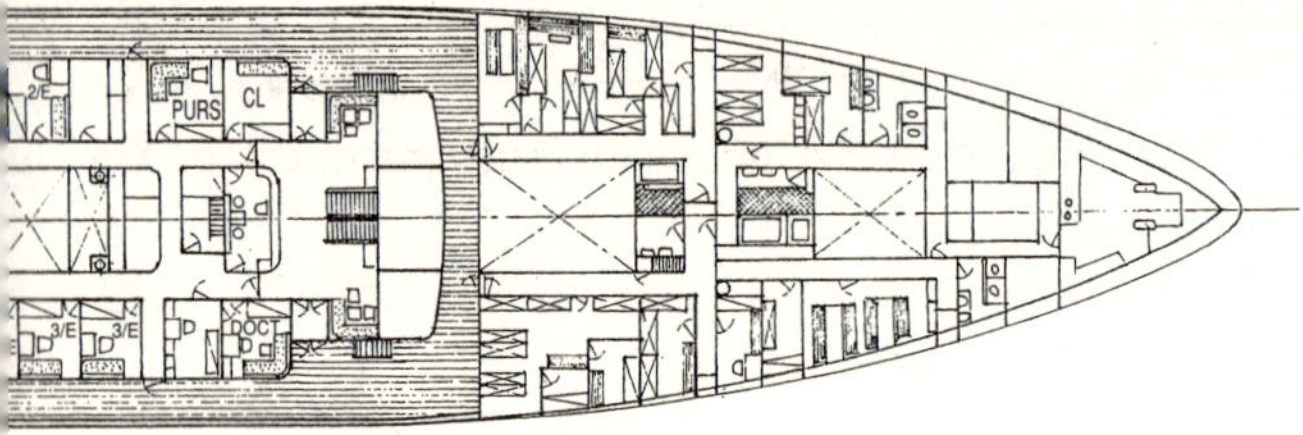

2ND DECK

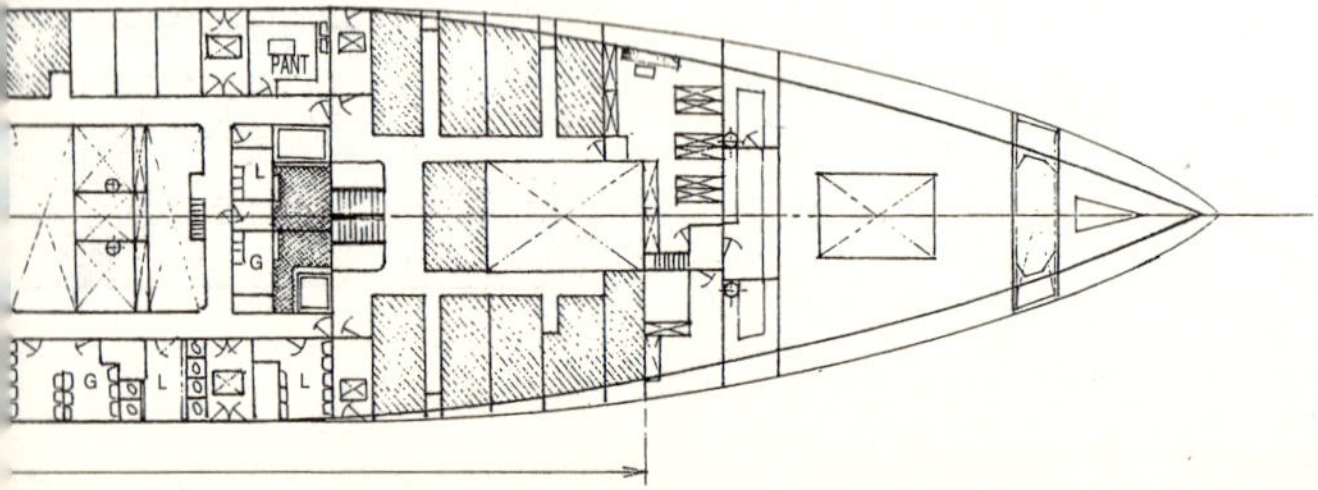

第16図　高島丸の一般配置図-2

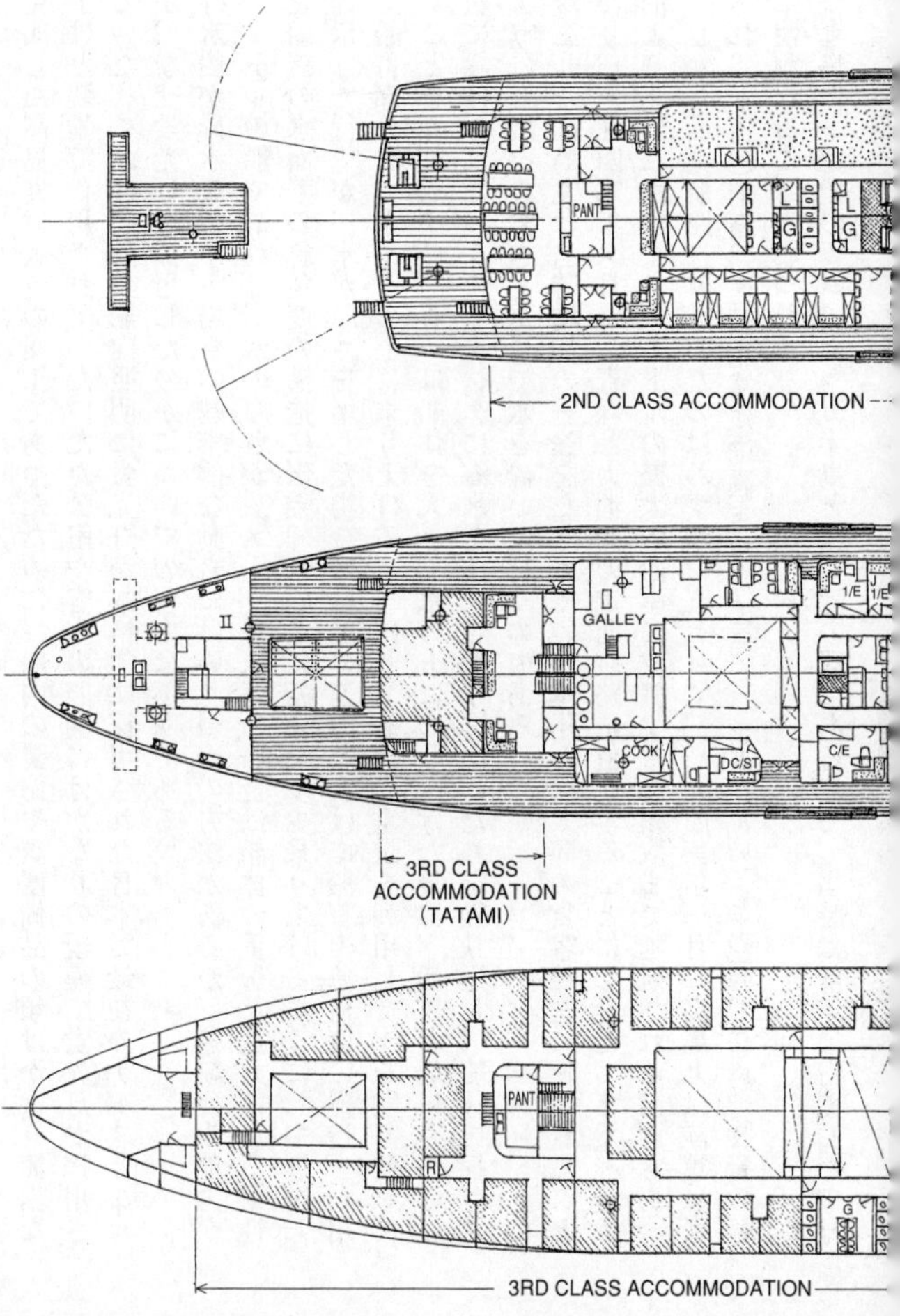

完成した高島丸は戦時の竣工であったために、船内の装飾や調度備品の類はかなり簡素な仕上げと装備で代用されていた。ただ公室や客室の照明にはかなりの規模で蛍光灯が採用されていた。これは商船の船内照明に蛍光灯が本格的に採用された日本で最初のケースとなったが、なぜ蛍光灯を採用したのかについての理由は不明である。

砕氷船が砕氷航行する場合の基本的な動きにはいくつかの方法があるが、連続砕氷能力が一メートルの船であれば、氷の厚さが一メートル以下の場合は船体の重量と速力による慣性力を船首の水面下の急角度の構造に伝え、氷の上に船体を多少乗り上げるようにして連続して砕氷して行くが、氷が厚さを増した場合には船の速力を上げて船首の急角度の構造を利用して船首部分を大きく氷の上に乗り上げるようにし、船体の重量を利用して氷を割り砕いて行くことを繰り返す。あるいは船体を大きく氷の上にのし上げた後に、船首と船尾さらには両舷に設けられたバラストタンクに海水を注入したり排出したりを繰り返し、船体を揺さぶるようにしてその動きと重量で氷を砕いて行くのである。

竣工した高島丸は当時増加の一途をたどっていた本州と樺太間の貨客輸送に使われることになり、一九四二年八月から青森と大泊間の定期航路に就航することになった。また一時は大泊より北に二六〇キロメートルの樺太の西岸に位置する恵須取まで延航される計画もあった。しかし商業航路に就航したのはわずかに五ヵ月で、一九四三年一月に高島丸は陸軍に徴用され、本州と千島列島最北端に位置する幌筵島（パラムシル島）との間の兵員や物資の輸送に使われることになった。

幌筵島はソ連領のカムチャッカ半島とは指呼の間にある島で、当時は前年に占領したアリユーシャン列島のアッツ島やキスカ島と並び、日本の北方警備の拠点となっている重要な基地であった。そしてこの島には一個連隊規模の陸軍部隊や陸軍航空隊の戦闘機隊の分遣隊が駐屯しており、そのすぐ北の占守島には海軍の水上機部隊が駐留していた。

さらに驚くことには戦争もたけなわのこの時期にありながら、幌筵島と占守島には日本の水産会社の北方基地が置かれ、オホーツク海や北太平洋における底引き網漁やトロール漁によるサケ・マス・タラバガニ漁の拠点ともなっていた。またそればかりでなく、これらの水産物の缶詰を主体にした水産加工工場も操業されており、多くの従業員やその家族たち、あるいは郵便局員などがこの島には駐在していたのである。

高島丸は陸軍輸送船として使われる傍ら、この島に駐在する民間人の往復や生活物資の輸送さらには大量の水産加工缶詰の輸送の役割も担っていた。

高島丸の準姉妹船である白陽丸もほぼ同じ時期に海軍に徴用されて高島丸とともに本州と占守島との間の輸送任務にあたっていたが、両船は積載量も多くまた三等船室は数百人規模の兵員の輸送にも最適であり、陸海軍にとっては通年にわたり北辺の守備隊との連絡輸送ができる両船の存在は実に便利であったわけである。

高島丸は陸軍の輸送船として徴用されるにあたり最低限の武装が装備された。それは船首甲板に陸軍の旧式な三八式野砲を、対潜水艦攻撃（威嚇）用に新たに造られた砲座の上に取り付け、また船橋の上部とボートデッキに一三ミリ単装機関銃が四梃、さらに船尾には爆雷投下装置と爆雷が配置された。

船首に取り付けられた三八式野砲は奇異に感じられようが、これは多くの陸軍徴用輸送船に配備されており、砲は移動用の車輪や脚を取り除き、砲架を回転できるような仕掛けで砲座に固定し、浮上している潜水艦の攻撃に配備されたものであった。砲の最大射程は約一〇キロメートルあるために、砲弾（口径七・五センチ）の爆発力や命中精度などは全く期待できないまでも、浮上中の敵潜水艦を威嚇するのにはある程度の効果を期待して装備したものであった。

船室は一・二等客室は部隊の将校や上級下士官あるいは漁業会社の幹部の居室として使われ、第二甲板の広々としたタタミ敷きの三等雑居室は兵員や漁業会社の従業員の起居の場所として使われたものと推定される。

軍隊輸送船として準備された高島丸の最初の任務は幌筵島守備の増援部隊の将兵と装備品、弾薬、糧秣などの輸送で一九四三年二月十九日に幌筵島に向けて出港している。

アメリカ軍の反攻の拠点は南方戦線であったが、陽動作戦としてアリューシャン列島方面への攻撃も展開してきた。事実一九四三年五月にはアリューシャン列島のアッツ島にアメリカ陸軍部隊が上陸作戦を展開、アッツ島の日本軍守備隊が全滅した。しかしほぼ同じ位置にあったキスカ島の日本軍守備隊は日本海軍の巡洋艦と駆逐艦によって一名の犠牲者もなく奇跡的な撤退を敢行した。

この結果、一九四三年六月の時点での日本の北の守りの最北の拠点は幌筵島になってしまった。そして一九四三年六月以降、アリューシャン列島方面に進出してきたアメリカ陸軍航空隊や海軍航空隊の爆撃機による幌筵島への爆撃が繰り返されることになった。

これに対して同島に駐留する日本陸軍の戦闘機隊の戦闘機や海軍航空隊分遣隊の水上戦闘

機が迎撃戦を繰り返し、アメリカ側に相当の被害を与え、しばらく爆撃が散発的になりがちになった。しかし一九四四年に入ると厳寒の時期にも関わらず再び爆撃が度重なるようになり、敵の占守島や幌筵島に対する上陸が懸念されるようになってきた。

この状況に対し五月に入ると日本陸軍は幌筵島に駐在し操業を続ける缶詰工場の従業員やその家族全員の本土への引き揚げを命じた。

六月に入り、高島丸がこれら民間人引揚者全員と傷病兵や軍属などの本土への輸送のために幌筵島に差し向けられた。

高島丸は民間人一〇一人、傷病兵と軍属一二〇名の合計二二一名と工場の機材や郵便物など合計二一七トンを積み込んで、一九四三年六月十三日に幌筵島の柏原を出港し北海道の小樽に向かった。

このとき高島丸は通常の千島列島沿いに南西方向へ向かうコースを取らずに、幌筵島を離れた後オホーツク海を真西に進み樺太に向かうコースを選んだ。そして樺太の東一八〇キロメートル付近でコースを南に変えた後、宗谷海峡を通り小樽に向かう予定であった。

高島丸が柏原を抜錨してしばらく後の午前八時二十分頃、カムチャッカ半島方向へ向かう一隻のソ連船と反航した。さらに午前九時四十分頃再びソ連の商船と反航した。

当時ソ連と日本は不可侵条約を結び中立の関係にあり、一方ソ連とアメリカはヨーロッパでは共同戦線を組んでドイツに対していた。ソ連とアメリカとはこの時点では表向きは決して敵対関係にはなく、場合によっては局地的にある程度の情報の交換が行なわれていたと推定されていた。

高島丸は予定どおりのコースを西に向かって進んでいたが夜半に入った午後九時三十二分、突然高島丸の左舷船尾の三番船倉付近に魚雷が命中爆発した。

高島丸は不運であった。魚雷の爆発で船尾甲板に搭載されていた爆雷が次々と誘爆を始めた。そして魚雷と爆雷の爆発の衝撃で機関が停止、また三番船倉に命中した魚雷の爆発破口からは一気に海水が侵入、海水はたちまち三番船倉前方の食料倉庫にも侵入、さらにプロペラシャフトのトンネルを通って海水は機関室にも侵入してしまった。

これによって高島丸は船尾から急速に沈みはじめ、被雷一時間三七分後の午後十一時七分に沈没してしまった。

沈没位置はオホーツク海の東南の位置にあたり、幌筵島から西に約三〇〇キロメートルの位置であったが、高島丸が撃沈されるまでこの海域で雷撃の被害を受けた日本の商船は皆無で、日本の商船が幌筵島を西進し北海道に向かうという情報がない限り、この海域での撃沈は考えられなかった。このために高島丸の航行についてはあらかじめソ連側からアメリカ側に情報が送られていたとも推測されるのである。

高島丸の撃沈から四ヵ月後の一九四四年十月二十五日に、今度は高島丸の準姉妹船である白陽丸が、高島丸の撃沈地点から西に一〇〇キロメートルの位置でアメリカ潜水艦の雷撃で撃沈された。白陽丸も高島丸と全く同じコースで小樽に向かう途中であったが、白陽丸の遭難の規模は高島丸よりも厳しいものとなった。

白陽丸には三本の魚雷が命中した。機関室右舷に一発。船首二番船倉に二発。二番船倉には航空機用ガソリンドラム缶が満載されており、魚雷の爆発で一気にガソリンが爆発し船上

第17図　高島丸と白陽丸が撃沈された位置

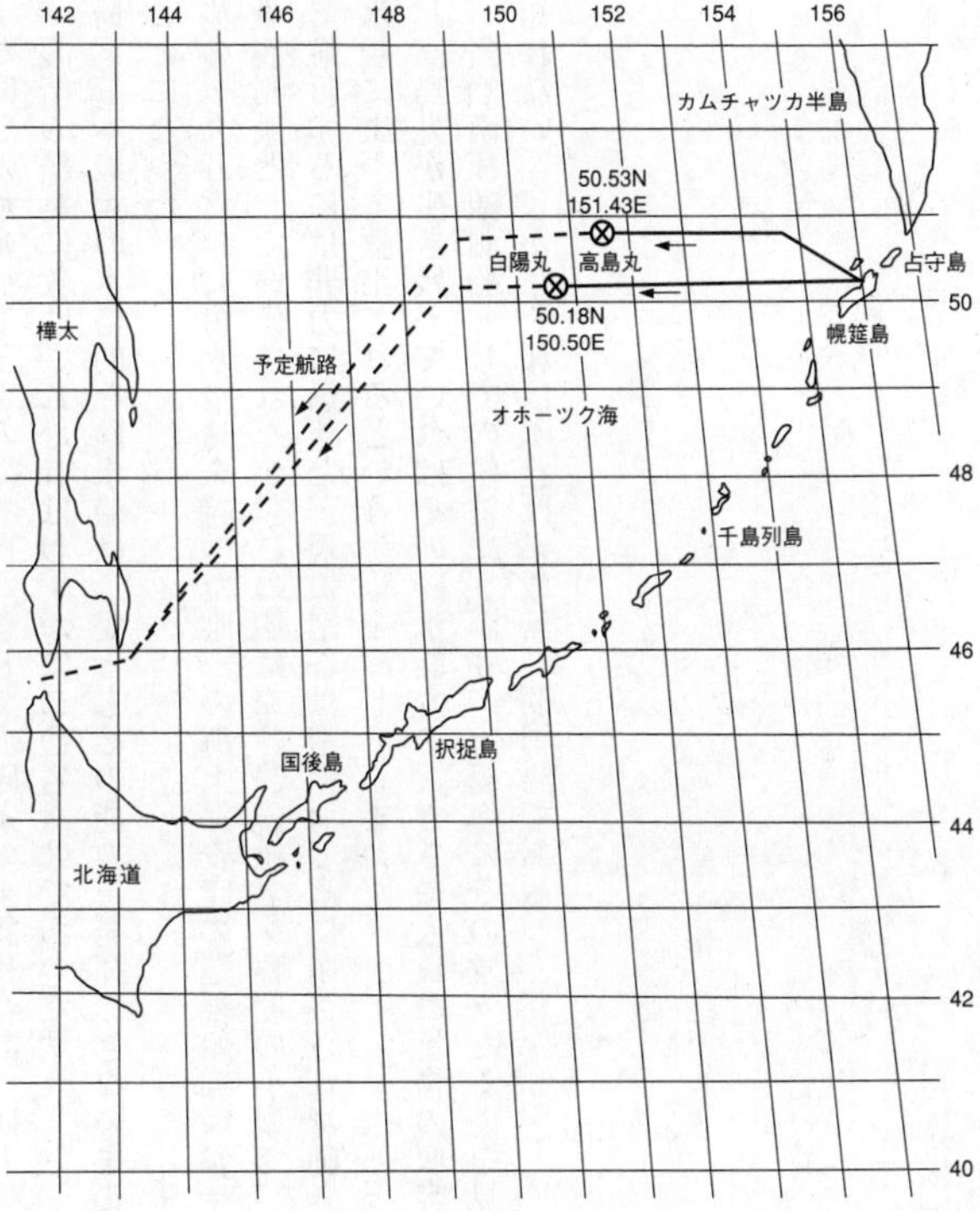

と周囲の海面は漏れ出たガソリンでたちまち火の海となった。そして魚雷命中後わずか一分強で船体は海面下に没してしまった。まさに轟沈である。

このとき白陽丸には幌筵島に隣接する占守島に駐留する海軍航空隊の要員や、高島丸での帰還に間に合わなかった同島の水産加工工場の従業員、そして白陽丸の乗組員合計一四七〇名が乗船していたが、護衛の艦艇に救助された者はわずかに二〇名だけであった。

結局、日本最大の本格的な砕氷船は二隻ともその能力を発揮できないままに姿を消してしまうことになった。

戦後の一九五六年に耐氷構造を持った唯一の海上保安庁の巡視船「宗谷」が、日本の第一次南極観測船として準備されたが、この船は二〇〇〇総トン程度の小型で、南極の厚い氷を割って航行するには非力に過ぎた。現に宗谷は南極海で氷に閉ざされ身動きができず、ソ連の砕氷船によって救出されるという一幕を演じてしまった。

もし高島丸が生き残っていればその砕氷能力の大きさや人員や貨物の収容能力が大きいだけに、当然南極観測船としての候補に上がり、南極海にその堂々たる姿を見ることができたかも知れない。しかしそれは所詮は果敢《はか》無《な》い夢物語である。

第10章　商船型上陸用艇の建造始末

日本陸軍が建造した商船擬《もど》き船舶の活躍とその後

太平洋戦争の開戦を前にして日本陸軍は敵前上陸を速やかに行なうための上陸用舟艇母船の大量建造を計画し、その一部を太平洋戦争勃発後に順次竣工させた。

日本陸軍は一九三二年に勃発した上海事変の時に挙行された、中国沿岸での陸軍部隊の敵前上陸作戦の反省から、大部隊を一挙に上陸させる方法について様々な検討を重ねていた。そして一九三七年に基準排水量八〇〇〇トンの「神州丸」という上陸用舟艇母船の試作的な建造を開始した。

この船の船内には二二隻の上陸用舟艇（大型発動機艇＝通称「大発」）が収容され、甲板上にも二〇隻の上陸用舟艇（大型発動機艇一六隻、小型発動機艇＝通称「小発」四隻）が搭載されており、船が上陸地点の沖合に停泊すると、船内に収容している二個大隊（約二〇〇〇名）の兵員の半数はあらかじめ船内に収容されている上陸用舟艇に上艇させておき、停泊と同時に船尾や舷側に用意されている扉を開いて兵員を満載したまま舟艇を一斉に発進させ、残りの兵員は甲板上に搭載されている上陸用舟艇をクレーンで海面に降ろしてから乗艇し、上陸地点に発進させ、少なくとも二個大隊規模の歩兵を一挙に上陸させるのである。

神州丸は完成後、日本各地の訓練海岸で上陸作戦の訓練を展開したが、この上陸方法はほぼ成功と判断された。つまり神州丸は現代の強襲上陸艦の先駆者ともいうべき存在の船であった。ただ神州丸は陸軍の船であるために「艦」という呼び方はされない。

陸軍は神州丸の実績を踏まえ、一九三九年に同じような上陸用舟艇母船一〇隻の建造を計画した。そして陸軍は建造費獲得のために一九四〇年に入ると、当時政府が民間の海運会社向けに実施していた「優秀船建造助成施設」の適用を受けることに成功し、上陸用舟艇母船の建造費が獲得されると直ちに母船の建造計画を実行に移した。

実際の建造は第一船が一九四一年に起工され逐次建造が開始されていった。そして最終的には九隻の各型の上陸用舟艇母船が完成したが、九隻目が完成したのは終戦直前であった。

この九隻の上陸用舟艇母船の外形は大小の違いはあるものの、基本的には同じでその外形も一部の例外を除き一般の貨物船や貨客船に酷似のスタイルをしていた。

上陸用舟艇母船でありながら一般の商船に似たような外形にしたのは、建造のために確保された予算が完全に民間商船の建造予算の枠の中で確保されたこと、さらに陸軍としては上陸用舟艇母船の存在を国内的にも対外的にも秘匿しておく必要があったために、外形を一般商船に似せた姿にしておく必要があったわけである。

しかし一旦船内の様子を眺めると、これらの船の船内配置は一般の貨客船や貨物船とは全く違ったものになっていた（本船の詳細については弊著書「輸送船入門」参照）。

第二船の摩耶山丸（九四三三総トン）を例にとると、その外形は一見したところは一万トン級の貨客船に酷似している。しかし船内の配置は同じ規模の貨客船とは似ても似つかぬ姿になっていた。例えば上甲板以下の船内には通常の商船に見られる中甲板がなく、上甲板の下五メートルの位置に水平な強度甲板が設けられており、ここに上陸用舟艇（大発）二二隻が搭載される。そして船尾に設けられた大型の扉が開くと、兵員を乗せた舟艇が次々と海面に降ろされる仕組みになっていた。

上甲板中央部の一見して貨客船を思わせる二層の上部構造物内は上陸すべき二〇〇〇名の将兵と本船の乗組員の居住区域になっていた。

これらの上陸用舟艇母船は第一船も第二船も竣工が開戦後で、各地の上陸作戦には間に合わず、その後次々と完成する他の母船とともに日本内地と南方方面の兵站基地間との兵員や物資輸送に使われ、ついに一隻も当初計画されたような上陸作戦に使われることはなかった。

これら九隻の上陸用舟艇母船の建造が進められている段階で、陸軍内部では敵前上陸に使う船舶について、それまでの経験からより実用的な上陸船の計画を始めた。

それは上陸用舟艇母船を兵員を搭載したまま一気に上陸地点の海岸にのし上げ、上陸用舟艇を使わずに兵員や大型兵器などを直接上陸させてしまう方が、より迅速な上陸作戦を展開できるという発想であった。それを実行するには現行の大型上陸用舟艇母船を基本にして考えては無理があり、発想の転換が必要であるということであった。

そこで計画されたのが、現行の上陸用舟艇母船を大幅にスケールダウンし、より機動性を持った性能の上陸用船舶を建造であった。

このタイプの上陸用船舶を建造する際の問題の一つとしては、船体の船首部分を海岸にのし上げ、上陸終了後は速やかに自力で離岸しなければならないということ、もう一つはのし上げた船首部分からいかにして兵員や重量のある車両や大砲や貨物などを船外に送り出すか、ということである。

陸軍はこの新しい上陸用船舶の設計を手がける前に、一九四〇年に民間の三〇〇から五〇〇トン級の二隻の小型貨物船を購入し、様々な改造を行ないながら独自の実験を開始した。その結果、船の大きさについては一〇〇〇トン程度の貨物が積載できる、六〇〇トン級の通称海上トラックと呼ばれる小型貨物船が母船の基本的船形に最適であるという結論を出した。そしてこの母船の船首吃水線上に大きな観音開きの扉を設け、船首を海岸にのし上げた後に船首の扉を開き、船内から海岸の砂地などに届く渡り板を降ろし、そこから兵員や搭載物を送り出すという考えが基本案としてまとまった。

陸軍はこの基本案に従って直ちに上陸用船舶の建造を開始した。ただ陸軍は試作の意味を込めて最初に一隻だけを建造し、その運用試験の結果をもとに手直しを加え、量産型上陸用船舶の建造を始めることにした。

第一船は「蛟龍（丸）」と命名され、一九四一年七月に播磨造船所で建造が開始された。この船名については一般の船舶と同じように「丸」をつける場合とつけない場合の二通りが記録の上では残っており、どちらが制式であったのか不明な部分があるが、本書では以後は便宜上「丸」をつけないで表記することにした。第26表に蛟龍の概略の仕様を示す。

蛟龍は一九四二年四月に完成し、直ちに三浦半島の野比海岸で実戦的な模擬上陸試験が繰り返し行なわれた。

完成した蛟龍の一般配置図を第18図に示すが、外形は当時一般的に見られた六〇〇トン級の小型貨物船（海上トラック）と全く見分けがつかない。

満載時には海面スレスレになる上甲板の位置や、甲板上の大きな貨物積み込み用のハッチの配置や一本マストあるいはデリックブームの配置、船尾に設けられた船橋や煙突、あるいは救命艇の配置の姿など、どれをとってみても海上トラックそのままの姿である。もちろん平面の配置図を見ても乗組員の居住区域の様子などは六〇〇トン級貨物船と何ら変わるところがないが、図面では分かり難いところで同クラスの貨物船と明らかに違うところがあった。

その一つは船の大半を占めている船倉の床が、一般の貨物船よりははるかに頑丈な構造になっていることで、これは一七トン級の中戦車四両を船倉内に搭載し、上陸時には自力で船倉の甲板上を動く必要があるために強度を高める必要があったためであった。

第26表　上陸艇「蛟龍」の要目

全長	53.90m
全幅	9.00m
深さ	4.50m
満載吃水	4.23m
総トン数	641.05トン
載貨重量	651　トン
主機関	ディーゼル機関
最大出力	1246馬力
最高速力	14.56ノット
航海速力	12ノット
乗組員	32名

もう一つは一見見難いが、船首に観音開きの大きな扉が設けられていたことで、その直後の船内には扉を開いたときに海岸へ渡す頑丈な渡り板が格納されていることであった。

三つ目は船尾に大型の錨が取り付けられ、この錨用の電動式の揚錨機が船尾甲板に装備されていることである。

この錨は船体を海岸にのし上げる前にあらかじめ海中に投下し、上陸終了後に船体を離岸させるに際し、ツメが海底に固定された状態の錨を揚錨機で巻き上げ、その反作用によって船を岸から離すためのものである。

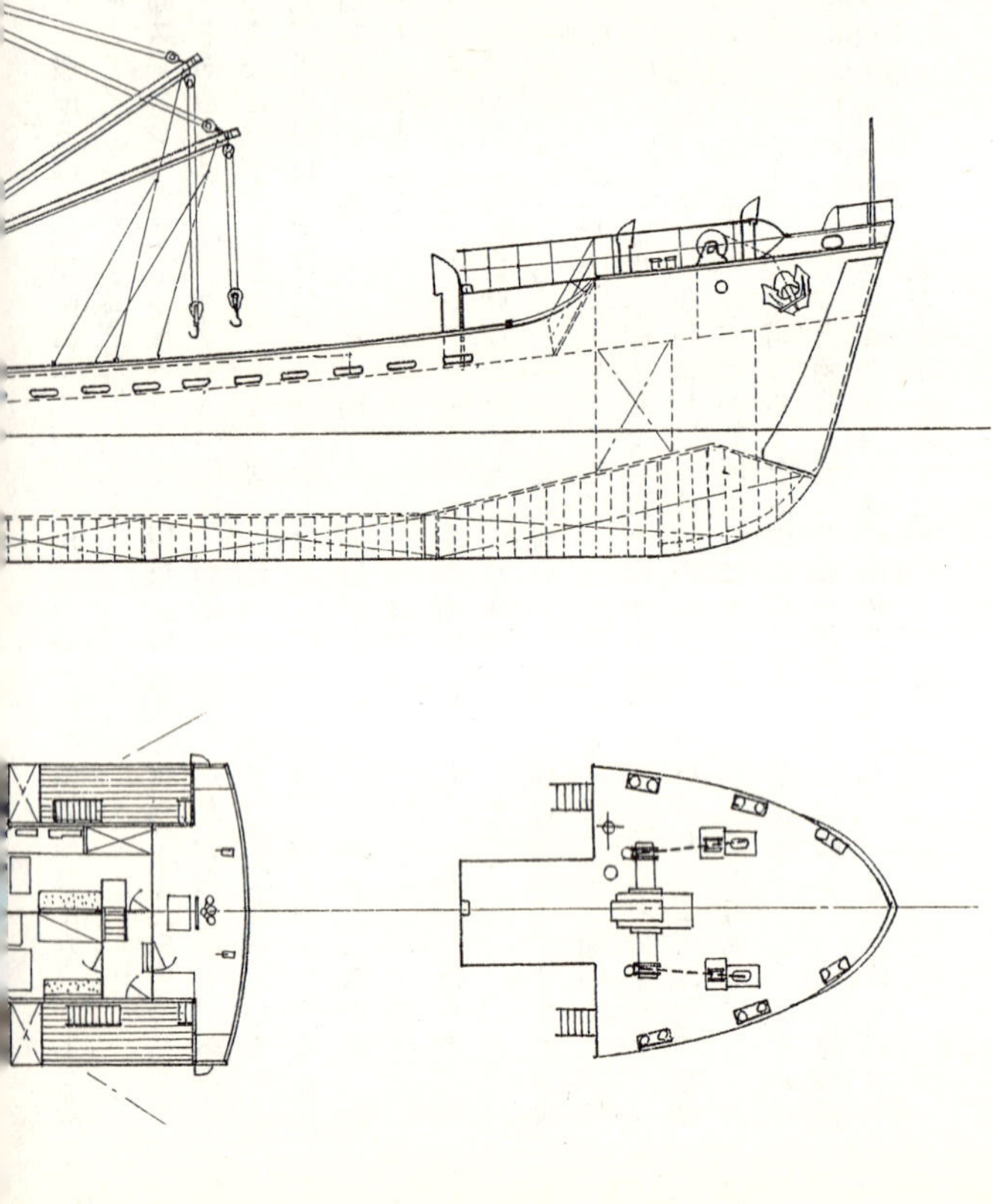

第18図　上陸艇「蛟龍」の一般配置図-1

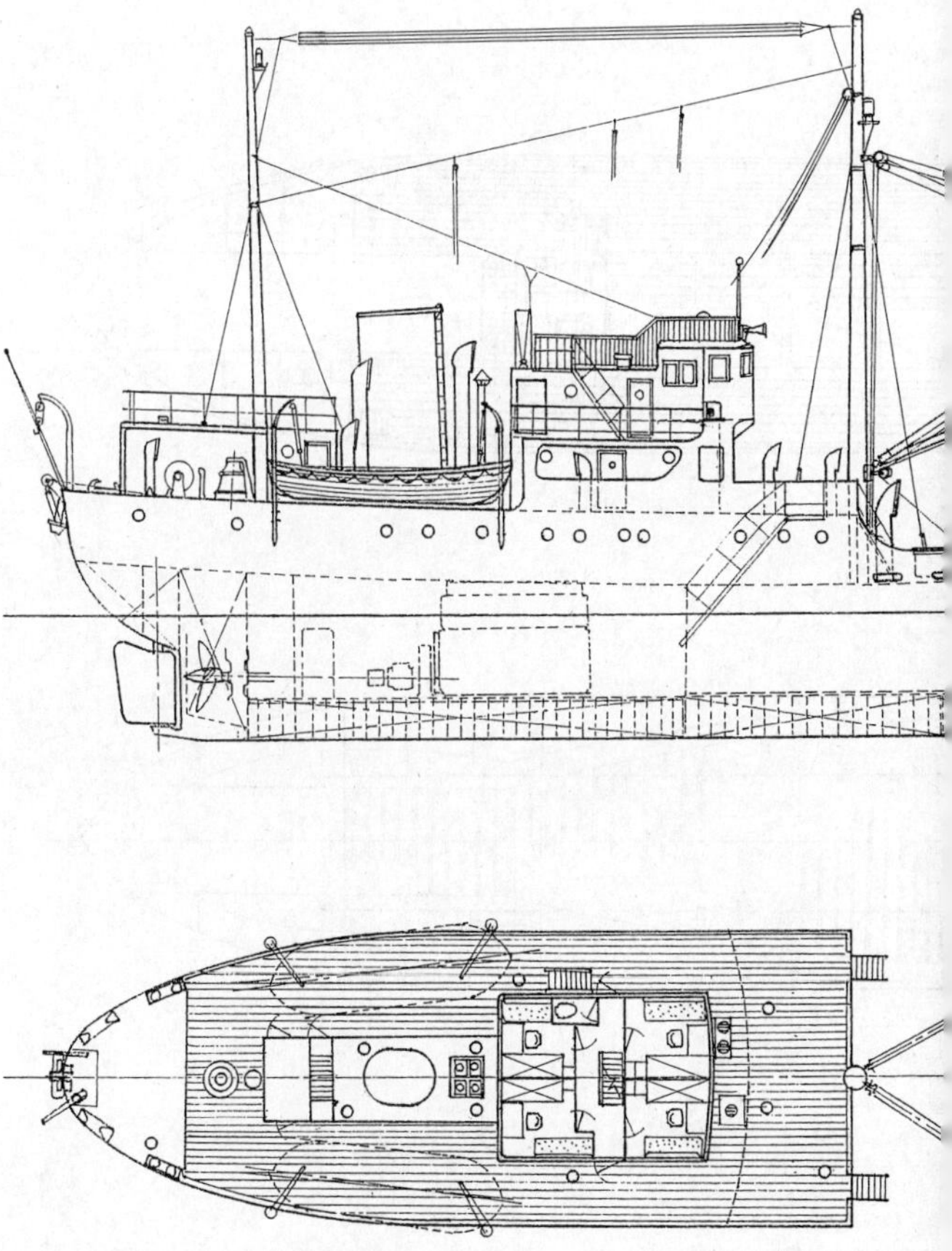

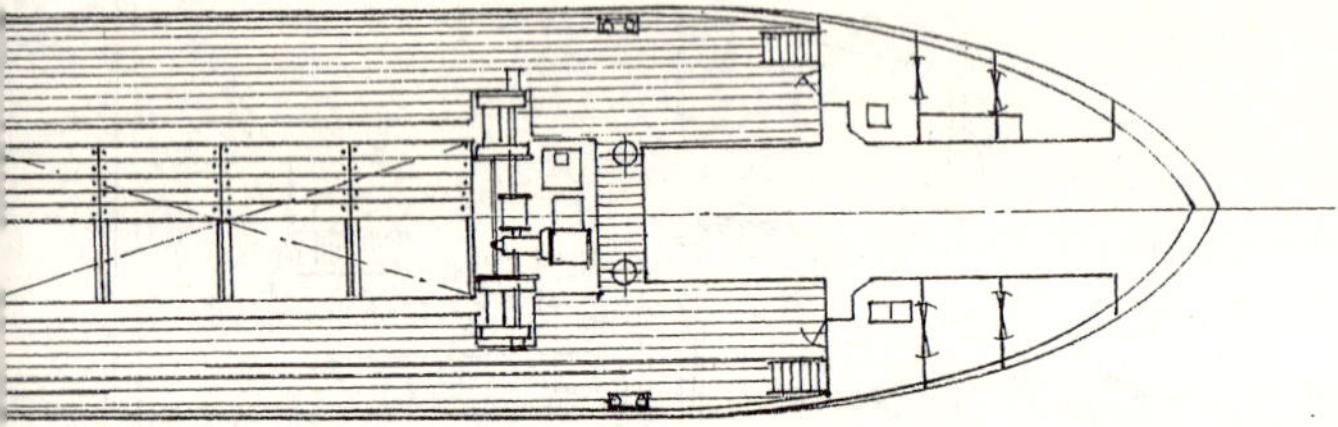

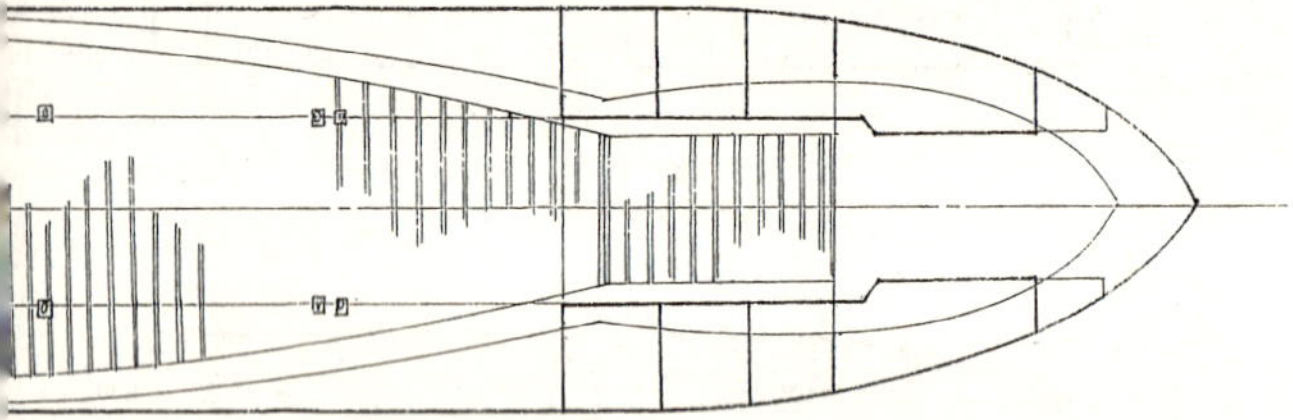

第18図　上陸艇「蛟龍」の一般配置図－2

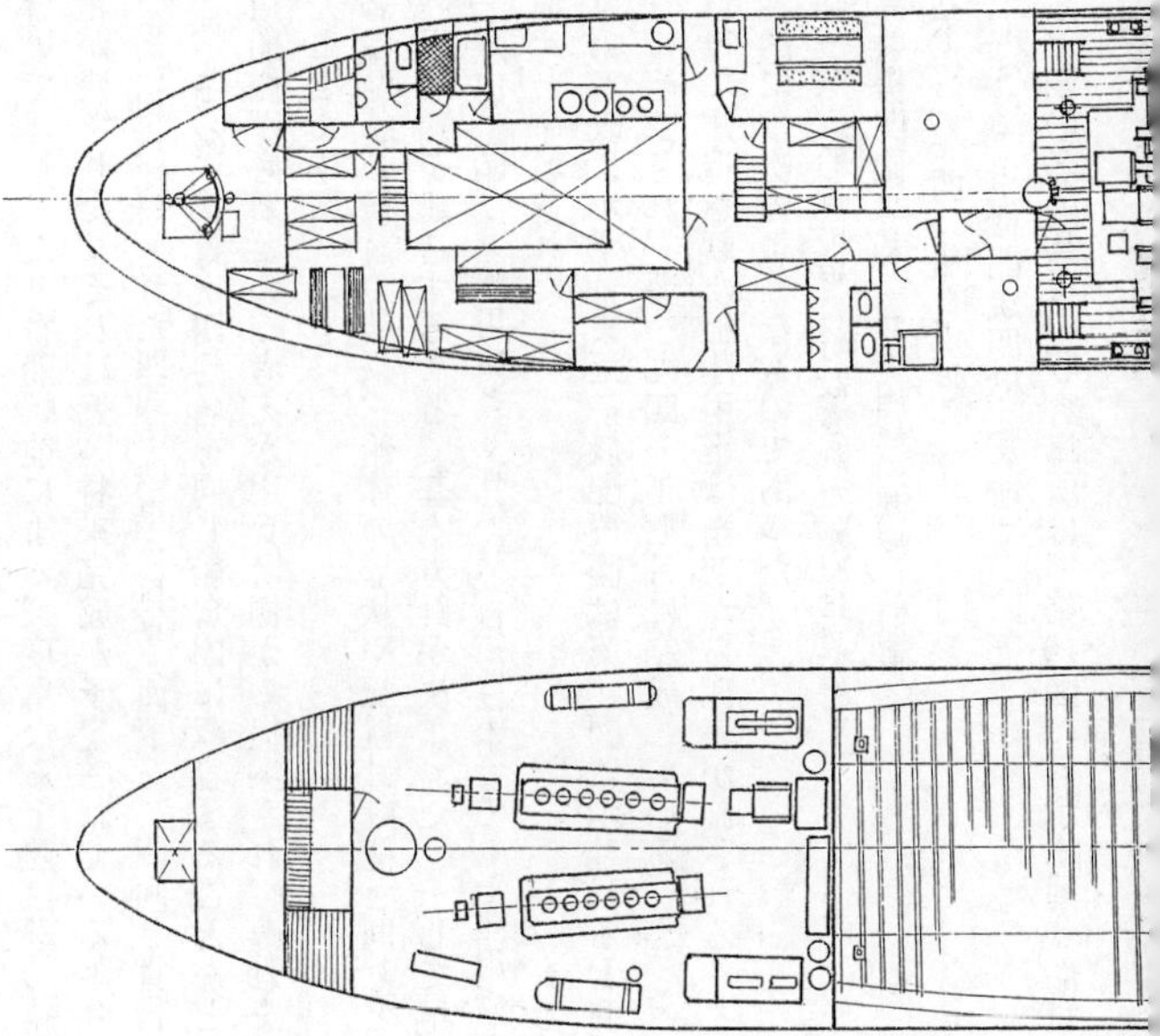

試作的意味合いで建造した一番船蛟龍による、度重なる上陸試験の結果は概ね良好とされた。しかし課題が残された。それは近い将来完成が予定されているより大型の二〇トン級中戦車（一九四四年に制式採用された四式中戦車：自重二四トン）四両と貨物自動車一両を船倉内に搭載すること、さらに兵員一四〇名を同じ船倉内に収容することなどを考慮すると、より大型の上陸船用船舶が必要という考えが用兵者側から提案され、それを実現する必要性が急務と判断されたことである。

陸軍担当部署の至急の検討の結果、船体の形状や配置は蛟龍と同じとしながら、蛟龍を若干拡大した上陸用船舶を建造することで基本方針が決まった。そして早速設計と建造が開始され、拡大型上陸用船舶（上陸用艇とも呼ばれ、以後は本書でも上陸用艇と呼ぶことにする）の第一船は「蟠龍」と命名された。

蟠龍の仕様は第27表に示す。また一般配置図は第19図に示されるとおりであるが、同船は一九四二年八月に起工され、翌一九四三年七月に完成している。

蟠龍を含め以後に建造された上陸用艇は当初から武装が施されることになったが、その武装の内容は基本的には次のようなものであった。

八八式高射砲一門（船首甲板に特設された砲座に設置）

九八式連装高射機関砲二基（船橋両舷の銃座に設置）

迫撃砲（形式不定）一門（船首甲板）

九二式（七・七ミリ）重機関銃四梃（各所）

なお収容する一四〇名の兵員の収容場所は、第19図にも示す通り船倉の両舷側沿いに二～

第27表　上陸艇「蟠龍」の要目

全長	59.00
全幅	9.60
深さ	4.60
満載吃水	4.24
総トン数	780.00トン
載貨重量	783.7　トン
主機関	ディーゼル機関
最大出力	1284馬力
最高速力	13.96ノット
航海速力	12ノット
乗組員	32名
兵員(臨時)	170名

三段式の寝棚が特設され、そこで起居することになっていたが、兵員の居住区域としてはたとえ数日間の乗船行程としても極めて劣悪な環境と言わざるを得ない。

蟠龍以降が量産型上陸艇となったが、この上陸艇を陸軍は「ＳＳ艇」と呼んだ。これとは別に陸軍は後に「ＳＢ艇」という上陸艇を保有することになったが、これは海軍が一九四三年から開発を始め、翌年から量産が開始された二等輸送艦（日本版ＬＳＴ）を陸軍が譲渡されたもので、陸軍の上陸艇「ＳＳ艇」とは全く違う船のことである。

蟠龍に続いて海龍（蛟龍を含めて三番船）が建造されたが、四番船以降は基本船体は当時建造が進められていた戦時標準船の中の小型貨物船（呼称：E型船）の船図を流用することとし、この上陸艇は呼称も戦時標準船の派生型として「ＥＳ艇」と呼ばれることになったが、陸軍ではＥＳ艇の名称は使わず、第一船の蛟龍から三番船の海龍、さらにその後二〇隻建造されたＥＳ艇も全て「ＳＳ艇」と呼んでいる。そしてこのＳＳ艇は陸軍では一番船の海龍を「ＳＳ1号艇」として二二隻目のＳＳ艇を「ＳＳ22号艇」とする一連番号で管理した。

陸軍は当初この機動性のある上陸艇を使って、臨機応変な強襲上陸作戦が行なえるような「海上機動兵団」を編成する計画を立て、上陸艇九〜一〇隻で一個「海上機動旅団」を編成し、強襲上陸作戦に投入する計画であった。

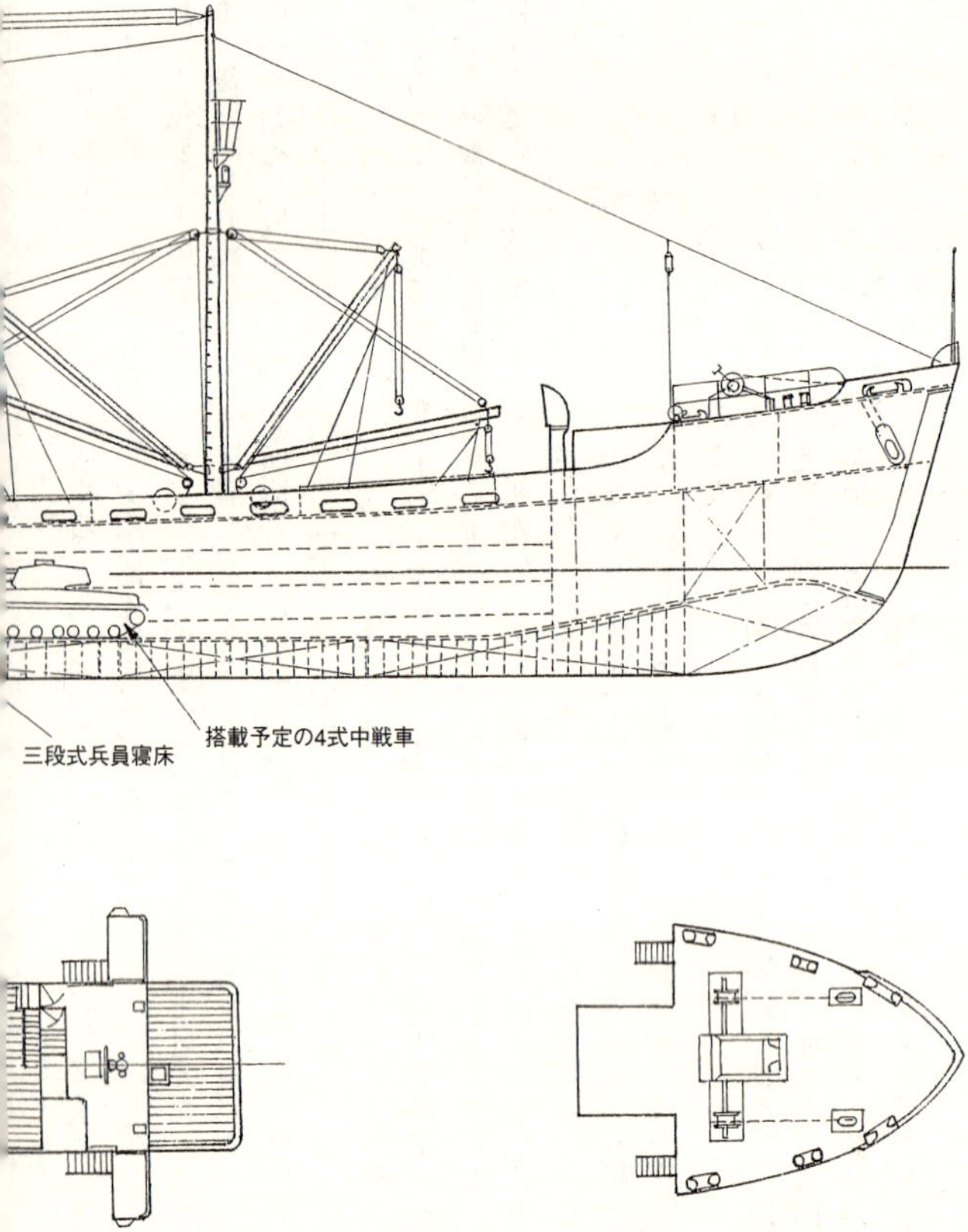
搭載予定の4式中戦車
三段式兵員寝床

第19図　上陸艇「蟠龍」の一般配置図-1

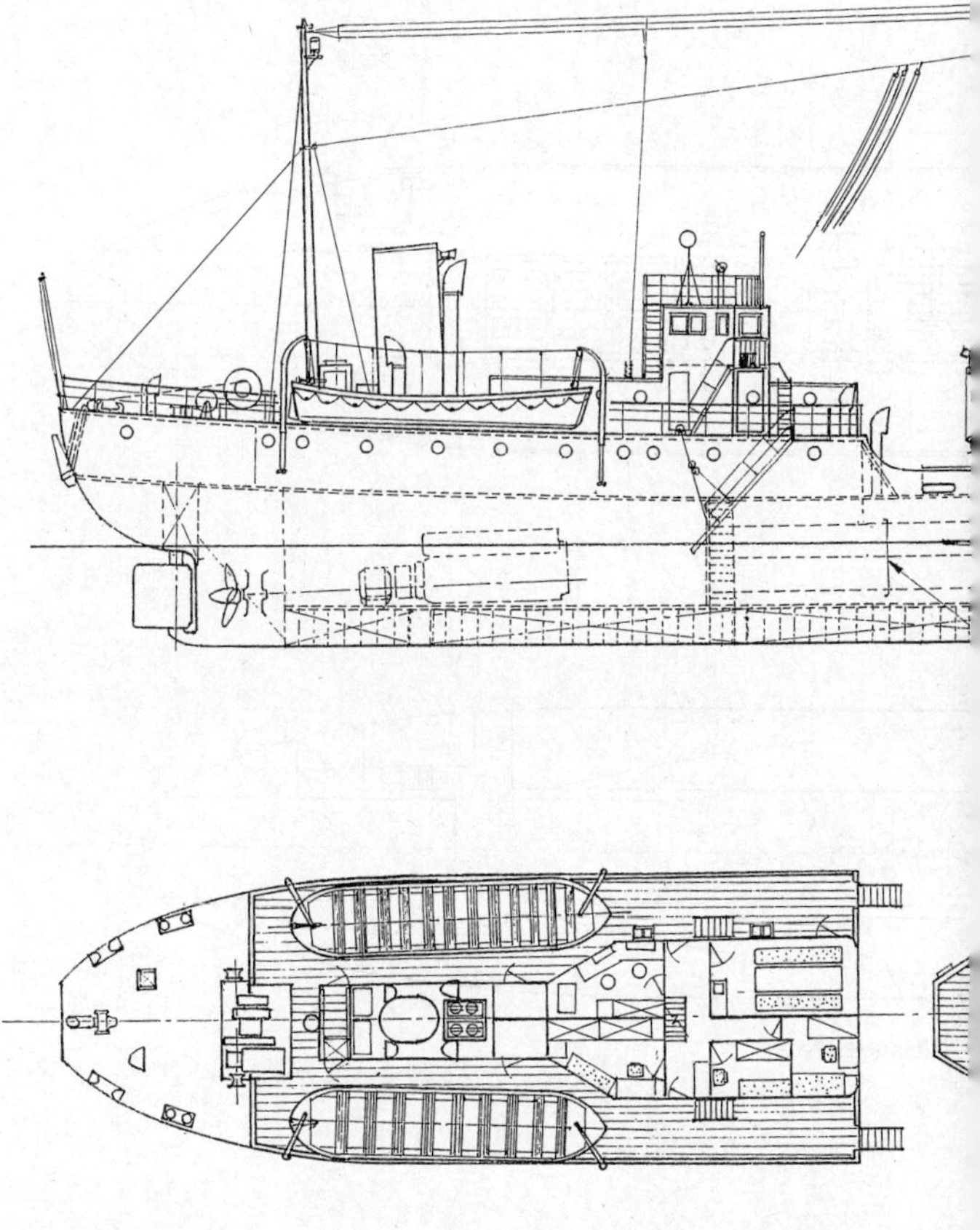

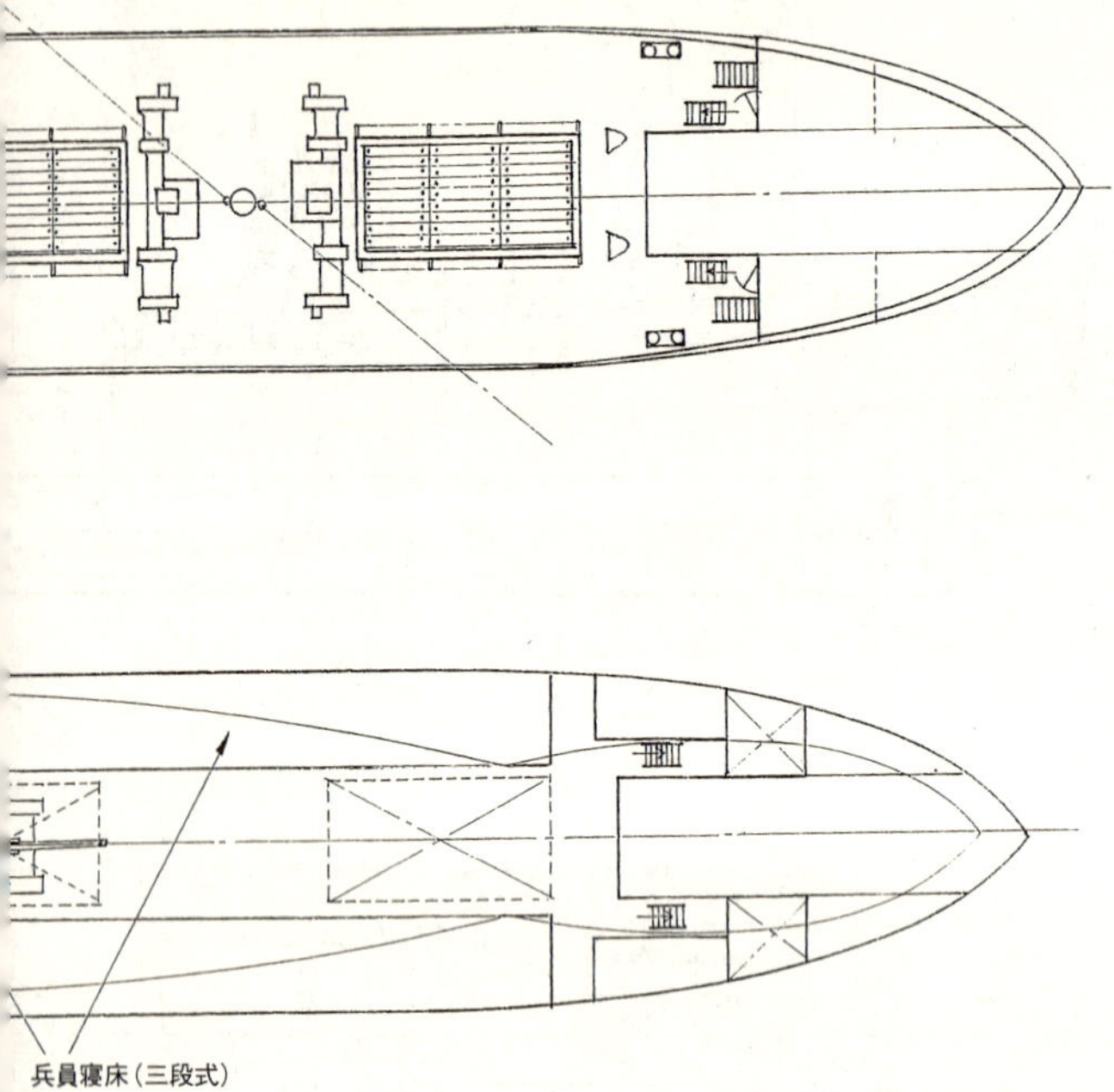
兵員寝床（三段式）

第19図　上陸艇「蟠龍」の基本一般配置図-2

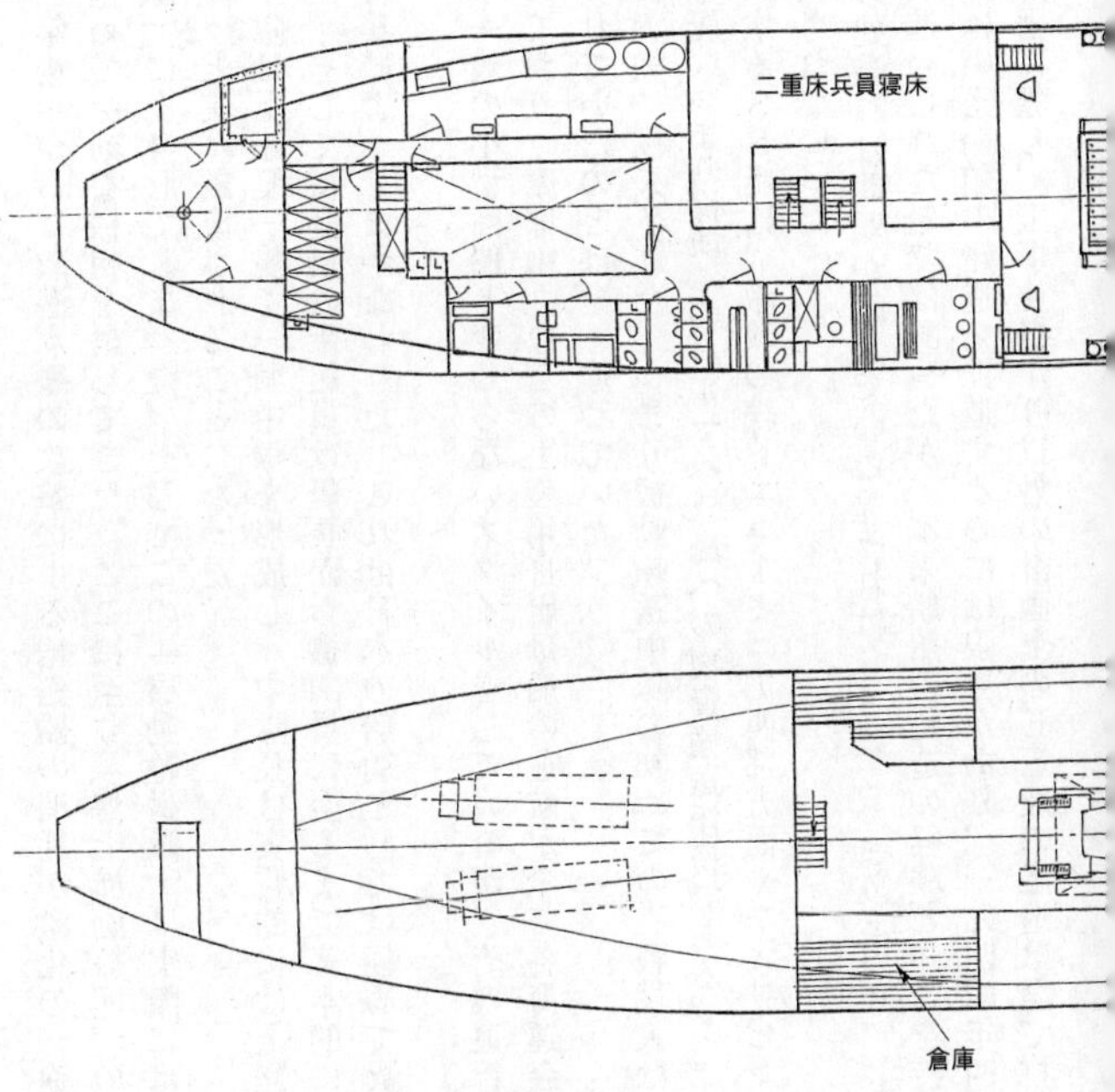

しかし一九四三年後半からは敵潜水艦の攻撃による輸送船の消耗が激化の一途をたどり、海上輸送状況は極めて深刻な様相を呈してきた。ここに至り「海上機動旅団」の構想はいつしか「機動輸送隊」に変身してしまった。そしてこの「機動輸送隊」は実際には「機動輸送中隊」の呼称で続々と実戦編成されることになった。

この機動輸送中隊は上陸艇一隻で一個中隊を形成し、中隊長は実質的には上陸艇の艇長を指すことになった。そして機動艇の乗組員は艇長から機関員に至るまで基本的には全て陸軍船舶工兵連隊の将兵によってまかなわれた。これは日本の船舶としては極めて異例のことであったといえる。

SS艇は外形が一般の小型商船と変わらないスタイルをしているが、その運行は日本陸軍によって行なわれており、摩耶山丸などの上陸用舟艇母船の運航が全て各海運会社の船員の手のよって行なわれていたのとは全く違っていた。

SS艇が最初に実戦に投入された、つまり機動輸送中隊の初めての実戦投入は一九四三年十二月にSS1号艇（つまり海龍）のハルマヘラ島への物資輸送任務である。

以後続々と完成するSS艇は、激戦の続くニューギニア西部方面やフィリピン方面への物資輸送任務に投入されていった。

この間SS艇の建造には問題が起きていた。それはSS艇（つまりES艇）は陸軍独自の計画の下に建造が進められた船ではあったが、本来船舶の建造の経験と知識を持たない陸軍内部では小型船とはいえ船舶の建造を推進するのには限界があり、一九四四年四月の一九四四年度新規造船計画に際し、工事仕掛かり以外の計画上のES船の建造は全て打ち切られる

第28表　全ＳＳ艇（別称ＥＳ艇）の行動記録

艇番号	作戦海域	戦　　歴
ＳＳ 1号艇（蛟龍）	千島・フィリピン	沈没（フィリピン）
2号艇（蟠龍）	日本近海・フィリピン	沈没（フィリピン）
3号艇（海龍）	日本近海・フィリピン	沈没（フィリピン）
4号艇	フィリピン	沈没（台湾）
5号艇	日本近海・フィリピン	沈没（フィリピン）
6号艇	フィリピン	大破放棄（フィリピン）
7号艇	フィリピン	大破放棄（フィリピン）
8号艇	フィリピン	沈没（フィリピン）
9号艇	フィリピン	沈没（フィリピン）
10号艇	フィリピン	沈没（フィリピン）
11号艇	フィリピン	
12号艇	フィリピン	大破放棄（台湾）
13号艇	日本近海	
14号艇	フィリピン	触雷放棄（六連島）
15号艇	フィリピン	沈没（詳細不明）
16号艇	フィリピン	沈没（位置不明）
17号艇	フィリピン	沈没（フィリピン）
18号艇	日本近海	
19号艇	千島方面	
20号艇	日本近海	
21号艇	日本近海	未完成
22号艇	日本近海	沈没（陸奥湾）

ことになった。そして以後はＥＳ船に代わるものとして海軍が建造を開始していた二等輸送艦（通称ＳＢ艇）を陸軍が使用することに決まったのである。

このＳＢ艇はアメリカ海軍がすでに実戦で使用を開始していた戦車揚陸艇（ＬＳＴ）と同じ発想の船で、ＥＳ船よりは格段に実用性に優れていた。

一九四四年十月より始まったフィリピン攻防戦では輸送中隊の各ＳＳ艇は次々とフィリピン戦線に送り込まれ、日本本土からの物資輸送ばかりでなく、激しい攻防戦が展開されているレ

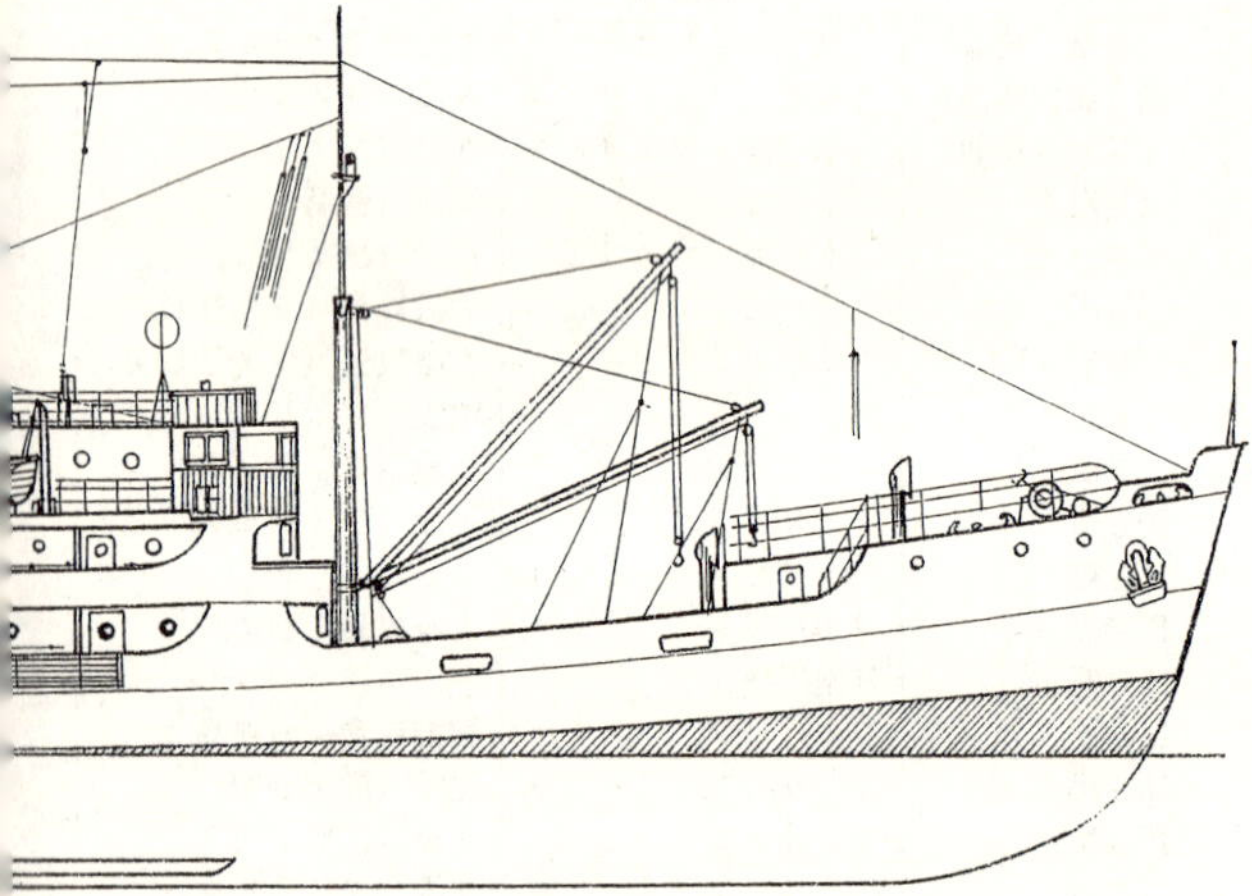

イテ島に対する日本陸軍の逆上陸作戦にも投入されていった。この結果はＳＳ艇を大量に消耗する結果を招いた。
第28表に建造された全てのＳＳ艇についての行動結果を示すが、二二隻のＳＳ艇の内の一三隻が撃沈され、三隻が大破、放棄されている。撃沈された原因のほとんどはアメリカ海軍の艦載機や、アメリカ陸軍航空隊の戦闘爆撃機による攻撃によるもので、中にはＳＳ10号艇のようにアメリカ海軍の魚雷艇と駆逐艦に遭遇し、一方的な攻撃を受けて撃沈されるという事例もあった。また最後のＳＳ艇になるＳＳ22号などは、一九四五年七月に青函連絡船がアメリカ海軍機動部隊の艦載機の攻撃で壊滅状態になったために、北海道と本州間の陸軍部隊や物資の輸送ができなくなったために、得意の海岸乗り上げによる輸送方法を活用して、青函の陸

第20図　大衆丸の側面図

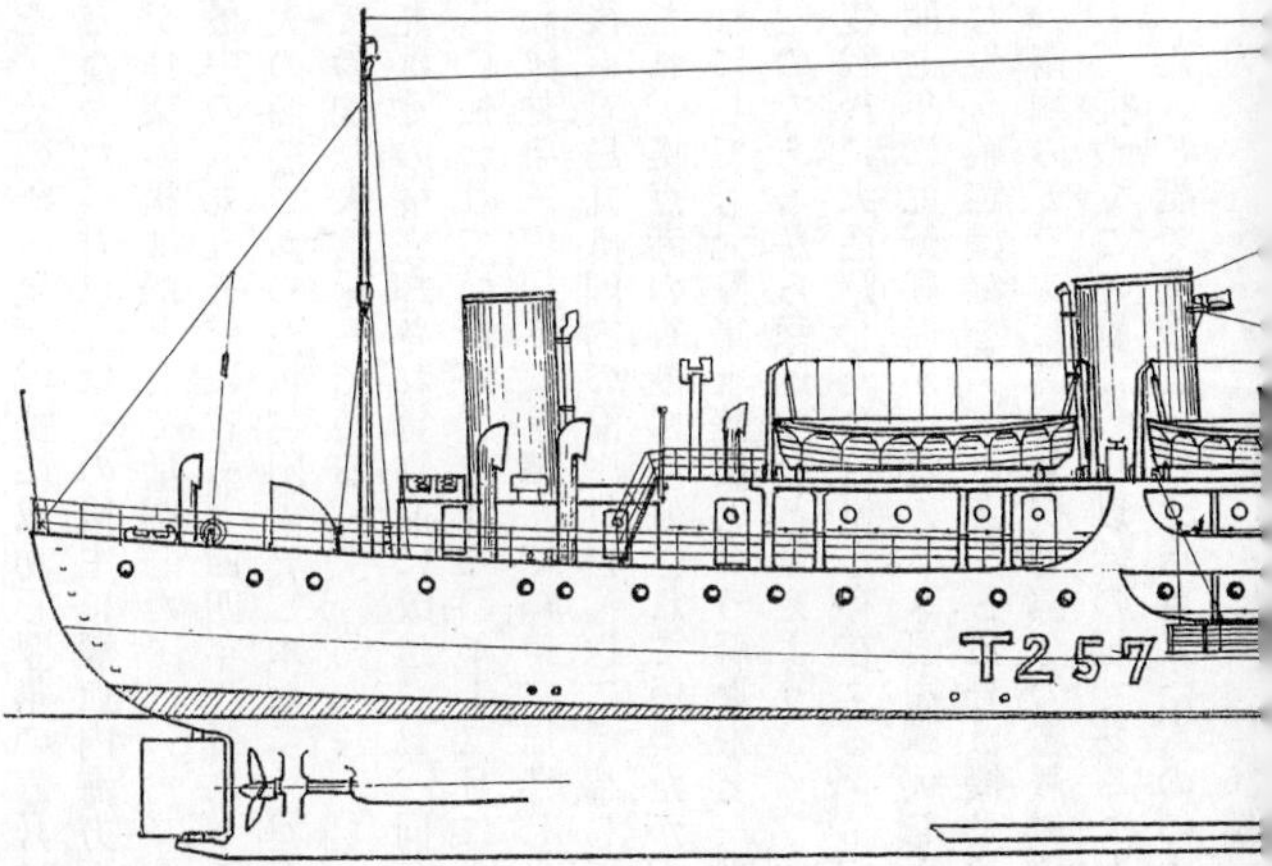

軍の輸送ルートの確保のために使われている。

このSS艇の存在自体が一般にはほとんど知られていないために不明の部分が非常に多く、それだけに興味のそそられる船舶である。そしてSS艇の活躍はむしろ戦後になってからというほうが適切であるかも知れない。

戦争に生き残った六隻のSS艇（SS11号、SS13号、SS18号、SS19号、SS20号、SS21号）は、終戦直後に朝鮮半島などからの引揚者の輸送に使われたが、その後日本船舶、琉球海運、白洋汽船、九州郵船などに購入され、貨物船や貨客船に改造され以後一〇年以上も使われた。

その中でも話題となるのはSS20号艇で、本艇は一九四五年九月に修理中の播磨造船所で台風の高波のために沈没してしまった。その後本艇は浮揚に成功し翌年の六月に修理成って播磨造船所所属の作業船「君島丸」となった。君島丸はその後主に瀬戸内海方面で戦争のために沈没した多数の船舶のサルベージ作業の指揮船として活躍した。

その最中の一九五一年に、一九四四年二月にトラック島で空襲によって撃沈された戦前の日本最大の商船であった第三図南丸（本船については本書の後章で紹介）の浮揚作業に、指揮船として参加し大活躍している。

君島丸はその後売却され貨物船に改造され、同じ君島丸の名前で国内の石炭を中心にした貨物輸送に使われていたが、一九六〇年十二月に再開された日中貿易の第一船として天津に赴き、天津甘栗三〇〇トンを積んで神戸に帰港し日本中の話題をさらったことがあった。

その後も君島丸は国内の沿岸貨物輸送に活躍していたが、一九六五年にパナマの海運会社に売却され、拠点港の香港に回航されていったが、その後いつ解体されたのかは不明である。

いずれにしても元陸軍上陸艇という経歴など一般には全く知られず、建造後二〇年以上も活躍したのであるから幸運な船と言えよう。

今一隻戦後に大活躍したSS艇が存在する。

一九四七年に九州郵船が一隻のSS艇を購入したが、この艇の前身はSS12号とする説がある。しかし戦闘機録を調べるとSS12号は機動輸送第16中隊の乗務艇で、一九四五年一月に台湾の南端のガランピ岬で敵機動部隊の艦載機の攻撃を受け大破、擱座し、その後放棄されている。従ってこの艇はそれ以外の艇であることになるが詳細が不明である。

残存したSS艇で戦後商船に改造されたものの中で、その前身が明確なものは君島丸だけで他の艇についてはそれぞれがどの商船に変身したのか確証がない。

九州郵船が購入したSS艇は身元は分からないが大改造を受け、第20図に示す大衆丸という貨客船に改造された。大衆丸は八三一総トン、一・二・三等船客定員四一八名の小型貨客船で、九州の博多～壱岐～対馬間の定期航路に一九六三年までの約二〇年近く就航していた。

ところが一九六三年十一月に関西汽船、九州郵船、大韓海運の三社による共同運航で阪神～釜山間の航路が開設されると、その第一船として大衆丸が就航することになった。

ただこの新たな航路に就航するに際し船名が大衆丸から韓水丸に改名され、関西汽船のなにわ丸（この船も元は海軍給糧艦「荒埼」）、大韓海運の新鋭貨客船ありらん号の三隻で運航が開始された。

その後、本航路は下関・釜山間に短縮されたが一九七〇年六月に関釜フェリー社が設立され、新鋭の大型国際フェリー「関釜」が就航する段階で、老朽化が著しい韓水丸（元大衆丸）は引退し解体された。陸軍上陸艇も平和の時代に活躍し商船冥利に尽きたであろう。

第11章　アメリカの軍隊輸送船物語

客船の大動員と軍隊専用輸送船でまかなわれたアメリカの軍隊輸送

一九三九年九月に第二次世界大戦が勃発したとき、アメリカはこの戦争に関してまだ中立の立場にあった。そのためにアメリカ海運界を代表するユナイテッド・ステーツラインの、二万総トン級の客船マンハッタンやワシントンなどは中立国を示す巨大な星条旗を舷側に描き、ニューヨークとイギリスのサウザンプトンやリバプール間の北大西洋の定期航路に就航していた。

このとき太平洋では日本を巡る暗雲は立ち込めてはいたものの、まだ平穏な中でダラーラインの後継会社であるアメリカン・プレシデントラインの二万総トン級の客船プレシデント・クーリッジやプレシデント・フーバーが、アメリカ西海岸と極東を結ぶ航路に定期就航していた。

また一九四〇年七月には、ユナイテッド・ステーツラインの三万総トン級の客船アメリカが竣工し、やはり舷側に大きな星条旗を描いてニューヨークとイギリス間に就航する余裕を持っていた。しかし苛烈さを増すドイツ潜水艦の猛攻の前に、たとえ中立国の客船であっても航行の安全の保障はなくなり、客船マンハッタン、ワシントン、アメリカは相次いで定期航路を休航し、ニューヨークを起点にしたカリブ海クルーズに転用された。言い換えれば彼方のヨーロッパの地に戦争が起き、朋友国イギリスが窮地に陥っているとはいえ、アメリカ国民の生活の中にはこの戦争に対する緊迫感はまだ薄い存在であったのである。

もちろんユナイテッド・ステーツラインばかりでなく、大西洋に主要航路を持つアメリカの他の中堅海運会社の客船も、アメリカ東岸の諸港を起点にして南アフリカや南アメリカあるいは地中海方面への定期航路に貨物船や客船を就航させていた。しかしユナイテッド・ステーツラインの客船が北大西洋航路から撤退するのと相前後して、これらの航路からアメリカの商船は撤退をはじめた。

そして一九四一年に入る頃からアメリカの海運界はにわかに戦時色を強め、まず大西洋方面での客船の運航が全面的に中止され、太平洋航路も状況判断の中での運航に変え、アメリカ沿岸航路やカリブ海方面の定期航路だけは運航されていた。そして六月頃からアメリカ政府は海運界に臨戦体制を敷き、商船の軍用への徴用を開始した。徴用の開始された商船はあらゆる種類にまたがり、さらに徴用の対象は建造の途中や建造仕掛かりの商船にまで広まった。

この時点でアメリカは戦争への突入は避けられないものとして、アメリカ海運の統制にあたるアメリカ戦時船舶管理局を編成し、船舶の徴用と戦時体制における商船の運航管理体制の確立の準備を図っていた。また陸海軍においては徴用船舶の運用と船種の選定が始まっていた。そして徴用された貨物船や客船、貨客船や油槽船は兵員輸送船や戦時物資輸送船に、あるいは艦隊付属の給油艦として配分の準備も開始された。

もちろんこれらの用途以外にも病院船やその他の特設艦の種船として既存の商船や建造途中の商船の用途配分が行なわれていた。

その中で貨物船においては対イギリス支援や戦争拡大にともなう輸送量の膨大化を予想し、またイギリスの要請を受け入れる形で戦時急速建造の貨物船（リバティー船）の大量建造の準備も進められていた。

これら一連の船舶徴用の中でも特に興味がひかれるのは、客船や貨客船の徴用後の用途である。第二次世界大戦中に徴用された五〇〇〇総トン以上の客船や貨客船は第29表のとおりであるが、五〇〇〇総トン級の沿岸航路用の客船から最大の三万トン級の客船アメリカに至るまで、そのほとんど全てが軍隊輸送船としての任務が与えられている。

この表に示される合計七三隻、九〇万総トンは、一九四一年六月現在にアメリカが保有していたほぼ全ての中型以上の客船と貨客船である。

これらの客船たちは一九四一年十二月にアメリカが参戦すると同時に軍隊輸送の任務を帯び、主にアメリカ陸軍の将兵をイギリス本国やオーストラリア、さらにニューカレドニア島などの大規模な海外兵站拠点へ輸送する任務、あるいは地中海方面や太平洋戦域での上陸作戦へ向けての兵力の兵站拠点への輸送、またノルマンジー上陸作戦やそれ以後のヨーロッパ戦線への一大兵力の輸送などに投入された。

アメリカ陸海軍はこの六七隻の大小の客船を使って、一度に二〇万人規模の兵員を輸送することが可能になったが、今後推定される戦況から判断すると、これだけの客船ではとうてい両大洋を跨いだ将兵の輸送は不可能であると判断していた。

そこでアメリカはイギリス戦時政府やロンドンに活動拠点を置く亡命フランス政府や亡命オランダ政府の了解の下に、八万総トンのイギリスの巨大客船クイーン・エリザベスやクイーン・メリー、さらには四万総トン級のアキタニア、三万総トン級のモーリタニア（Ⅱ）他多数の客船、またフランスの四万総トン級の客船イル・ド・フランスや三万総トン級のパスツールなど多数の亡命客船、あるいは同じくオランダの三万トン級の亡命客船ニュー・アムステルダムなど多数の客船を借り受け、一度に八万人前後の軍隊輸送を可能にする準備を始

隻数	収容兵員数	備考
1	8200名	
1	8000名	
1	〃	
1	5000名	南太平洋で触雷沈没
6	2000名	
1	4000名	
1	〃	
1	〃	
1	4000名	
1	〃	
1	〃	
1	〃	
4	4000名	
5	4000名	
4	4000名	2隻が地中海で雷撃沈没
7	3000名	2隻が海難で全損
1	3000名	地中海で空爆沈没
1	〃	地中海で雷撃沈没
1	〃	
1	〃	
1	〃	ノルマンジーで触雷沈没
7	2000名	
1	2000名	
3	2500名	
1	1500名	
1	〃	地中海で雷撃沈没
1	〃	ソロモンで空爆沈没
1	〃	地中海で雷撃沈没
1	1000名	雷撃沈没
1	〃	
1	〃	
2	1000名	
4	〃	
1	4000名	

第29表　兵員輸送船に徴用されたアメリカの客船一覧

船　名	船　主	総トン数
アメリカ	ユナイテッドステーツ・ライン	26454
マンハッタン	〃	24289
ワシントン	〃	24289
プレシデント・クーリッジ	アメリカンプレシデント・ライン	21936
プレシデント・ジャクソン 他	〃	9256
アルゼンチナ	アメリカ海事委員会所有	20526
ウルグアイ	〃	20325
ブラジル	〃	20773
ラーリン	マトソン・ライン	18021
モントレー	〃	18017
マリポサ	〃	18017
マロロ	〃	17232
ウエスタン・ワールド 他（535型 計4隻）	アメリカ海事委員会所有	13712
プレシデント・グラント 他（535型 計5隻）	アメリカンメイル・ライン	14123
プレシデント・タフト 他（535型 計4隻）	アメリカンプレシデント・ライン	14123
プレシデント・モンロー 他（502型 計7隻）	アメリカンプレシデント・ライン	10533
サンタエレナ	グレース・ライン	9135
サンタルシア	〃	9135
サンタローザ	〃	9135
サンタポーラ	〃	9135
サンタクララ	〃	8183
デル・ノルテ 他(計7隻)	デルタ・ライン	9000
アレクサンダー	アドミラル・ライン	8200
アンコン 他（計3隻）	パナマレイルロード・ライン	10021
エクスコーダ	アメリカンエクスポート・ライン	9359
エクスキャリバー	〃	9360
エクスカンビオン	〃	9360
エクゼター	〃	9360
アケイディア	イースタンスチームシップ・Co.	5002
ヤーマース	〃	5002
エヴァンゲリン	〃	5002
イロコイ 他（計2隻）	クライドマロリー・ライン	6000
チェロキー 他（計4隻）	〃	5000
535型	ユナイテッドステーツ・ライン	14187

めた。もちろんこれだけでは緊急事態における大量の兵員の輸送がまかなえるわけではなく、軍隊輸送の絶対的な不足をカバーするために、アメリカ戦時海事委員会は大量の軍隊輸送のための専用船の建造を計画した。

この軍隊輸送専用船は、戦争終結後には客船や貨物船に改造できることを前提として建造することが決められ、船形も海事委員会がすでに規定していたC4級貨物船やP2型客船の船図をベースに設計・建造されることになった。

そして早くも一九四二年に入ると間もなくこれら軍隊専用輸送船の建造が開始された。

軍隊輸送を目的として建造された船としては、戦時中に日本陸軍が建造した九隻の陸軍特殊輸送船（当初より上陸用舟艇母船＝通称MT船＝として建造）が存在するが、アメリカの軍隊専用輸送船は、まさに兵員を旅客として運ぶことを専門にした船で、船内の兵員の居住性とその構造は、前述の徴用された客船の内部に兵員輸送を目的として設置したと全く同じ構造の設備を施したのである。

アメリカはこの種の軍隊専用輸送船を合計七二隻建造する予定であったが、戦争の終結時点までに完成した専用船は各種合計五六隻にとどまった。

完成した五六隻の専用船の輸送能力は兵員二〇万人で、この専用船やアメリカ国内で徴用した六七隻の客船や貨客船さらに外国から借用した客船を合計すると、一度に約五〇万人の兵員をヨーロッパ戦線や太平洋戦線に運ぶことが可能であった。そしてこの数字は太平洋戦争開戦当時に日本が兵員輸送用に確保できた商船（その大半は貨物船であったが）の約一〇倍に相当した。つまり日本の兵員輸送の主力が貨物船に頼らざるを得なかったのは、日本がアメリカに比べて大型の客船や貨客船に絶対的な不足があったことと共に、兵員輸送用の専用の船舶を建造する余力を持ち合わせていなかったことに原因があったためなのである。

アメリカが第二次世界大戦で船によって運んだ兵員の数と、彼らを輸送する実際の有り様を説明するのに、ヨーロッパ戦線と太平洋戦線の場合について、アメリカが送り込んだ総兵力とその輸送方法で説明したい。

ヨーロッパ戦線ではアメリカ陸軍は合計六三個師団以上の歩兵、機甲師団、空挺師団などを送り込んだが、その総数は九〇万人を超えた。もちろん送り込まれたのは陸軍ばかりでなく陸軍航空隊も搭乗員や整備員あるいは様々な地上勤務員など二〇万人を上回る兵員を送り込んでいる。

一方、太平洋戦線では陸軍の歩兵師団、機甲師団、空挺師団及び海兵隊師団が合計三〇個師団以上、人員にしておよそ四五万人以上を送り込んでいる。もちろんこればかりではなく陸軍航空隊や海兵隊航空隊の要員も一〇万人以上が送り込まれている。

つまりアメリカはヨーロッパ戦線と太平洋戦線で一六〇万人以上の兵員の輸送を行なったわけであるが、これらの輸送はアメリカの客船・貨客船、その他の連合国客船、さらに軍隊輸送専用船など合計一六〇隻以上の船舶を使って行なわれた。

ただアメリカの軍隊輸送において日本の場合と決定的に違っていたことは、軍隊の輸送には例外的な場合を除いて貨物船は使わなかったことである。軍隊輸送には必ず客船や貨客船、あるいは客船に準ずる仕様の軍隊専用輸送船が使われたことで、日本の場合のように貨物船の船倉に戦場に向かう人間を収容し輸送するには、あまりにも非人間的な設備といえる木製のいわゆる蚕棚的な劣悪な設備は決して備えず、多少の窮屈さは我慢せざるを得ないが、多段式の簡易ベッドが用意され、幅は多少狭くとも十分に手足を伸ばして睡眠がとれ、食事はカフェテリア式の簡易さはあるものの専用の食堂で食するという設備が整えられたことである。

兵員輸送に徴用された客船や貨客船はほとんど例外なく、船客用の各等食堂に大量の簡易

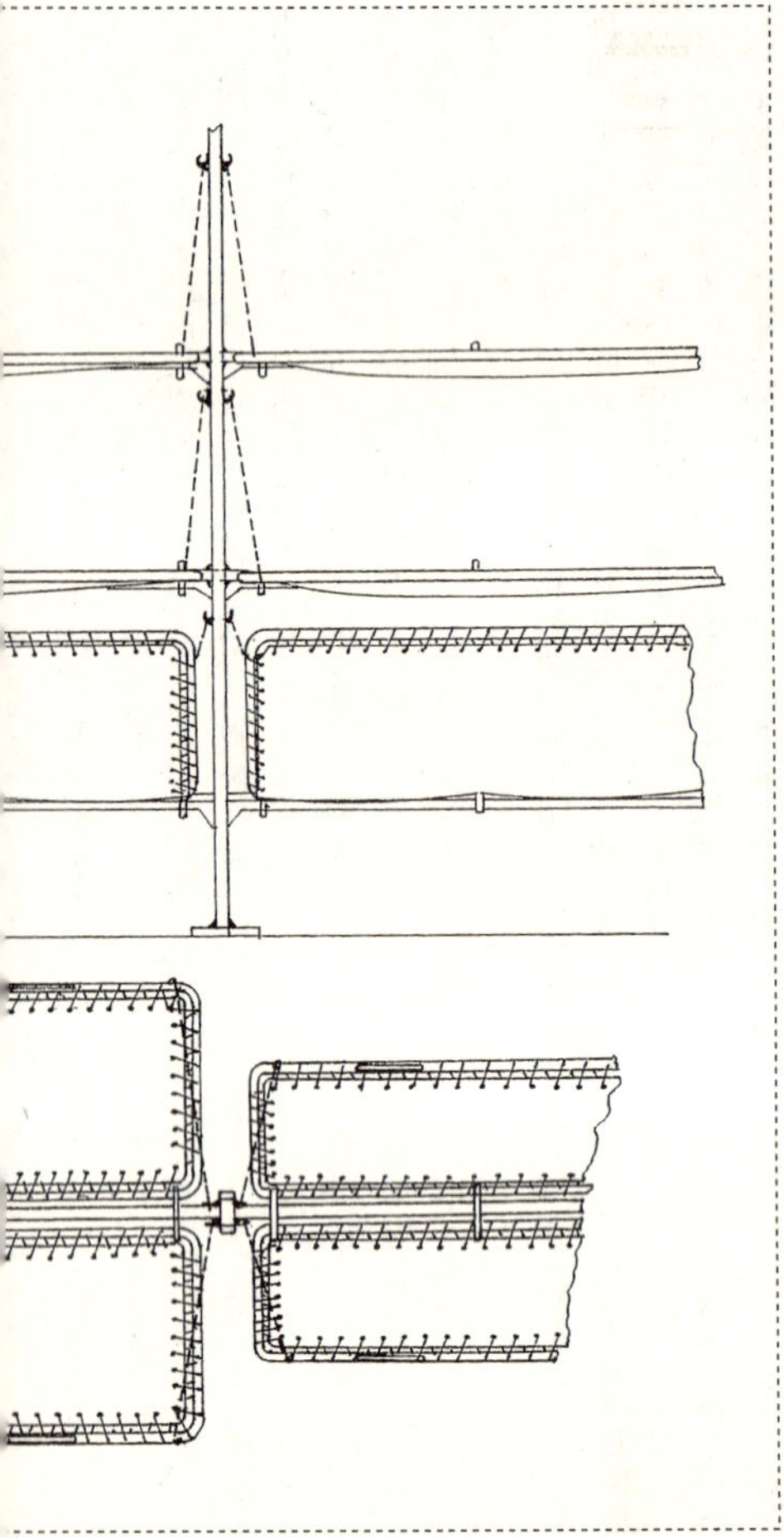

第21図　簡易式ベッドの概念図

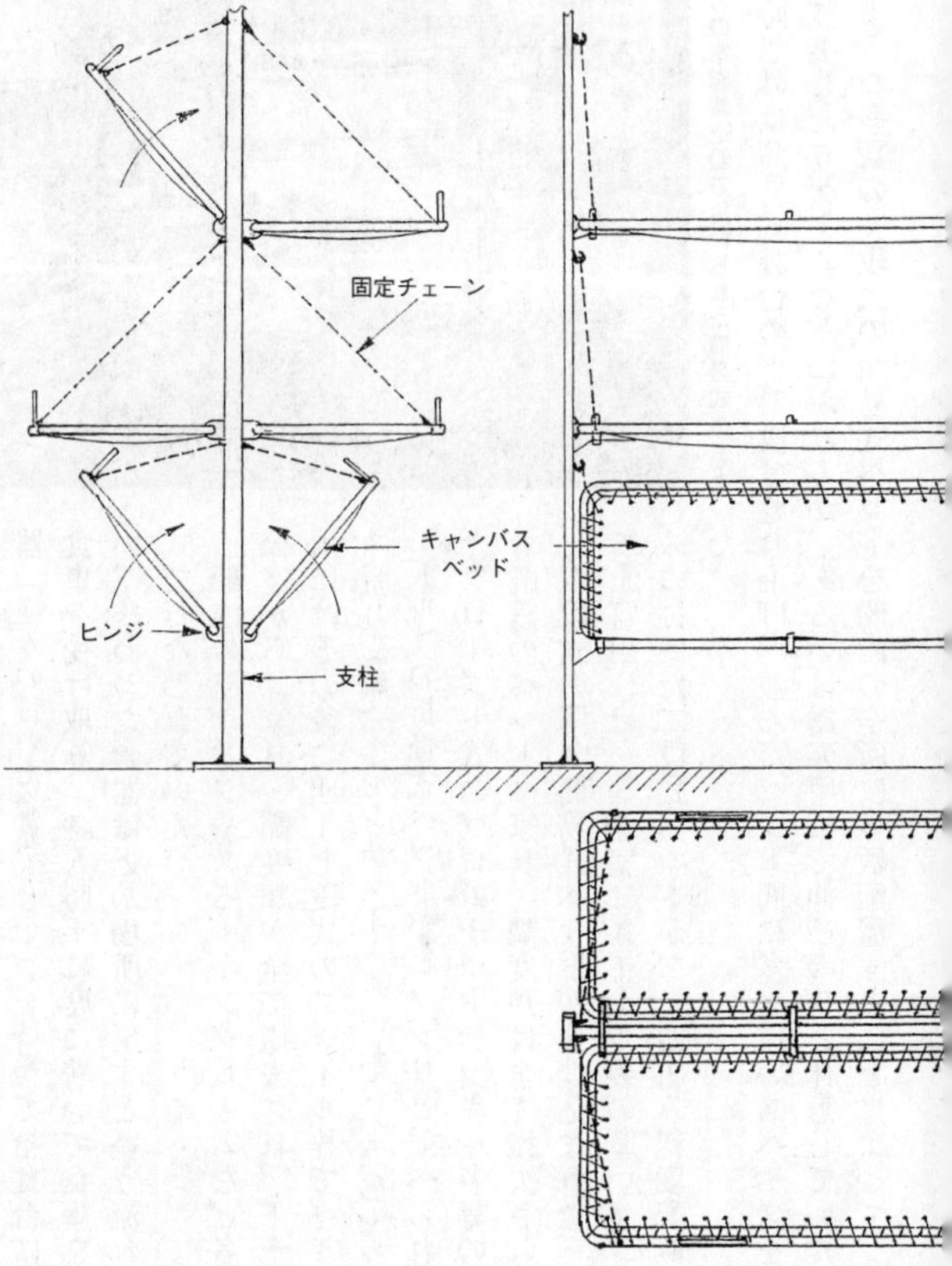

式テーブルと椅子が運び込まれ、食事は各兵員が食器（窪みの付いた金属トレー）を持って給食台に並び食事を受け取り、各人勝手に席に着いて食事を行ない、終わった食器は返却場所に戻すという流れ作業式で行なわれていた。

船内のラウンジやスモーキングルームなど各等の公室からは家具・調度類が全て撤去され、下士官兵用にはその後に四〜七段式のスチール枠でキャンバス張り（幅六〇センチメートル、長さ一九〇センチメートル）の折畳式ベッドがビッシリと並べられ、またクローズド式のプロムナードデッキや各等の船室も既設のベッドや家具・調度類は全て撤去され、三〜四段式の同じ簡易式ベッドが運び込まれた。そして士官用には一等船室にスチール製の厚いマットレスの付いた二段式ベッドが二〜四組み程度配置された。

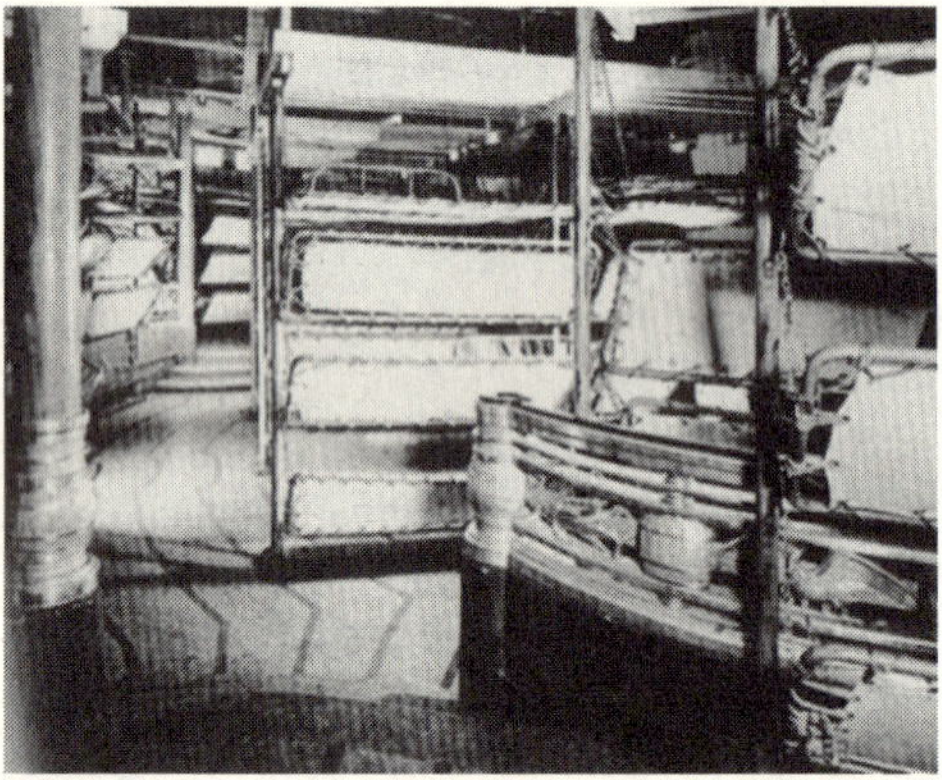
アメリカの軍隊輸送船で用いられた簡易式ベッド

就寝時以外は簡易式寝台の下二段は跳ね上げ、並んだベッド間に多少広いスペースを設け、そこで談笑したりゲームなどにふけるか、あるいは露天甲板で伸びのびと休息していた。

このような多数の多段式の簡易式ベッドを船内の空所に多数配置することによって、一隻あたりの兵員の収容人員は本来の乗客定員の三～八倍を収容することが可能になった。

第21図と写真でアメリカが軍隊輸送船に設置した簡易式ベッドの概念図と、実際の配列の様子を示す。

それでは第二次世界大戦中にアメリカが運用した兵員輸送船について、それぞれの船の規模と姿について説明しよう。

（イ）アメリカの大型客船の場合

第二次世界大戦の勃発直後に完成したユナイテッド・ステーツラインの最新鋭客船アメリカは、アメリカ海事委員会が制定した標準規格客船P２型に相当するもので、二万六四五四総トン、最大出力三万七四〇〇馬力のタービン機関によって最高速力二四ノット以上が確保されたが、最高速力の値が何ノットであったのかは、戦時における徴用を考慮して機密事項とされ公表されなかった。

本船の姿は丸みを持ち頂部に独特の整流フィンを備え付けた二本の煙突を備え、いかにも高速を連想させるスマートなスタイルをしていた。旅客定員は一・二・三等合計一二〇二名で、本船が軍隊輸送船に改装されたときには、合計八一七五名（実際には九〇〇〇人収容）という大量の輸送能力を発揮した。

アメリカは徴用し軍使用になった船の名前は全て改名されるようになっており、客船アメリカは「ウエストポイント」と船名が変わった。

同じくユナイテッド・ステーツラインの大型姉妹客船マンハッタン（二万四二八九総トン）とワシントン（二万四二八九総トン）もそれぞれ船名が「ウエークフィールド」と「マウ

アメリカ

ントバーノン」と変わり、実際の兵員収容数八〇〇〇人の軍隊輸送船になった。

軍隊輸送船ウエストポイントの姿を見れば、一見してその独特な姿に気がつかれよう。つまり本来のプロムナードデッキと船尾ブリッジデッキの両舷側外側には、大型のライフラフト（あらかじめ膨らまされた硬質ゴム製のボート）がズラリと並んでいる。その数両舷で合計七六艘。緊急の際にはこれらライフラフトだけでも少なくとも三〇〇〇人以上の兵員の救助が可能である。

各ラフトは緊急時には直ちに吊り具を切断して海面に投下できるようになっており、裏表どちら側が着水しても使用可能になっている。このラフトは既設の救命艇の収容人員の不足を補うものであるが、仮に救命艇の降下が十分に行なわれない場合でも確実に救助効果を期待できるもので、人命重視の姿勢の一つの現われでもある。

日本の兵員輸送船の場合、過剰なまで過密に兵員を乗せた輸送船（その大半は貨物船）に用意された救助のための設備は、少数の筏と甲板上に積み上げた筏代わりに使う角材や竹の束で、船体が沈没するときにこれらを海面に投下し、海に

ウエストポイント

飛び込んだ兵員がこれらに掴まるだけである。海に飛び込んだ後にこれらの太い浮遊物に掴まろうとすることは実際には困難極まる行為であり、また長時間これらに掴まって浮遊し救助を待てということ自体無謀な発想であり、当時の日米間の戦時における人命に対する姿勢がうかがい知れるのである。

（ロ）旧式大型客船の場合

徴用された客船の中で最も古い船は、一九一六年建造のアドミラルラインのアレクサンダー（八二〇〇総トン）である。この他にも第一次世界大戦直後に建造された一万総トン級の古い規格型客船二四隻の存在は、兵員輸送の上から非常に大きな力となった。

これらの船は太平洋航路用や大西洋航路用に建造が計画された客船で、形状は同一であるが、全長の長短によって502型（一万六〇〇〇総トン）と、535型（一万三八〇〇総トン）の二つのタイプに別れていた。

この二四隻の客船は第一次世界大戦中に建造される予定であったが、戦争の苛烈化によって不急の船として建造が中止されていた。そして戦後の一九一九年に工事が再開され502型七隻、535型一七隻が完成し、アメリカの各海運会社で使用さ

535型

れていた。そして一九四一年に二四隻が揃って徴用され、その収容力を活かして全船が軍隊輸送船に使われることになった。

しかしその間の太平洋戦争劈頭に、アメリカン・プレシデントラインが所有していた502型のプレシデント・ハリソンが香港において日本軍に拿捕され、日本は本船を勝鬨丸として日本陸軍の兵員輸送船として使うことになったのは誠に皮肉であった。しかしこの勝鬨丸も一九四四年九月に潜水艦の雷撃で撃沈されてしまった。

残った二三隻はヨーロッパと太平洋の両戦線向けの兵員輸送に活躍し、一隻あたり四〇〇〇人の兵員を輸送することができたが、なぜか被害が多く、一九四二年十一月の北アフリカ上陸作戦の時に535型二隻がドイツ潜水艦の雷撃で撃沈され、同じく535型一隻がドイツ空軍機の攻撃で撃沈された。また502型二隻と535型一隻が作戦行動中に座礁による海難事故で失われ、P・ハリソンを加え502型三隻と535型四隻が失われてしまった。

アメリカが第二次世界大戦に徴用した七三隻の自国客船の内九隻が失われているが、その中の七隻が同じクラスの客船であったのは偶然とはいえ意外である。

ちなみに大戦中に失われたアメリカ最大の客船は、アメリカン・プレシデントラインの大型客船プレシデント・クーリッジ（二万一九三六総トン）で、一九四二年十月にソロモン作戦に投入するアメリカ陸軍の将兵五〇〇〇人を乗せ、ガダルカナル島の東に位置するエスピリットサント島沿岸に接近中、自国海軍が敷設した機雷に接触し船底を大破して沈没してしまった。

（ハ）中型客船の場合

第二次世界大戦勃発時のアメリカ大陸の交通は、大半が鉄道に頼りそのほかは自動車に頼られていた。しかしアメリカ東北部の海岸地帯の一部は地形が複雑でニューヨークを起点に、ボストンやカナダのノヴァスコチア半島を結ぶ交通や、大陸西部の西海岸方面の南北の長距離の交通には沿岸航路の客船が重要な足となっていた。

これらの航路には五〇〇〇〜六〇〇〇総トン級の中型客船が、イースタン・スチームシップやフライド・マロリーラインなどの海運会社によって運航されていた。しかし一九四一年中頃にはこれらの航路に就航していた客船の大半が徴用され軍隊輸送船として使われることになった。イースタン・スチームの六〇〇〇総トン級のヤーマースなど四隻、フライド・マロリーラインの五〇〇〇〜六〇〇〇総トン級のイロコイやチェロキーなど六隻の客船が徴用された。

これらの中型客船にも公室や船室には兵員用の多段式簡易ベッド配置され、一〇〇〇名〜二〇〇〇名の兵員を積み込んで中距離の兵站基地までの輸送に使われた。

（ニ）鹵獲外国客船や購入外国客船

一九四一年十月から十二月にかけてイタリアの南米航路用の大型客船コンテ・グランデ（二万五六六一総トン）とコンテ・ビアンカマーノ（二万四四一六総トン）の二隻が、寄港先のブラジルとヴェネズエラの港で連合軍側に鹵獲され、その後アメリカに売却された。

また開戦以来ニューヨーク港に避泊していた当時世界最大級のフランスの客船ノルマンジー（八万三四二三総トン）が、一九四〇年六月のフランスの降伏にともなってアメリカが所有するところとなった。またこれとは別にアメリカは一九四二年二月にスウェーデンからクングスホルム（二万一二三三総トン）を購入した。

これらの客船の内でイタリアの大型客船二隻とクングスホルムは直ちに軍隊輸送船に改装されたが、アメリカが最も注目したのは巨船ノルマンジーであった。

アメリカはこの巨船を兵員一万六〇〇〇人を輸送できる世界最大の軍隊輸送船に改装することに決定、船名もラファイエットと決められ、停泊していたニューヨークのフレンチライン専用の埠頭に停泊したまま工事が開始された。

しかし工事開始直後の一九四二年二月、作業員の不手際より酸素溶断器の炎が作業現場に積み上げられていた機材に引火、火災はたちまち全船に広まってしまった。しかし消火は困難を極め、船内に大量に放出された消火用の水は船体の重心位置を狂わし、ノルマンジーの巨体は転覆してしまった。

その後一年以上に及ぶ浮揚作業の末、上部構造物を大幅に撤去された船体は浮き上がったが、本船を軍隊輸送船に復旧する計画は破棄され、航空母艦に改造される案が浮上した。しかし改造には多額の費用を要することや、すでにエセックス級の大型航空母艦の大量建造が軌道に乗り出していたために、ノルマンジーの航空母艦への改造計画は破棄され、戦争終結後スクラップにされてしまった。

結局、世界的な豪華名船ノルマンジーは、北大西洋定期航路への就航わずか四年という短命とその後の悲劇の中で、最強の軍隊輸送船にもなれず果ててしまった。

（ホ）軍隊専用輸送船の場合

すでに述べたとおり、アメリカは一九四一年に兵員輸送のための専用船七二隻の建造を計画し、直ちに実行に移された。そして一九四五年八月の戦争終結までに合計五六隻が竣工し作戦に投入され、一四隻が戦争終結直後に完成している。また二隻が工事途中で建造中止となった。

これらの軍隊輸送専用船の設備は客船を軍隊輸送船に改装したときとほぼ同じ仕様であった。勿論この軍隊専用輸送船は一形式ではなく、全部で六種類のタイプが設計され、それぞれ独特のスタイルの輸送船として完成した。

次にこれら六種類のタイプの軍隊専用輸送船について解説したい。

（ホの一）C3－IN－P&C型軍隊専用輸送船　建造数四隻　一二〇九三総トン　主機タービン、推進器一軸、最高速力一六・五ノット　兵員収容数二〇〇〇名

この船はユナイテッド・ステーツラインのニューヨーク～ロンドン間の定期航路用に建造中の、アメリカ海事委員会規格のC3型貨物船を母体にしたC3P型貨客船であった。

第一船のアメリカン・マーチャントは一九四一年一月に起工され、その後残る三隻の建造にも入ったが、建造途中でアメリカ海軍が購入し、一九四二年九月以降次々と完成したときには、外形は本来計画された貨客船のスタイルをしているものの、内部は完全に軍隊輸送船として完成した。

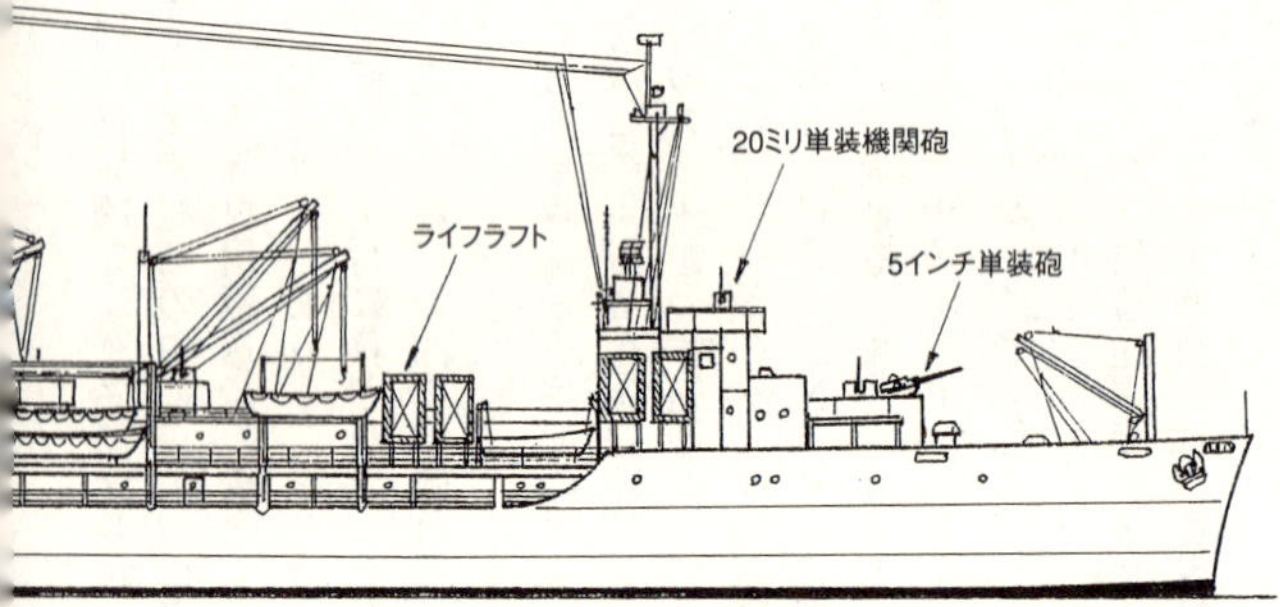

（ホの二）Ｃ３－Ｓ１－Ａ３型軍隊専用輸送船　建造数二隻　一万一九七一総トン　主機タービン、推進器一軸、最高速力一七ノット　兵員収容数二〇〇〇名

本船もＣ３型貨物船を基本にしたＣ３Ｐ型貨客船として建造中であったが、建造途中で海軍が購入し軍隊専用輸送船として完成した。

本船はその後建造された全ての軍隊輸送船の中でも最も上陸強襲艦的な色彩の強い船で、船体中央部両舷には上陸用舟艇を吊るす大型のボートダビッドが各三基ずつ備え付けられており、船首と船尾の甲板のハッチ上にも八～一〇隻の上陸用舟艇が搭載され、上陸地点での兵員の急速上陸を計画した船であったが、多分に試作的意味合いの強い軍隊輸送船であった。

（ホの三）Ｃ４－Ｓ－Ａ１型軍隊専用輸送船　建造数三〇隻（計画三〇隻、大戦中の完成二九隻）　一万六五四総トン　主機タービン、推進器一軸、最高速力一七ノット　兵員収容数三〇〇〇名

最も多数建造された軍隊専用輸送船で、その特徴のある外形から軍隊専用輸送船の中では際立った存在であっ

第22図　C4-S-A1型兵員専用輸送船の外形図

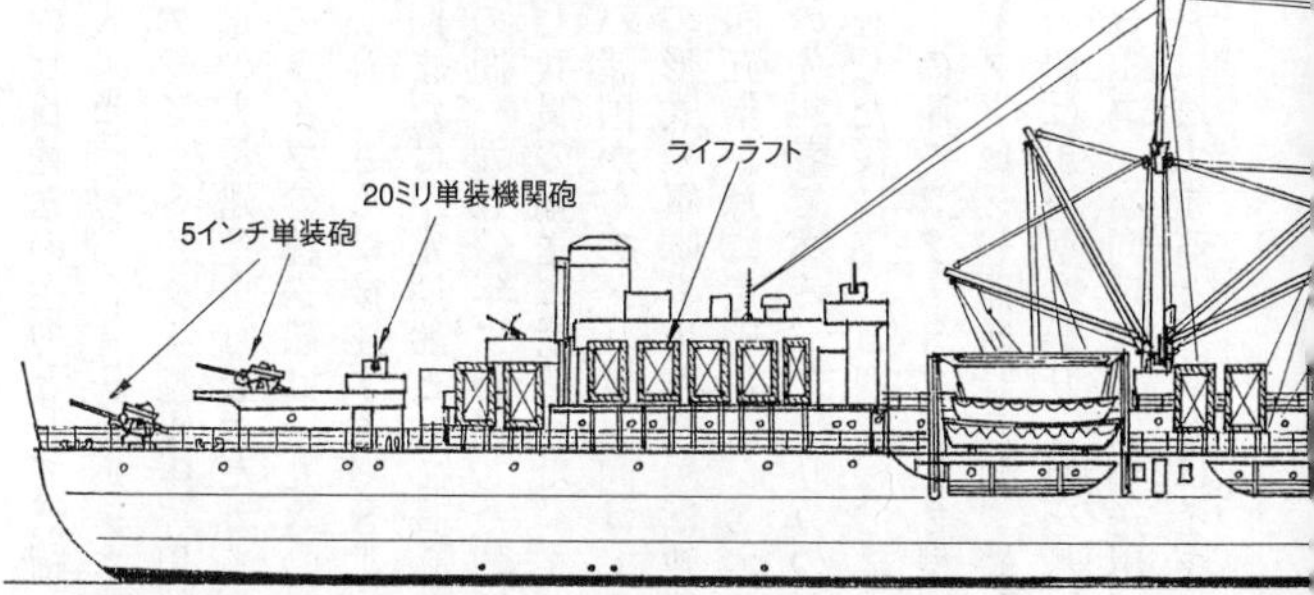

た。

本船はもともとは規格型のＣ４型貨物船の船体をベースに建造された輸送船で、本来の船型は船体中央部に機関室を配置した標準的な貨物船スタイルをしていたが、基本船体の形状や寸法はそのままとし、機関室を油槽船のように船尾に設け、船体の収容容積の最大の位置を兵員の居住施設と貨物倉にし、その代わり船体中央部には目立つような上部構造物を持たないことが外形上の際立った特徴であった。

本船はこの合理的な設計によって、船の規模の割には多い三〇〇〇名の兵員を収容することができ、第一船のジェネラルG・O・スクアが一九四三年十月に竣工後、一九四四年五月までに八隻が完成、さらに九月までに九隻が完成し全てが太平洋戦線に向けての陸軍部隊の輸送に使われた。そしてこれら一七隻はマリアナ上陸作戦やニューギニア西北岸上陸作戦、フィリピン反攻作戦の上陸部隊の兵員の輸送に使われたが、その後さらに八隻が完成し二五隻は全船が沖縄上陸作戦に投入された。

この型の軍隊専用輸送船は後期の太平洋戦線の上陸作

戦時の兵員輸送の主力として活躍し、このタイプによる一度の兵員輸送能力は実に七万五〇〇〇人（当時のアメリカ陸軍歩兵六個師団分に相当）に達した。

このC4-S-A1型軍隊専用輸送船の全ては、リバティー型貨物船やカサブランカ級護衛空母の大量建造を行なったカイザー造船所で行なわれ、戦時中の損害は皆無であった。

このタイプの輸送船は一九六〇年代の初め頃までアメリカ陸軍や海兵隊の軍隊輸送船として使われ、さらに後述するMSTS（Military Sea Transportation Service＝米軍海上輸送機関）の定期または不定期船として長らく使われていた。

この間一九五〇年に勃発した朝鮮戦争では、多くがアメリカ西海岸と日本や朝鮮との間を往復し兵員の輸送に活躍した。また一方では第二次世界大戦直後の一時期、荒廃した西ヨーロッパ諸国からアメリカへ向けての特別移民の輸送にも使われていた。

この形式の軍隊専用輸送船は戦後も長い間一隻も民間に払い下げられることがなかったが、一九四五年二月に完成したジェネラルD・E・オールトマンが一九五八年に海上コンテナー輸送の先駆者である、アメリカのシーランド社に購入され、船体中央部を四五メートル延長工事をした後に、一万四〇〇〇総トンのコンテナー専用船ポートランドに変身している。

（ホの四）P2-S2-R2型軍隊専用輸送船　建造隻数一一隻　一万七八三三総トン、主機関タービン、推進器二軸、最高速力二〇ノット　兵員収容数五二〇〇名

この船は規格型客船P2型を基本船形にした二本煙突の客船型をした輸送船で、建造の目的はヨーロッパ向けの兵員輸送用で、第一船のゼネラルJ・ポープは一九四三年五月に進水し九月に竣工すると、直ちにイギリス駐留の陸軍将兵を満載してイギリスに向かっている。

P2-S2-R2型兵員専用輸送船

その後同型はノルマンジー上陸作戦の開始までに六隻が完成し、大陸侵攻作戦に向けてのアメリカ陸軍部隊の輸送戦力の一翼を担って大西洋を往復した。

一一隻目の最終船が完成したのはヨーロッパの戦いが終結した後の一九四五年六月であったが、全船が太平洋戦線に回航され、アメリカ本国から最前線へ向けての兵員の輸送に今度は太平洋を往復した。

そしてそれも束の間ヨーロッパ戦線の終結後、ヨーロッパに駐留していた膨大な数のアメリカ軍兵員の帰還輸送のために再び大西洋に戻り、大西洋の往復を繰り返した。

この型の軍隊専用輸送船は輸送能力もあり軍専用に使える便利さがあることから、戦争終結後も長らくMSTSの専用船として在籍した。MSTSは一九四七年に発足した組織で、世界中に駐留するアメリカ軍将兵の交代移動や、同じく同伴して駐留する軍人家族あるいは軍属が、アメリカ本土との交通の便として使う輸送手段で、これらの輸送手段が航空機に置き換わりだした一九六〇年代の後半まで、MSTS所属の船はアメリカ軍が駐留する世界中の国々を繋ぐ航路上を航行していた。

もともとこのタイプの船は上甲板以下の舷側には一切船窓がないのが特徴で、そのために軍隊輸送船でありながら、船内は全船にわたってエアコンディショニングされているのが特徴でありまた画期的でもあった。

本船がMSTSの使用船になる場合には、兵員の簡易式ベッドは大幅に撤去されまたより快適なものに交換され、収容人員も五二〇〇名から二〇〇〇名程度に低減されていた。

この低減によって生まれたスペースは簡素ながらも充実した公室（士官用ラウンジ、スモーキングルーム、ダイニングルーム及び下士官兵用のラウンジ、スモーキングルーム、ダイニングルーム）に転用され、また船室の個人当たりの占有面積も兵員専用輸送船の時よりも大幅に拡大されていた。そして将兵の家族が使う場合にはそれぞれの夫の資格（士官か下士官兵の区分）に従って士官用か下士官兵用の施設を使った。

MSTSは軍隊内の移動手段として使われたために、将兵が任務上で乗船する場合は乗船料金は当然無料であるが、家族や軍属などが乗船する場合には同じ行程を一般の客船に乗船する場合に比べ、格段に安い料金で乗ることができた。しかし一般の民間人が乗船することはできなかった。

MSTSの極東の航路例を示すと、シアトル～サンフランシスコ～ホノルル～グアム～横浜～神戸～釜山～仁川～沖縄～マニラ～スービック湾などが主要航路になっていた。

MSTSの船の運航回数も移動手段が航空機に代わりだした一九六〇年から急速に減りはじめ、一九七〇年には運航が中止されてしまった。

読者の中には戦後二〇年以上にわたって、横浜港や神戸港で灰色に塗装された客船とも軍

P2－SE2－R1型兵員専用輸送船

艦ともつかない二本煙突の船を見かけられた方があるかも知れないが、その船の正体はこのMSTSのP2－S2－R2型兵員専用輸送船の戦後の姿であったわけである。

このタイプの軍隊専用輸送船は、本来は戦争終結後は一般客船に転用されることが基本になっていたが、戦後実際に客船に改造されたのは、一九四四年十月に竣工したゼネラルW・P・リチャードソン一隻だけで、一九六〇年にアメリカン・プレンシデントラインに売却され、太平洋航路用の一万八九二〇総トン、旅客定員四五六名（一等のみ）のプレシデント・ルーズベルトとなり、アメリカ西岸と日本経由マニラの航路に就航していたが、すでに時代は旅客機の時代に入っており、定期航路配船は長くは続かず間もなく休止されてしまった。

（ホの五）P2－SE2－R1型軍隊専用輸送船　建造数八隻　一万七一〇〇総トン、主機ターボエレクトリック、推進器二軸、最高速力一九ノット　兵員収容数四六八〇名

本船も規格型客船P2型の船図をベースに建造された

軍隊専用輸送船で、二本煙突の本船の外形は前出のP2-S2-R型に似ているが、主機はターボエレクトリックを採用しているところが違っている。

本形式の軍隊専用輸送船は本来は一〇隻建造される予定で、前出のP2-S2-R型がヨーロッパ戦線向けの軍隊輸送船用に建造されたのに対し、本船は太平洋戦線向けの軍隊輸送船として建造が予定されていた。両形式の外形上の際立った特徴は前者が舷側に一つも舷窓を持たないのに対し、本形式は一般の客船のように舷側に船窓が設けられていることである。

これは熱帯や亜熱帯を主戦場とする太平洋戦線に向かう船として、万一エアコンディショニングに故障が生じた場合の対策でもあった。

第一船のゼネラル・ダニエル・I・サルタンは、一九四四年八月に竣工し、以後一九四五年四月の沖縄上陸作戦までに六隻が完成し実戦に投入されたが、残りの二隻の完成は日本の降伏直前となり、極東方面からの本国への帰還兵の輸送に活躍した。

この形式の最後の二隻は建造途中の段階で戦争が終結してしまった。そのために二隻は船台の上で工事が中断してしまった。しかし一九四六年にアメリカン・プレシデントラインがこの建造途中の二隻を購入、太平洋航路用の客船として完成させることになった。

そして客船として完成したのが有名なプレシデント・クリーブランドとプレシデント・ウイルソン（共に一万五三五九総トン）の二隻で、クリーブランドは一九四七年に、ウイルソンは一九四八年に完成している。

この二隻は太平洋戦争後にアメリカと極東を結ぶ定期航路の客船として一九六九年末まで活躍し、純白と薄紫色に船体の上下を塗り分けられた本船は、横浜港や神戸港では馴染みの

プレシデント・クリーブランド

船となり、当時の日本人に「あこがれのハワイ航路」の思いをかき立てさせたことでも有名な船となった。

（ホの六）C4-S-A3型軍隊専用輸送船　建造数一五隻　一万二四二〇総トン、主機タービン、推進器一軸、最高速力一七ノット　収容兵員数三八〇〇名

この船は前出のC4-S-A1型軍隊専用輸送船と外形が同一であるが、同船の使用実績から船内の配置をより実用的に改良したもので、C4-S-A1型よりも収容兵員数が八〇〇名も増えている。

このクラスの輸送船の船名は、それまでのゼネラル（陸軍大将）やアドミラル（海軍大将）の名前に対して「マリーン（Marine）」の名がつけられているので区別できる。

第一船のマリーン・タイガーは一九四五年七月に竣工、第二船は八月に竣工したが、他の一三隻は全て戦後の完成となり、最後の一五隻目は一九四五年十二月に完成している。

これらの六種類の軍隊専用輸送船には戦時にはそれぞれ建造当初から武装が施されていた。標準的には船首と船尾にそれぞれ三インチ（七・五センチ）速射砲各二門、船体

中央部各所に二〇ミリ単装高射機関砲が一二〜一四門が装備されていた。

なおこの六種類の軍隊専用輸送船はいずれも上陸作戦の最前線に派遣されたが、奇跡的に敵の攻撃で破壊または撃沈された船は一隻もなかった。

（へ）連合国の大型高速巨船

アメリカは第二次世界大戦でイギリス、フランス、オランダなどの既存の大西洋航路用の大型高速客船を、アメリカ軍の兵員輸送用に随時借り受け使用していた。

その中でも際立った存在の客船は、イギリスのキュナードラインの超高速巨船クイーン・エリザベス（八万三六七三総トン、三二ノット）やクイーン・メリー（八万七七四総トン、三二ノット）であった。この両船は戦時中は完全な軍隊輸送船として使われたが、そのために船内の各等の公室や客室内の家具や調度品の全てが陸上の倉庫に仕舞い込まれ、各等の広大なダイニングルームには簡易式のテーブルと椅子が運び込まれ将兵の食堂として使われた。

また多くの一等客室には二段式の簡易ベッドが運び込まれ士官用船室として使われ、残りの客室や公室や広大なプロムナードデッキには多段式のキャンバス製の簡易ベッドがびっしりと配置され、下士官兵の就寝や居住場所とされた。

両船の兵員収容力は他の客船とは一桁違い、一度に陸軍の歩兵一個師団に相当する一万二〇〇〇人〜一万五〇〇〇人規模の将兵を収容することができた。

そして一九四三年七月にはクイーン・メリーが、アメリカからイギリスへ向かうアメリカ陸軍将兵を一度に一万六六八三名も運ぶという一船当たりの兵員輸送記録を打ち立てた。

このときはさすがに全員が一度に就寝するベッド数が不足し、乗船した兵員を二つの班に分け、一つの班がベッドで就寝中は他の班の兵員は起居し、食事をしたり雑談やゲームをして時間をつぶしていた。そして時間が来ると交代でそれまで起きていた班の兵員が、まだ温もりの取れないベッドに潜り込んで就寝した。これを一二時間交代で行なったが、起きている班の食事はさすがに賄い方も対応し切れず、一日二食とされたそうである。

それでも日本の貨物船などに設けられた粗末な設備に、過剰なまでに押し込められて過ごさなければならなかった日本の兵士に比べれば極楽のような輸送方法であった。

両船は巡洋艦並みの二五ノット以上の速力が連続四日間以上も出せるために、護衛艦の随伴自体が無理となり、ほとんどの場合二八ノット以上の高速力による単独航行を行なっていた。

ドイツ海軍の潜水艦もこの両船の撃沈を狙っていたが、速力においてとうてい勝負にならず、また航行が予想される海域に待ち伏せしたとしても攻撃の絶好のタイミングを得ることは、まさに至難の技で、ついに両船は一度も敵の魔手にかかることはなかった。

この二隻以外にもアメリカ軍の将兵の輸送に使われた連合国の大型客船の例としては次のような船がある。

アキタニア	国籍：イギリス	四万五六四七総トン	二四ノット
イル・ド・フランス	国籍：フランス	四万三一五三総トン	二四ノット
ニュー・アムステルダム	国籍：オランダ	三万六二八七総トン	二三ノット
モーリタニア（Ⅱ）	国籍：イギリス	三万五七三八総トン	二三ノット以上
パスツール	国籍：フランス	二万九二五三総トン	二六ノット

アンデス　　　　　　　国籍：イギリス　二万五六八九総トン　二一ノット
他

アメリカが第二次世界大戦で使用した軍隊輸送船は以上であるが、これ以外に例外的な存在の軍隊輸送船が五隻存在する。それは戦時急増のリバティー型貨物船五隻が軍隊輸送船として改造されて使われたことである。

この五隻の軍隊輸送船の外形はリバティー型貨物船の姿そのもので、日本の貨物船の兵員輸送の時と変わらないようであるが、船内の設備に両者には大きな違いがあった。

つまりこの船の場合には貨物倉として使われる中甲板を、日本の場合と同じように兵員用の居住区域として使うが、その内容が全く違うのである。

日本の場合は木製のいわゆる蚕棚を中甲板一杯に作り付け、ここに一坪当たり一〇人以上という、信じられないほどの過密状態で兵員を押し込むが、リバティー船改造の軍隊輸送船の場合は、他の兵員輸送船でも設置されたのと同じ簡易式ベッドを整然と配置し、兵員一人一人の就寝面積が確保され、また十分な照明や換気設備も新たに設置され、簡易式ではあるが食堂や洗面所、シャワーなども完備された完全な軍隊輸送船であった。

第12章　戦場を駆け巡った捕鯨母船第三図南丸の生涯

戦場に狩り出された戦前最大の日本の商船の航跡

捕鯨母船第三図南《となん》丸は第二図南丸と共に戦前の日本最大の商船であった。特に第三図南丸は太平洋戦争が勃発したときには建造後まだ三年半の新鋭船であった。しかし船自体の活動の目的が南氷洋の捕鯨母船という地味な用途であったために、当時の日本最大の商船でありながら一般には目立たない存在の船であった。

しかし建造当初からこの船の存在にジッと注目していたところがあった。日本海軍である。日本海軍は第三図南丸ばかりでなく、同じ日本水産の図南丸や第二図南丸、さらには大洋漁業の日新丸や第二日新丸にも同じく注目の目を向けていた。つまり海軍は一朝有事の際にはこれらの捕鯨母船を油槽船として使う計画を持っていた。

ここで捕鯨母船第三図南丸について話をする前に、日本の近代捕鯨について少し話をしておく必要がある。

日本ではすでに鎌倉時代の十二世紀には太平洋沿岸で手銛を使った沿岸捕鯨を行なっていた。しかしその歴史はさらに遡ることができ、古事記の中には「鯨」が記述として登場しており、万葉集には「鯨（いさな）とり」という言葉が歌の枕言葉に使われていた。

勿論、海外でも捕鯨の歴史は古く、十八世紀には帆船によるアメリカ式捕鯨の全盛を迎えており、十九世紀の中頃にはアメリカの帆船捕鯨船が日本近海を漁場に盛んに捕鯨を行なっていた。そして遠洋に出たアメリカの捕鯨船に対する薪炭の補給や食料の補給、さらには乗組員の休養のために日本の港の開港を要求してきたことが、これが鎖国日本の開国のきっかけの一つになったのである。

結局捕鯨は世界的に行なわれていたことであったが、日本と西欧の捕鯨で決定的に違うことがあった。それは西欧の捕鯨は「鯨油」だけが目的であることに対し、日本は「鯨油」「鯨肉」「鯨皮」「鯨骨」等およそ鯨の全てを無駄なく人間の食生活や一般生活の中に取りいれるために捕獲していることであった。

日本人は古くから鯨肉を貴重な動物性タンパク源として珍重し、獣肉を忌み嫌う習慣が一般的であった中で、江戸時代でも鯨肉だけは「獣肉」と見なされず庶民の食生活の中にまで入り込み、それだけに日本の沿岸捕鯨は盛んに行なわれていた。

明治時代に入ってからも旧来の銛と網を使った日本式の「網取り式」捕鯨が行なわれていたが、この捕鯨方に警鐘が鳴らされた。それは明治中期に多数の手漕式捕鯨船（小型の和船）が暴風雨に遭遇し、一一一名という大量の遭難者を出した事件がきっかけとなり、日本式捕鯨方法は一気に衰退し、新しくノルウェーから導入された捕鯨砲による捕鯨に変わった。

一八九九年（明治三十二年）に日本最初の鋼鉄製の捕鯨船第一長州丸（一二二総トン）が建造され、近代捕鯨の第一歩が印され日本の捕鯨は一気にノルウェー式に変わった。

その後一九〇七年（明治四十年）に日本で初めての捕鯨を主業とする大日本捕鯨株式会社が設立された。その後同社は一九三四年に南氷洋捕鯨も業様に加えた日本捕鯨株式会社へと変身するが、同時にノルウェーから捕鯨母船アンタークティック（九八〇〇総トン）と捕鯨船（キャッチャーボート）五隻を購入し、早くもこの年に南氷洋捕鯨を行なった。

一九三四年から三五年にかけての南氷洋捕鯨の成果は二一九頭であった。その後捕鯨母船アンタークティックは図南丸と改名され、日本捕鯨は本格的な南氷洋捕鯨を展開する計画を練り出した。そして、その一つとしてノルウェーから捕鯨母船やキャッチャーボートの図面を購入し、日本の造船所で独自に捕鯨母船やキャッチャーボートの建造を開始することにしたのである。

一九三七年に日本独自の設計による第二図南丸が日立造船の大阪桜島造船所で竣工した。そして同年五月に姉妹船の第三図南丸を同じ造船所で起工し、翌一九三八年九月に完成した。

第二図南丸は一万九二六二総トン、第三図南丸は一万九二〇六総トンとほとんど同じ大きさであるが、それまで日本最大の商船であった日本郵船のサンフランシスコ航路用の客船鎌倉丸（一万七四九八総トン）を抜き、それまで日本で建造された最大の商船であることに間違いはなかった。

両船を建造中に日本捕鯨株式会社は現在に至る日本水産株式会社に社名が変更され、業様も捕鯨ばかりでなく遠洋トロール業、遠洋底引き網漁、遠洋延縄漁、さらには様々な水産加工業も行なう総合水産会社に成長した。勿論この時期にはライバルの大洋漁業や極洋捕鯨等でも大型捕鯨母船を建造していたが、大きさにおいては第二・第三図南丸に一歩及ばなかった。

日本水産の三隻の捕鯨母船を擁した南氷洋捕鯨の成果は目覚ましく、一九三八年度出漁では鯨の捕獲頭数は合計三二五五頭、一九三九年度出漁の捕獲頭数は合計三三八四頭、一九四〇年度出漁の捕獲頭数は実に四四五三頭の成果を挙げた。

図南丸、第二図南丸、第三図南丸の三隻の捕鯨母船は、他社の捕鯨母船と同様に南氷洋の出漁以外の五月から九月までは一部北洋への捕鯨にも出漁したが、多くは石油輸送のために油槽船としてアメリカ西海岸と日本の往復航海をしていた。大洋漁業や極洋捕鯨の捕鯨母船も同じく南氷洋の漁期以外は油槽船として活躍していたのであるが、この事実は当時は関係者以外にはほとんど知られていないことであった。しかし一九四一年にアメリカが日本向けの石油の輸出を禁止すると他の日本の油槽船と共に石油輸送を中止せざるを得なくなった。

ここで捕鯨母船が油槽船として使われることに疑問を感じるかも知れないが、もともと捕鯨母船の役割は鯨の解体作業と鯨油の採取にあって、広大な上甲板の上では引き上げられた鯨の解体を行ない、一部の鯨肉や内臓さらに分厚い皮などは、上甲板で切り刻まれた後に一段下の中甲板に送り込まれ、そこに装備された何台もの採油機にかけられ鯨油を採取し、採取された鯨油はさらに下の大容量の鯨油タンクに貯蔵されるのである。勿論、解体の間には食用の鯨肉も切り分けられ、これは船団に随伴する専用の冷凍船に移し変えられ帰国まで冷凍保存されるわけである。

つまり大きな容積を持つ捕鯨母船の船体の下半分は大容量の鯨油タンクになっているために、鯨油を積み込む以外に石油を積み込むことも可能なわけで、第二・第三図南丸の場合には一万五〇〇〇トン以上の石油を積むことが可能であったのである。

ちなみに鯨油と石油は同じタンク内に積み込まれるが、その用途のたびにタンク内は大々的にクリーニングされるので、両方の油が混合する心配はなかったのである。

戦前の日本の南氷洋捕鯨は一九四〇年の出漁までで、一九四一年度の出漁は戦争の勃発の危険があり中止されている。そして日本の捕鯨母船の全てが、出漁が中止になった直後の一九四一年十一月に海軍に徴用された。目的は海軍の特設輸送艦として使われるためである。捕鯨母船が特設輸送艦として徴用されることが不思議であるが、海軍は捕鯨母船を特設給油艦として使うことが目的であった。ただ捕鯨母船は高速ではないために艦隊や戦隊随伴の給油艦としては使えず、石油産地から日本基地への海軍用の石油輸送や、石油基地から艦隊の拠点基地までの石油輸送に使われることになった。

ここで第三図南丸の活躍を紹介する前に第23図によって捕鯨母船の構造について説明しておきたい。

捕鯨母船は鯨の解体と区分、鯨油の採油を行なう海上の一大工場である。世界最大の哺乳動物であるシロナガスクジラの場合その全長は二七メートルに達し、体重は一〇〇トンを超える。

捕獲された重い鯨の巨体は捕鯨母船の船尾の取り入れ口から、巨大なクロー（鯨の尾の付け根を挟む鉗子）で挟まれてスロープを伝って母船の上甲板に引き上げる。母船の上甲板は船尾のスロープの頂上から船首方向にかけて全長八〇メートル、全幅二二・六メートルの広大な傾斜のない甲板になっており、この部分にはさらに厚い一枚板を何枚も重ね並べた「ま

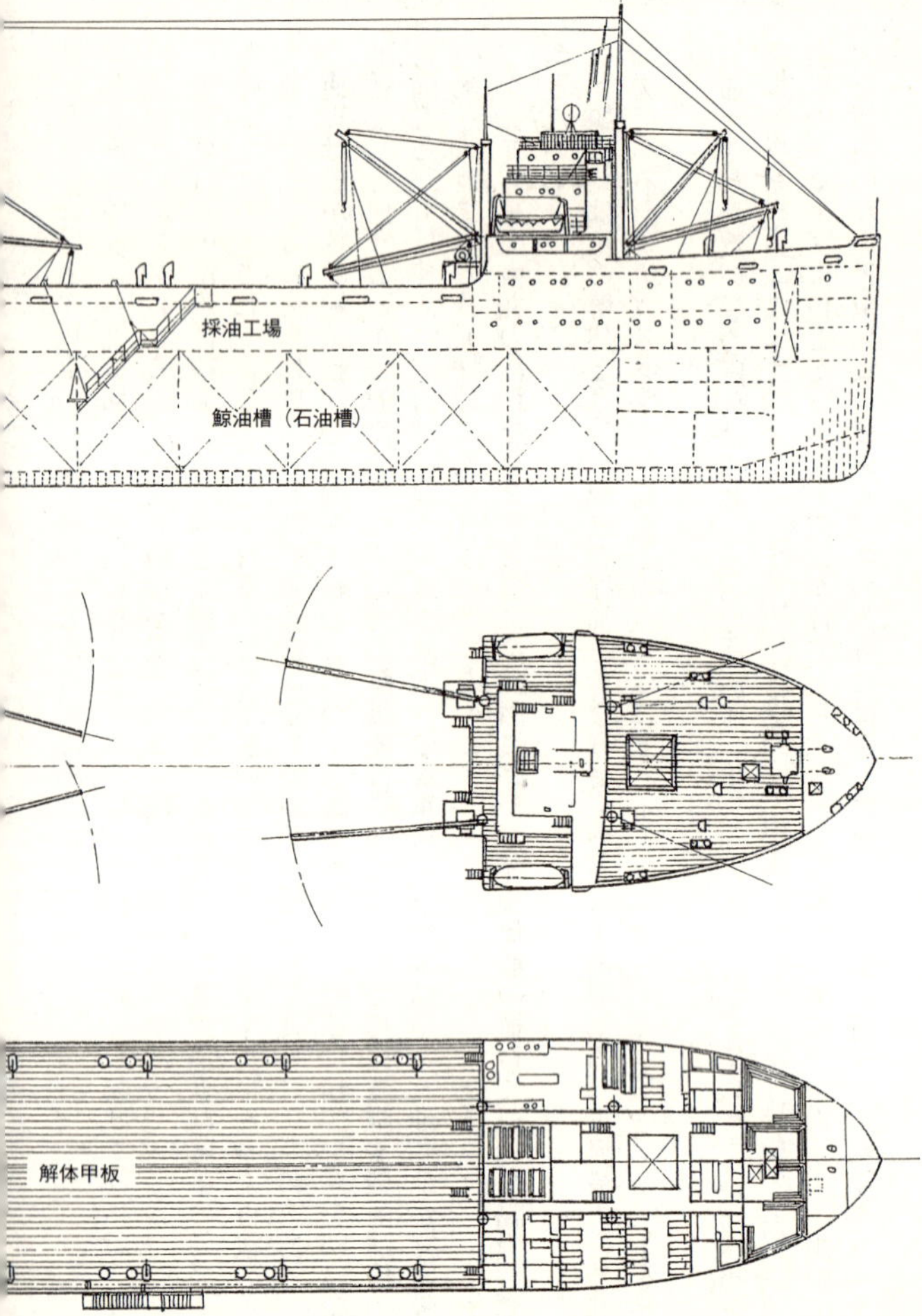
採油工場
鯨油槽（石油槽）
解体甲板

第23図　第三図南丸の一般配置図

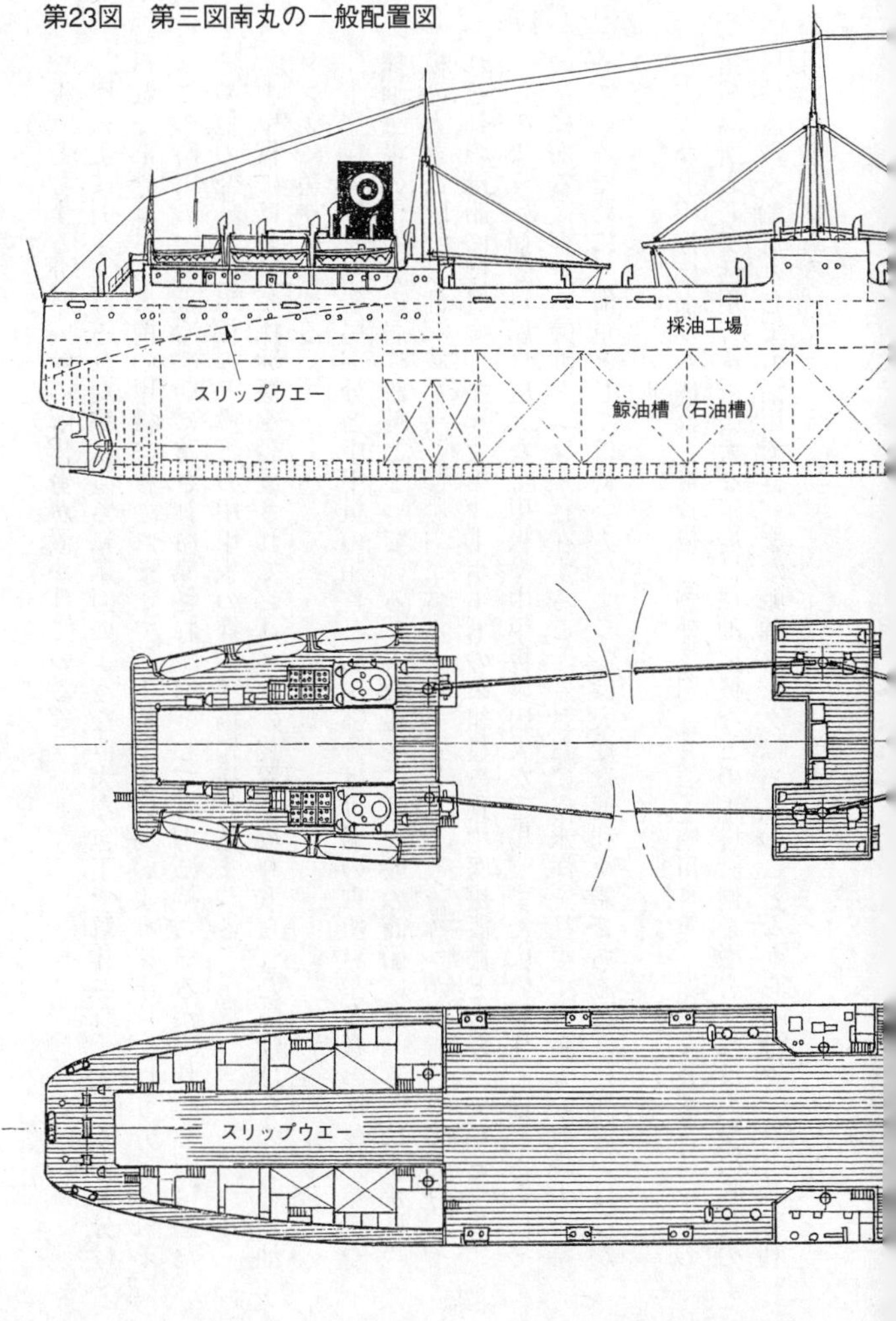

な板」と称する分厚い鯨の解体台が置かれている。

甲板上に引き上げられた鯨は直ちに薙刀のような巨大な包丁で解体され、大きく切り分けられた部分はさらに前の甲板に移されそこで後工程で扱い易いように小片に切り分けられる。

この時肉の一部は冷凍船に移され冷凍され鯨肉として日本に持ち帰るが、骨等を別にしたその他の部分は上甲板の一段下の中甲板の採油工場に送り込まれる。

中甲板には多数の採油機が設置されており、この装置で絞り取られた鯨油はその下の鯨油タンクに送り込まれる。

上甲板の船首と船尾部分と中甲板の船首と船尾部分は母船の乗組員や多数の解体作業者や採油工場の作業員の居住設備となっている。また船尾には一般の商船に比べるとはるかに規模の大きな医療設備（診察室、処置室、手術室、病室、レントゲン室等）が配置されており、それぞれの母船に付属するキャッチャーボートの乗組員の集中医療設備ともなっている。

このように捕鯨母船は広大な上甲板や中甲板の広大な工場、また広い居住設備、さらにその下にある大容量の鯨油タンクが存在すること、さらに南氷洋を往復する長大な航続力を持っているために、海軍としては使い方によっては大変に便利な船であることに間違いはなかった。

広大な上甲板は様々な機材（飛行機、戦闘車両、糧秣、上陸用舟艇、火砲、各種機材等々）の搭載場所として活用でき、広大な工場は採油機械などの工場設備を撤去すれば大量の兵員の居住区域や船倉としても活用でき、また鯨油タンクは当然のことながら石油タンクとして利用できるのである。

第三図南丸は一九四一年度の南氷洋出漁中止が決定された直後の一九四一年十一月に海軍に徴用された。そして直ちに兵員輸送船としての改装が始まり、南方侵攻作戦の一翼を担って海軍の要員の輸送に投入されることになった。

そして第三図南丸の最初の任務は一個連隊の陸軍部隊を、ボルネオ島北岸に位置する石油の一大産地と製油施設があるミリへ奇襲上陸させるための兵員輸送であった。ただこの陸軍部隊の任務は重大で、ミリを制圧すると直ちにそこに所在する飛行場に海軍の第二十二航空隊の陸上攻撃機を進出させる予定になっており、この航空隊はマレーやジャワ方面攻略作戦に際して重要な存在になる予定になっていた。

この上陸作戦後、第三図南丸は強力な輸送能力を遺憾なく発揮し、パラオ島やヤップ島、サイパン島やトラック島などいわゆる内南洋に配置された日本海軍の根拠地隊への要員の輸送や様々な物資の輸送に使われていたが、その間日本へ向かう場合にはシンガポールやボルネオ島のミリやバリックパパン等の石油積み出し基地から石油を満載し、毎回一万トン以上の石油を日本の海軍徳山燃料廠等に運び込む給油艦の任務を果たしていた。

第三図南丸はソロモン方面の戦闘が激化するにともない、ラバウルやカビエン方面の海軍航空隊や根拠地隊向けの物資輸送も行なったが、この場合は日本からソロモン方面への物資輸送が終わるとシンガポール方面へ回航し、その地より石油を満載して日本に戻っていた。

この間の一九四二年十月十二日、ニューアイルランド島北端のカビエン泊地付近で敵潜水艦の雷撃を受けた。この雷撃で船体左舷後部水面下が破壊され激しく浸水し、機関は完全に運転不能となった。しかし浸水は機関室のみで食い止められ、十分に浮力のある第三図南丸は船尾を沈下した状態で泊地で応急修理を受け、機関室の浸水も排水した後、大規模な現地修理を行なうためにトラック島まで曳航された。

第三図南丸はトラック島に派遣されていた工作艦「朝日」の応援を受けて本格的な修理が行なわれ、一ヵ月後には機関の修理も終わり自力航行が可能になった。そして一九四三年一月にはシンガポールに回航され、石油を満載して日本に帰還している。

その後の第三図南丸は以前と同じく南方の激戦地へ向けての物資や要員の輸送を続け、その帰途にはシンガポールから石油を満載して日本に帰還するという任務を続けていた。

ところがその最中の一九四三年七月二十五日に第三図南丸は希有の珍事を体験している。この日、同船はトラック島の西方を単独で航行中に米潜水艦ティノサの雷撃を受けた。最初の攻撃で第三図南丸の船体後部左舷に二本の魚雷が命中した。しかし二本の魚雷は水面下の舷側に突き刺さったまま爆発しなかった。

ティノサは二回目の攻撃を行ない、今度は二発の魚雷が機関室の左舷水面下の舷側に命中した。しかしまたしても一発不発で舷側に突き刺さったままとなったが、もう一発は爆発した。このために機関室の左舷舷側は大きく破壊され機関室は再び浸水してしまった。

しかし以前の結果と同じく第三図南丸は一発程度の魚雷で沈むような船ではなかった。怒り狂ったティノサの艦長はさらに第三図南丸に魚雷を発射したが、その数実に一五発。そしてその中の一一発が第三図南丸に命中したのだが、爆発したのは機関室に命中した一発のみ。

残りの一〇発は全て不発で、第三図南丸の水面下舷側には一〇本の魚雷が串のように突き刺さったままとなった。

同船はトラック島から救援に駆けつけた軽巡洋艦「五十鈴」に曳航され無事にトラック島の環礁内にたどり着くことができた。第三図南丸の水面下の姿は実に珍無類の姿であり、その後、誰いうともなく花魁のカンザシになぞらえて「花魁船」の仇名がつけられた。

第三図南丸は一年も経たない間に二度も工作艦「朝日」の世話になることになったが、二度にわたる被雷による機関室の破損状況は厳しいものとなり、修理には予想以上の日数が費やされた。そしてこの間に同船の巨大な鯨油タンクはトラック島の臨時の燃料貯蔵タンクとして使われることになった。

シンガポールやボルネオ方面から送り込まれた艦艇用燃料は第三図南丸の鯨油タンクに送り込まれ、トラック島に寄港する艦艇は第三図南丸から給油を受けて出撃していった。

その間、同船の機関室の修理は続けられ、四ヵ月後の一九四三年十一月に航行可能になった第三図南丸は一旦日本に帰還し、再び南方方面へ向けて要員や物資輸送に狩り出された。そしてそのような中の一九四四年二月十日、同船はラバウル方面向けとトラック島方面向けの補充物資や補充要員を積み込んで呉を出向した。

第三図南丸がトラック島の泊地に入ったのは二月十七日、この日トラック島は航空母艦九隻、搭載機合計六二〇機から成るアメリカ海軍第五八機動部隊によって突如、急襲された。数波に分かれて来襲した敵機は環礁内に停泊中の多数の艦船を襲った。攻撃は翌十八日も続いたが攻撃は全くの奇襲であった。このためにトラック島基地の海軍戦闘機のほとんどは迎撃の暇もなく地上で撃破され、トラック島在駐の海軍機は壊滅してしまった。

また環礁内に在泊していた多数の艦船もほとんど全てが撃沈されてしまった。その数軽巡洋艦二隻、駆逐艦四隻、特務艦一隻、商船（特務艦船を含む）三〇隻、合計一九万二〇〇〇総トンという膨大な損害であった。そしてその中の一隻に日本から到着したばかりの第三図南丸が含まれていた。

この日の攻撃で同船は船橋付近に二発の直撃弾を受けて炎上、さらに船体後部舷側付近の海中で爆発した数発の至近弾の爆発によって水面下舷側に多数の破口が生じ、三度機関室に浸水、その後浸水は激しくなる一方で二月二十日になり第三図南丸は力尽きて水深四〇メートルの海底に沈んでしまった。この攻撃によって第三図南丸は乗組員三五名の犠牲者を出すことになってしまった。

太平洋戦争直後の日本は深刻な食料難に襲われていた。しかしそのような状態も、海外からの復員引揚者の農家への復帰などによって貴重な農業労働力が回復し始め、また一方ではアメリカからの小麦粉やその他食料の救援などによって、徐々にではあるが食料不足の危機は緩和され始めていた。

しかし肉類を中心とした国民のタンパク源は絶対的に不足していた。その中で戦後占領軍最高司令部の同意の下で直ちに準備されたのが南氷洋の捕鯨の再開であった。つまり鯨肉を大量に獲得することによって国民の動物性タンパク源の不足を補おうとしたのであった。

終戦翌年の一九四六年十一月には、日本水産と大洋漁業が二次型戦時標準船を改造した一万総トン級の捕鯨母船橋立丸と日新丸を準備し、南氷洋捕鯨を再開した。

しかしこの二隻は小型に過ぎ、捕鯨母船としての能力に不足があった。そこでにわかに浮上したのがトラック島に沈んだ第三図南丸を引き上げ修理し、捕鯨母船として再就航させる

図南丸（もと第三図南丸）

ことであった。一方、姉妹船の第二図南丸は一九四四年八月に中国沿岸の舟山列島沖で雷撃で撃沈されたが、中国との国際上の問題や浮上作業が困難であることから、浮上計画は当初から断念されていた。

第三図南丸の再就役についてはまずその浮上の可否から調査せねばならず、早速調査団がトラック島に向けて出発した。そして潜水調査の結果では船体の破壊の程度は予想以上に少なく、沈没場所も水深四〇メートルという浅海であるために浮揚作業は可能と判断された。

同船の浮揚作業は播磨造船が担当することになったが、一つだけ困難が予想される問題があった。それは船体が上下逆になって海底に沈んでいることで、浮揚に際してはこの反対になった船体を反転させるという複雑な作業を同時に成功させなければならなかった。

しかしこの困難な作業は見事に成功し、浮揚した船体は一九五一年三月にトラック島から日本に向けてのはるか三七〇〇キロメートルの曳航作業が開始された。

曳航は日本水産の油槽船玉栄丸が担当し、無事に瀬戸内の播磨造船相生造船所までの曳航に成功したのであった。そしてその後の六ヵ月にわたる突貫改修工事の結果、第三図南丸は旧来の捕鯨母船の姿に復旧したのである。そしてこの改修工事の際に機関はそれまでのレシプロ機関から蒸気タービン機関に換装された。

一九五六年十月末、戦後第六回目（第六次）の南氷洋捕鯨船団の捕鯨母船の一隻として第三図南丸は参加することになった。ただこのとき船名は、かつての僚友の図南丸も第二図南丸も戦禍で失われてしまっているために、改めて「図南丸」と改名されている。

以後図南丸は南氷洋捕鯨船団の一角を守り長らく活躍した。この間の一九五九年には鯨資源の確保のために、それまでの世界の捕鯨船団が捕獲頭数を競ったいわゆる「オリンピック方式」を廃止され自主宣言出漁が開始されたが、一九六二年には捕獲頭数が国別割当制となり、さらに一九六三年のザトウクジラに始まりシロナガスクジラ、ナガスクジラと鯨の種類による捕獲禁止が始まり、国際捕鯨委員会（ＩＷＣ）の権限は年を追うごとに厳しさを増し、日本の南氷洋捕鯨にも大きな転機が訪れた。

この環境の中、図南丸は一九五一年の第六次捕鯨から第二十次捕鯨までの一四年間、南氷洋の往復を続けた。その後一九六七年から一九七〇年の間には四回の北洋捕鯨に出漁したが、途中七年間の海底沈座暮らしを加え実に三二年間という長寿の活躍を続けたが、一九七一年に惜しまれながら解体された。

筆者を含め現在六十歳代以上の日本人のほとんどは、戦後のおよそ一〇年間は食膳の肉といえば鯨肉を指していたことを思い出すであろう。そしてその中の多くは歴戦の図南丸が遠く南氷洋で処理した鯨肉であったことを思うと、感慨もひとしおである。

第13章　連合国商船隊、極北の天王山戦

ソ連救援船団とドイツ海空軍の戦いの分岐点

一九四一年六月、ドイツの陸軍部隊と空軍部隊が大挙してソ連邦の西の国境線を超えてソ連領内に侵入してきた。全くの油断をつかれたソ連軍は敗走に次ぐ敗走を続け、防衛戦線を築くいとまもないままドイツ軍のソ連国内への侵入を許し、一九四一年十二月にはソ連の首都モスクワも陥落寸前の状態に陥った。

しかし例年になく早く訪れた厳寒の冬将軍が全戦線総崩れ状態のソ連軍を立ち直らせた。厳寒に対する装備が整っていなかった侵攻ドイツ軍は、全軍の行き足が突然止まってしまった。厳寒の冬将軍はドイツ軍の将兵一人一人を凍えさせ、戦闘力を取り上げてしまったのであった。

この例年にない厳寒は一九四一年十一月から翌一九四二年三月まで続いたが、この期間はソ連の地上軍や空軍部隊に立ち直りの時間を与えた。

太平洋戦争の勃発によって日本軍の全勢力が当面は南方方面に差し向けられたために、ソ連はドイツ軍の怒濤の侵攻に呼応して日本軍が満州からソ連領内に侵入して来る気配はなく

なったと判断し、この厳寒の時期にも関わらず、極東配備の最強の陸軍部隊でもあるザ・バイカル軍の総力を西部戦線に移動させ、春と共に展開されるであろうドイツ軍の攻勢に備えた。また旧式化していたソ連空軍の航空機や陸軍の戦車に代わり、新鋭の戦闘機や攻撃機あるいは新型の戦車の開発と量産に拍車をかけると共に、ドイツ軍の攻勢で失った大量の兵器や武器弾薬や航空機、さらに航空機の生産にはなくてはならない大量のアルミニウム等の原材料の供給を、ソ連のスターリン首相はアメリカとイギリスに声高に要請した。

スターリン首相の要請はすでに一九四一年七月にはアメリカのルーズベルト大統領やイギリスのチャーチル首相に伝えられていたが、米英両国は当面の敵ドイツを打ち倒すという共通の目的を是とし、スターリン首相の要請に応えることにしていた。

ソ連救援の物資を送り込むには当時三通りの方法が考えられていた。第一の方法はアメリカ西海岸の港からソ連の極東の港（ウラジオストックやナホトカ）に船で救援物資を運び、そこから遠路シベリア鉄道を使ってソ連西部へ送り込む方法、第二の方法はアメリカやイギリスから救援物資を船でペルシャ湾方面の港に運び込み、そこから鉄道を使ってソ連へ持ち込む方法、第三の方法は救援物資を船で大西洋から極北のバレンツ海を経由し、ソ連の極北の港（ムルマンスクやアルハンゲリスク）へ運び込む方法であった。

これらの三つの救援ルートの中では、険悪な状況が続く日米の関係から日本領の宗谷海峡・津軽海峡・対馬海峡のいずれかを通過しなければならない第一のルートは、完全に選択肢から外れることになった。また第二のルートはペルシャ湾岸の港からソ連領に向かう鉄道のほとんどが整備不良で、大量の物資を運ぶ能力はないに等しく選択肢から外された。

結局残るのは第三の大西洋・バレンツ海を経由した船舶による輸送方法であった。しかしこの方法にも重大な問題があった。その一つは輸送途中の商船に対するドイツ潜水艦の猛攻であった。またバレンツ海のコースは、ノルウェー北岸方面に設けられたドイツ空軍基地の空軍機の攻撃行動範囲内にあり危険性大であった。またノルウェー北西岸にはドイツ水上艦艇の基地が設けられており、バレンツ海を航行する船舶はこれらの基地から出撃するドイツ水上艦艇の攻撃を受ける可能性が大であった。

しかし危険性を考慮しても成功と効果の公算が最も高い方法として第三の大西洋・バレンツ海経由のルートを選択するしかなかった。ただしこのルートで輸送を行なうには救援物資を運ぶ輸送船団には強力な護衛を付ける必要があった。

しかしここに問題があった。一九四一年七月の時点ではアメリカはドイツに対して宣戦を布告しておらず、アメリカ国籍の輸送船は使えても強力なアメリカ海軍の艦艇を護衛に付けることはできなかった。そのためにこれらの船団の護衛はイギリス海軍が全責任を持って行なう必要があった。しかし護衛艦が絶対的に不足するイギリス海軍は、ドイツ潜水艦の自国商船に対する猛攻に十分な対応ができない状態にあり、その上さらに他国の救援のための輸送船団の護衛のために不足する護衛艦艇を割くことは、複雑な心境以前の感情を抱かざるを得なかった。事実ソ連はこの自国を救援してくれる船団の護衛に、自国の艦艇を割こうとする意志はほとんど持っていなかった。

一方、ソ連の英米両国に対する救援の要請は、要請よりもむしろ強引な要求となっていたが、ドイツ攻撃という大局的な見地から米英の両首脳は万難を排してでもソ連救援を実施する意志は固めていた。

結局、大西洋・バレンツ海経由のソ連救援の船団の運航は一九四一年八月の第一陣を皮きりに断行されることになったが、この救ソ船団は連合軍側の各種船団を整理分類する上で、「ＰＱ」の名称で呼ばれることになった。

ＰＱ船団は一九四一年八月のＰＱ１船団が第一陣となったが、この頃は毎回貨物船一〇隻程度の小規模な船団であり、少ない護衛艦艇を随伴させた状態であったが、被害は予想外に少なかった。

当時のドイツはこのＰＱ船団の重要性を十分に理解していなかった。しかし航行するＰＱ船団の規模が次第に大きくなっていくにしたがって、ドイツ側はこの船団の重要性と将来への影響に考えが及ぶようになっていった。

一九四二年二月頃からドイツ軍はノルウェー北岸一帯の防備の強化を図り始めた。勿論、防備の第一の目的はイギリス軍によるノルウェー北岸方面からの反攻に備える要素が大きかったが、ＰＱ船団の攻撃も視野に入れた備えでもあった。

具体的にはドイツ空軍は一九四二年六月までに、バレンツ海に面するノルウェー北岸沿いの数箇所に航空基地を開設し、一五〇機前後の双発爆撃機による雷・爆撃隊や急降下爆撃隊を進駐させていた。特にこれらの基地にはドイツ空軍の雷撃隊が集中的に集められているのが特徴で、バルト海沿岸の基地で艦船に対する雷撃訓練を十分に受けてきた飛行隊が進出していた。

一方、海軍はほぼドイツ海軍の水上艦艇の全力に近い主力艦や駆逐艦さらには一〇隻前後の潜水艦を、ノルウェーのフィヨルド内の数箇所に設けた基地に集結し、大西洋やバレンツ海方面への出撃に備えていた。

一九四二年三月の時点ではドイツ海軍最新鋭の巨大戦艦ティルピッツやポケット戦艦ルッツオとアドミラル・シェーア、重巡洋艦アドミラル・ヒッパー等が勢揃いしていた。

つまりドイツは一九四二年の春以降は、バレンツ海を航行するPQ船団を断固殲滅するだけの兵力を表向きは整えていたのであった。

事実一九四二年三月に実施された二〇隻から成るPQ13船団は、ドイツ潜水艦と航空攻撃によって輸送船五隻撃沈というこれまでにない損害を出すことになった。

その後四月と五月に実施されたPQ14、PQ15両船団ではバレンツ海の天候がイギリス側に味方し、輸送船の損害は四隻のみですんだ。

ところが五月末に実施されたPQ16船団ではドイツ空軍機の雷撃と爆撃を受け、輸送船撃沈七隻という過去最大の損害を出すことになった。

そして七月に実施された、PQ船団としては過去最大規模の三六隻の貨物船で編成されたPQ17船団は、多数の護衛艦艇とイギリスの支援艦隊の援護を受けながら、バレンツ海をソ連の極北の港アルハンゲリスクへ向かった。

ところがイギリス海軍は途中で、「強力なドイツ水上艦隊が出撃した」という誤認情報によってバレンツ海を航行中の船団を解散させ、各輸送船は独自にアルハンゲリスクへ向かう命令を出し、その上全護衛艦艇の船団護衛からの引き上げを命じてしまった。

イギリス海軍が巨大戦艦ティルピッツを主軸にした強力なドイツ水上艦隊の出撃を恐れた

あまりの誤認と誤判断であった。

護衛艦艇のいなくなったその後のPQ17船団は哀れを極めた。ドイツ潜水艦と航空機によるなぶり殺しに近い攻撃によって船団の輸送船二四隻が撃沈されてしまった。

このときの攻撃の主体はドイツ空軍の爆撃機と雷撃機であっただけに、ソ連救援船団にとってノルウェー基地の一〇〇機を超えるドイツ爆撃機（ハインケルHe111及びユンカースJu88爆撃機）は危険極まりない存在で、輸送船が航空機の攻撃を撃退しても、あるいは傷ついたまま航行を続けても、次にひかえているのはドイツ潜水艦の待ち伏せであることを、イギリスとアメリカはPQ17船団の被害で思い知らされたのであった。

PQ17船団の撃沈された二四隻の輸送船の中の一四隻がアメリカの貨物船であったことは、アメリカにとって大きな衝撃であった。激増する商船の損害に対して、この時期アメリカでは戦時急増貨物船であるリバティー船の急速建造がようやく軌道に乗り出した時期であったが、この一四隻のアメリカ貨物船の中には早くもリバティー型貨物船が含まれており、この先続くであろう北大西洋のドイツ潜水艦と連合軍輸送船団との苦闘が予告された。

PQ17船団の悲劇はイギリスとアメリカにとっては衝撃が大き過ぎた。このときこの船団でソ連向けに輸送中であった物資は、戦車五九四両、各種戦闘車両四二四六両、分解し木枠詰めされた戦闘機二九七機、大量のアルミニウムインゴット等であったが、船と共に沈んだのは戦車四三〇両、各種戦闘車両三三五〇両、戦闘機二一〇機、そして大量のアルミニウムインゴット等であった。

PQ17船団の大損害は、アメリカとイギリスにソ連救援物資の輸送を躊躇させる結果となったが、ソ連のスターリン首相はまるで恫喝まがいにチャーチル首相とルーズベルト大統領を責め立て、至急のソ連援助を求めてきた。

しかしこの時期のアメリカとイギリスはソ連救援の船団を送り出すには状況があまりにも悪すぎた。一九四二年十一月を決行時期とする北アフリカ上陸作戦のために艦船の準備が迫り、その一方では太平洋戦線ではソロモン諸島を巡る日米の激戦が続いており、戦線を優勢に立て直すためにも航空母艦を中心に多くの艦艇が必要でもあり、イギリス海軍もアメリカ海軍もＰＱ17船団の反省から、ソ連救援の船団に多くの護衛艦艇を随伴させる必要性を認識していながら、それに割くだけの十分な護衛艦艇が不足していた。

そのような状況とは裏腹にソ連救援船団の物資積み込みの拠点にもなっているアイスランド島のレイキャビク港の岸壁には、アメリカなどから次々と予定どおりに物資が送り込まれていた。このために一九四二年九月初旬の時点でレイキャビク港の岸壁は満杯状態になり、これらの物資を早急にソ連に送り込まなければ収拾のつかない状態になりかけていた。

ここに至りアメリカとイギリスは渋々ながらソ連向けの船団を送り出さざるを得なくなった。しかし次に船団を送り出すにしても、ＰＱ17船団の悲劇の反省に立って新しい船団には対航空機、対潜水艦に対する何らかの新しい工夫を凝らす必要があることは、アメリカとイギリス海軍の担当者は認識しており、その工夫を不足する艦艇の中からひねり出さなければならなかった。

結果として次のＰＱ18船団はこのような構成となった。

輸送船：三九隻（使用貨物船はリバティー船が主体）

油槽船（船団の護衛艦艇や油槽船の燃料補給用）：一隻
救難船（敵の攻撃で撃沈された輸送船乗組員の救助用）：一隻
駆逐艦：二隻
コルベット（小型護衛艦）：四隻
掃海艇：三隻
特設駆潜艇（徴用トロール船等を駆潜艇に改装したもの）：四隻
護衛空母（アヴェンジャー）：一隻
護衛空母援護用の駆逐艦：二隻

以上一一つの船団の護衛としては最大規模の護衛艦艇が同行することになった。そしてこの船団の特徴は護衛空母一隻が随伴することであった。これはイギリス海軍が船団に特設の護衛空母（オーダシティー）を随伴させたことが、ドイツ空軍機の攻撃や潜水艦の攻撃に対して極めて有効であることを前年の実戦においてすでに証明していたためであった。そして今回はこの船団にアメリカから新たに供与された護衛空母の第一陣の一隻を、何とか参加させることができることになったためであった。

今回参加する護衛空母アヴェンジャーは前年のイギリス海軍開発の特設護衛空母より強力であった。特に搭載機数はオーダシティーの六機から一挙に一五機に増加していたことは、敵機の迎撃や対潜哨戒と攻撃にも有利であった。

ここでPQ船団について補足説明をしておく必要がある。ソ連救援物資を積んで北大西洋とバレンツ海をソ連の極北の港へ向かう船団を連合国側では「PQ船団」の呼称で区分管理されていたが、ソ連の港で積み荷を下ろし空船で西に戻る輸送船も船団を組んで航行したが、この逆向きの船団は「ＱＰ船団」の呼称で区分管理されていた。

ドイツ空軍や海軍としては本来は往復両方の船団を狙うべきであるが、ドイツは攻撃の効果から判断して積み荷満載状態のＰＱ船団を集中的に狙った。事実、ＰＱ船団に対してＱＰ船団の損害は極めて少なく、この船団が航行した全期間においてＱＰ船団の被害は一〇隻にも満たなかった。

ＰＱ18船団は一九四二年九月二日にアイスランド島のレイキャビクを抜錨した。護衛空母のアヴェンジャーと護衛空母付属の二隻の駆逐艦は船団にはるか先行する隊形をとった。そしてこの船団を遠巻きにするように、船団の護衛艦艇とは別に防空巡洋艦一隻と駆逐艦一六隻が船団を援護していた。

このとき護衛空母アヴェンジャーには艦上戦闘機（シー・ハリケーン：陸上戦闘機ハリケーンを艦上戦闘機に改装したもの）一二機と艦上攻撃機（ソードフィッシュ）三機の一五機を搭載していた。戦闘機が多いのはＰＱ17船団と同じく、今回もノルウェー沿岸基地に待機するドイツ爆撃機の大規模な攻撃が予想されるために、その迎撃用に多くの戦闘機を搭載したためであった。一方潜水艦に対してはわずか一機の飛行機が上空に存在するだけでも大きな攻撃抑止力となるために、わずかの攻撃機を搭載しただけに止め、これらの攻撃機を交代で常時船団周辺の上空を飛行させ、敵潜水艦の発見に努めさせることにしていた。そしてもし敵潜水艦を発見した場合には直ちに護衛艦艇に連絡し、その潜水艦の攻撃に向かわせる手筈になっていた。

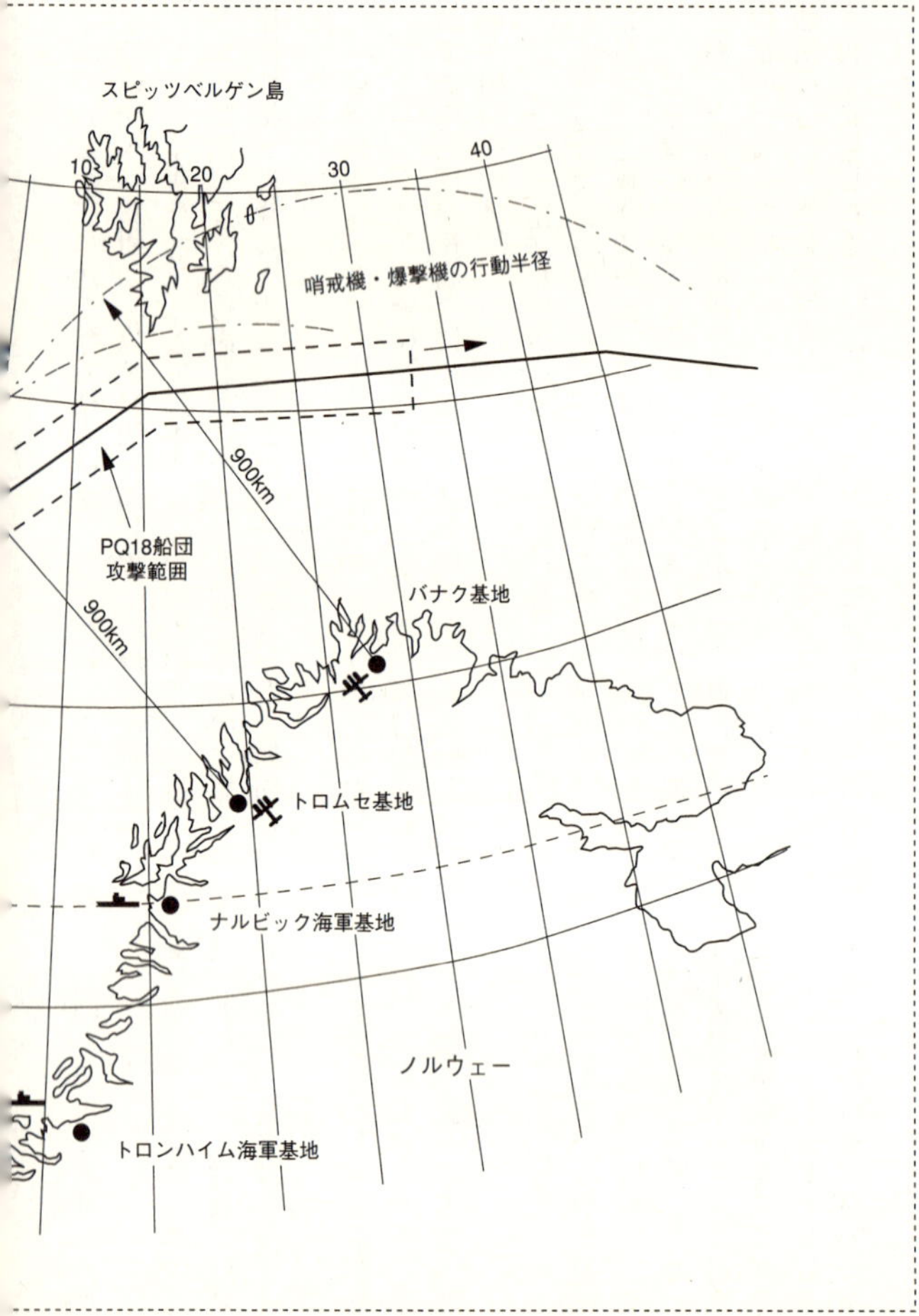
スピッツベルゲン島
10
20
30
40
哨戒機・爆撃機の行動半径
900km
PQ18船団
攻撃範囲
900km
バナク基地
トロムセ基地
ナルビック海軍基地
ノルウェー
トロンハイム海軍基地

第24図　PQ18船団の航跡

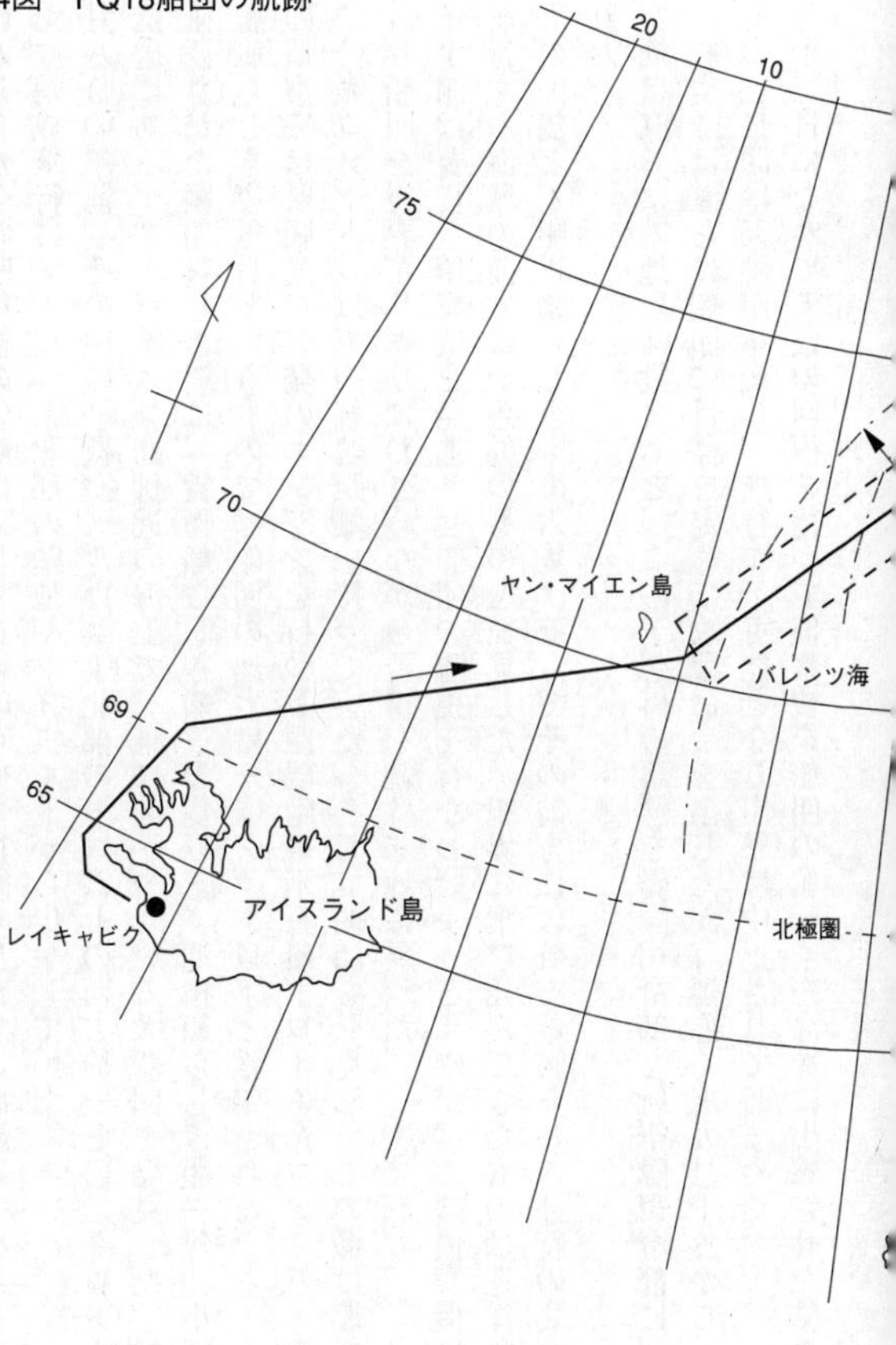

八月の末にはドイツ側は大規模な船団が再びバレンツ海を東に向かうことを察知していたが、出発の正確な時期については情報が入らなかった。しかし在ノルウェーのドイツ空軍爆撃隊は八月末から常時待機の態勢に入り、長距離哨戒飛行艇や長距離哨戒爆撃機などが連日にわたり哨戒飛行にノルウェー北部の基地やフィヨルドから出撃していた。

九月八日の午前、その中の一機がノルウェー北部のトロムセの西方約一〇〇〇キロメートルの位置にあるヤン・マイエン島付近の海上で、東に向かっている大船団を発見した。機上から確認された艦船らしき姿は、貨物船らしき船三〇隻以上、油槽船らしき船一隻、小型の護衛艦艇らしき姿無数というもので、船団の速力は一〇ノット以下と推定された。

この偵察機は双胴式で三発のエンジンを持つ長距離哨戒飛行艇ブローム&フォスBv138で、三〇〇〇キロメートル以上の航続距離を持っていた。そして船団を発見したこの機は燃料の許す限り船団を視界ギリギリにおさめながら監視を続け基地に戻った。

ドイツ側は翌日も偵察機を発進させ船団の監視を行なわせようとしたが、この偵察機は船団の航行する海域の前方に予想外のものを発見した。視界に飛び込んできたものは巡洋艦らしきもの一隻と、駆逐艦らしきもの六隻。そしてその前方には航空母艦らしき独特の姿が確認された。

偵察機は直ちに基地に帰投すると、この予想外の事態を艦隊司令部と航空隊司令部に報告した。航空隊は直ちに船団に目標を定めて攻撃命令を出したが、運悪く翌九月十日から十二日までの三日間は天候が急変し、飛行が不可能となり出撃は中止されてしまった。

九月十三日になって天候の回復を待って偵察機を船団の航行予想海域に出撃させた結果、

再び船団を発見、通報を受けたノルウェー北岸のバルドフォス基地から二四機の雷撃機（ハインケルHe111）が船団に向かって出撃した。さらに同じく北岸のバナク基地からも二四機（ハインケルHe111）の雷撃機が出撃した。さらに同じ基地から四〇機の急降下爆撃機（ユンカースJu88）が出撃していった。

時計が正午を回った頃、合計一〇〇機に近いドイツ爆撃機と雷撃機が船団を襲ってきた。三九隻の各貨物船からは、それぞれ少なくとも五門の二〇ミリ対空機関砲や二門の高射砲が襲い来るドイツ機に向かって火蓋を切った。船団の全貨物船が撃ち上げる二〇〇門近い対空機関砲と八〇門の高射砲の弾幕が一斉にドイツ機を包み込んだ。

しかし今回はドイツ機に対する防衛は対空砲火ばかりではなかった。気がついたときには、どこからともなく現われたイギリス空軍の標識を付けた戦闘機が爆撃機の群れに襲いかかってきたのであった。護衛空母アヴェンジャーから発進した一二機の戦闘機である。

翌十四日も午前中からドイツ爆撃機が船団を襲ってきたが、その数は前日に比べれば格段に減っていた。

九月十三日、十四日の戦いで、ドイツ爆撃機隊は二四機を失い一五機が被弾しながらもかろうじて基地にたどり着いた。しかしこの一五機は基地には戻ったが全機が廃棄処分され、ドイツ空軍は二日間の戦いで確実に三九機の爆撃機を失うことになったが、被害はそれだけでは終わらなかった。三九機以外の機体も、被弾して帰還した爆撃機の中の三〇機が修理不能と判断され廃棄処分されてしまった。結局ドイツ空軍はPQ18船団の攻撃で実に航空隊の可動機約一〇〇機中六九機を失うことになり、その後バレンツ海方面でのドイツ空軍の航空

航空母艦に搭載された
シー・ハリケーン（右）
ソードフィッシュ（左）

作戦は完全に頓挫し、二度と戦力が回復することはなかった。

ドイツ空軍のこの損害に対して、得た戦果は七隻だけで、大量の爆撃機の損失にしては惨めな戦果に終わった。イギリス側のこの大量の撃墜戦果の多くは護衛空母アヴェンジャーのシー・ハリケーン戦闘機の活躍によるもので、船団に護衛空母を随伴させることの意義を大きく認めさせる結果になったが、船団各貨物船の対空機関砲の増備も敵機の破壊に大きく貢献することになった。

一方ドイツ海軍は航空作戦とは別に、偵察機の情報により船団の予想航路上に四隻の潜水艦を配置し待ち伏せ、航空攻撃の行なわれた九月十四日から十六日までの間に七隻の貨物船を撃沈する戦果を上げた。しかしこの四隻の潜水艦も今回は反撃を受けることになった。

その反撃の切り札となったのはやはり護衛空母アヴェンジャーの存在であった。航空攻撃が続いている間にアヴェンジャーから発進したソードフィッシュ艦上攻撃機が浮上中の敵潜水艦を発見、その情報を近くを航行中の駆逐艦に通報した。駆逐艦は攻撃機の誘導によって潜水艦の位置を突き止め、激しい爆雷攻撃でこの潜水艦（U589）を撃沈してしまった。

翌日の十五日には今度は同じようにドイツ潜水艦（U457）が撃沈されてしまった。

アヴェンジャー

ドイツ海軍の強力な水上艦隊はＰＱ17船団に対してもＰＱ18船団に対してても出撃しなかった。なぜか。ドイツ水上艦隊は確かにＰＱ17船団を攻撃する準備をしていた。しかし「航空母艦を混じえた強力なイギリス本国艦隊が出撃したらしい」という、推測に端を発した艦隊本部の「誤判断」で出撃を中止、ドイツ水上艦隊はＰＱ17船団壊滅という千載一遇のチャンスを自ら逸してしまった。そしてＰＱ18船団の通過に際しても艦隊本部の出撃の決定は、明快な理由もなくヒトラー総統の独自の判断で中止されてしまった。

もちろんその判断を狂わせた材料の一つとして小さな「護衛空母」の存在があった。どのような形式であれドイツ海軍には航空母艦は水上艦隊に対しては危険な存在と判断されていたらしい。航空母艦を持たないドイツ海軍の疑心暗鬼から出た判断なのであった。

ＰＱ18船団は結果的には一三隻の貨物船が撃沈されるという損害を出したが、三九隻中の一三隻は、ＰＱ17船団のときの三六隻中二四隻を失うという損失率六七パーセントに比べると損失率三三パーセントと格段に低く、成功と判断すべきであった。

この損失率の急減の最大の原因は護衛空母の存在にあったと判断され、以後護衛空母の増備にともない、ＰＱ船団ばかりでなく他の大船団にも護衛空母が随伴することが恒常的な護衛態勢となった。

ＰＱ18船団で失われた一三隻の貨物船は、グレイ・レインジャー（三三一三総トン）、オーシャン・ヴォイス（三一七三総トン）、ベリンガム（五三四五総トン）、スターリングラード（三五五九総トン）、テンプラー（八九九二総トン）などほとんどがイギリスの貨物船であったが、中に二隻のリバティー型貨物船が含まれていた。その一隻オリバー・エルズワース（七一九一総トン）は六月末に完成したばかりの新品の貨物船であった。

ＰＱ18船団に参加した貨物船の半数が、アメリカで大量建造の始まった戦時急造のリバティー型貨物船であったが、これらの貨物船には完成当初から強力な武装が施されていた。船橋の左右両舷とボートデッキ後端の左右両舷、さらに船尾甲板の左右両舷にはそれぞれ二〇ミリ対空機関砲が一門ずつ装備され、船首と船尾にはそれぞれ七・六センチ高射砲と一二・七センチ高射砲が装備されていた。

残りの半数を占めるイギリスの貨物船にも、ＰＱ17船団のときの反省から対空火器が増備されたが、幅と長さ約三キロメートル四方の正方形内に編隊を組む三九隻の各貨物船が撃ち出す対空砲火は熾烈で、全対空機関砲が撃ち上げる機関銃や機関砲弾の数は一秒間に約二二〇〇発以上であった。ＰＱ18船団を襲ったドイツ空軍の急降下爆撃機や雷撃機は、護衛空母の戦闘機の攻撃をかわしても、船団攻撃に突入したときには猛烈な機関砲弾の嵐の中にさらされることになり、出撃機の大半が被弾し、多数の損害を出したことは当然であった。

このときの対空砲火の凄まじさを示すものとして、船団に襲いかかるドイツ雷撃機を攻撃するために追尾してきたイギリス戦闘機までが、このときの対空砲火によって二機が「味方撃ち」で撃墜されたほどであった。

ソ連救援のＰＱ船団はＰＱ17とＰＱ18の両船団で攻守のクライマックスを迎え、連合軍側はＰＱ17船団の悲劇の反省の回答をＰＱ18船団に求め、護衛空母の随伴と対空火器の増備、さらに艦載航空機と護衛艦艇との連携による敵潜水艦の撃滅という一つのシステムを作り上げ、これ以降のＰＱ船団の損害を急減させてしまったのである。

一九四一年八月二十一日の最初のＰＱ船団出撃から一九四五年五月の最後のＰＱ船団（後にＪＷと呼称が変更している）出撃まで、ソ連救援に送り出された船団は四〇回に達した。

この四〇回の救援船団に参加したアメリカとイギリスの商船は合計八一一隻。その内ドイツ潜水艦や水上艦艇及びドイツ空軍によって撃沈された商船は合計八四隻に達した。そしてこの極北の船団の戦いで命を失った商船の乗組員と護衛艦艇、そして護衛空母の戦闘機パイロットの数は二七八三名という大きな数字となった。

一方ドイツ側は八四隻の商船を沈めるためにポケット戦艦一隻（シャルンホルスト）、駆逐艦三隻、潜水艦三八隻、爆撃機及び哨戒機約一〇〇機を失うことになった。

極北の船団に参加した商船は一部油槽船も含まれたが大多数が貨物船で、ＰＱ17船団以降は船団の貨物船の主体はアメリカの戦時急造のリバティー型貨物船に置き換わっていた。それ以前の参加貨物船の主体はイギリスの様々な大きさの貨物船の混成で、三〇〇〇総トン級の貨物船も多く一隻当たりの積載量には大きな差があり、後半の船団ほど参加船舶の規模が揃いまた参加隻数も増えたために、当然船団全体としての輸送量は増大した。

アメリカとイギリスの献身的な努力と犠牲によって行なわれた極北のソ連救援物資輸送に対し、戦後になってもソ連は表だった感謝の意を両国に対して表しておらず、アメリカとイギリス両国民のソ連に対する割り切れなさはその後の冷戦の中にいつしか埋没してしまった。

極北の船団がソ連に運び込んだ物資の概数は、航空機約三〇〇〇機、各種戦車二三五〇両、トラックを含む各種戦闘車両一万四七〇〇両、火砲二二五〇門、その他大量の航空機や車両用燃料、食料、生ゴム、アルミニウムインゴット等々であった。しかしソ連救援の物資輸送はPQ船団によるものばかりではなかった。

アメリカはこの極北の船団による輸送以外に、一九四三年後半からアラスカからシベリアを経由する空のルートで、P39やP63戦闘機さらにはB25双発爆撃機など五〇〇〇機以上を送り込んでいたのである。

第14章　小型客船「橘丸」の戦争体験

伊豆大島航路の花形客船の波瀾に富んだ航海

太平洋戦争が勃発したとき日本は一〇〇総トン以上の商船を二四四五隻、六三九万総トン保有していた。そして戦争中の三年九ヵ月の間に一三四〇隻、三三八万総トンの商船を新たに建造した。しかし戦争中に失った商船は二五六八隻、八三九万総トンに達し、戦争が終わったときに日本に残された商船は一二一七隻、一三八万総トンに過ぎず、それの大多数は戦時中に急造された粗製濫造の貨物船や油槽船などで、開戦時に在籍していた在来船で生き残った船はわずかに三二一隻、三八万総トンに過ぎず、しかもその七〇パーセントは一〇〇〇総トン以下の小型船であった。

戦争が苛烈になり商船の損害が急増するにつれて、それまで陸海軍の徴用をまぬかれていた小型商船も徴用の対象となり、兵員輸送船や軍需物資の運搬船として続々と狩り出されていた。

それまで日本の沿岸で旅客の輸送を行なっていた小型客船もその例外ではなかった。瀬戸内海航路用の代表的客船であった一〇〇〇総トン級のにしき丸やこがね丸、あきつ丸や山水丸等も続々と特設運送艦や特設駆潜艇母艦、あるいは特設捕獲網艦や補助潜水母艦などとして海軍籍に編入された。

ただこれらの船の大半は内海水域の航行専用に設計された船であるために、外洋の長距離の航海に出ることはなく、激戦地に赴くこともなく多くは無事に終戦を迎えた。

しかしこれらの小型客船の中で徴用後、例外的に外洋の航海を続けた船があった。東海汽船の客船「橘丸」である。

橘丸は一七八〇総トンという典型的な内海航路用の客船であったが、比較的高速で使い勝手の良さもさることながら、東京と伊豆大島を始めとする伊豆七島への航海、つまりは半ば外洋といえる海域への航海を考慮し、ほぼ同じ大きさでありながら内海の瀬戸内海航路用に建造された関西汽船のにしき丸やこがね丸よりも、重心点が下げられ外洋の波浪にも耐えられる船体構造に設計された船であったために、橘丸は外洋を航海する任務を帯びた特設船として海軍に徴用されてしまった。

橘丸の誕生は一九三五年（昭和十年）五月で、一九三三年頃から突如沸き上がった伊豆大島の観光ブームの担い手として、輸送力増強のために東海汽船の前身である東京湾汽船が建造した当時日本最新鋭の小型客船であった。

この橘丸が出現したとき、そのスタイルは日本の商船界に大きな衝撃を与えるほど斬新なデザインで仕上げられていた。

一九三〇年代に入る頃から欧米では鉄道車両や自動車の設計に盛んに「流線型」と称するデザインが取り入れられ、日本でも一九三四年頃から鉄道車両を中心に「流線型」擬《もど》きのデ

橘丸

ザインが盛んに取り入れられるようになり、そのデザインも次第にまともな流線型へと成長を遂げ始めていた。

中でも日本人に強烈な印象を与えたのは、一九三四年に国鉄の蒸気機関車の一両の外形を流線型に改造し、この機関車を当時の国鉄の看板列車であった特急「燕」号の牽引機として使ったことで、これは世の喝采を浴びることになった。

これに味をしめた国鉄は電気機関車、電車、ディーゼルカー等に次々と流線型を採用し、それが次第に私鉄の鉄道車両にも影響し始め、一九三五年から一九三七年頃にかけては世の中はまさに流線型ブーム一色になってしまった。しまいには新築されるビルまでが流線型と称する意味不明のデザインで建築される始末であった。

もちろん流線型の本来の目的は、空気抵抗を減らし、小さな馬力でも高速力が得られることが狙いであったはずであるが、世の中は本来の目的よりもデザインの格好の良さを受け入れてしまい、何もかもが流線型一辺倒になってしまったのは一つの喜劇でもあった。

橘丸は三菱神戸造船所で設計・建造されたが、主任設

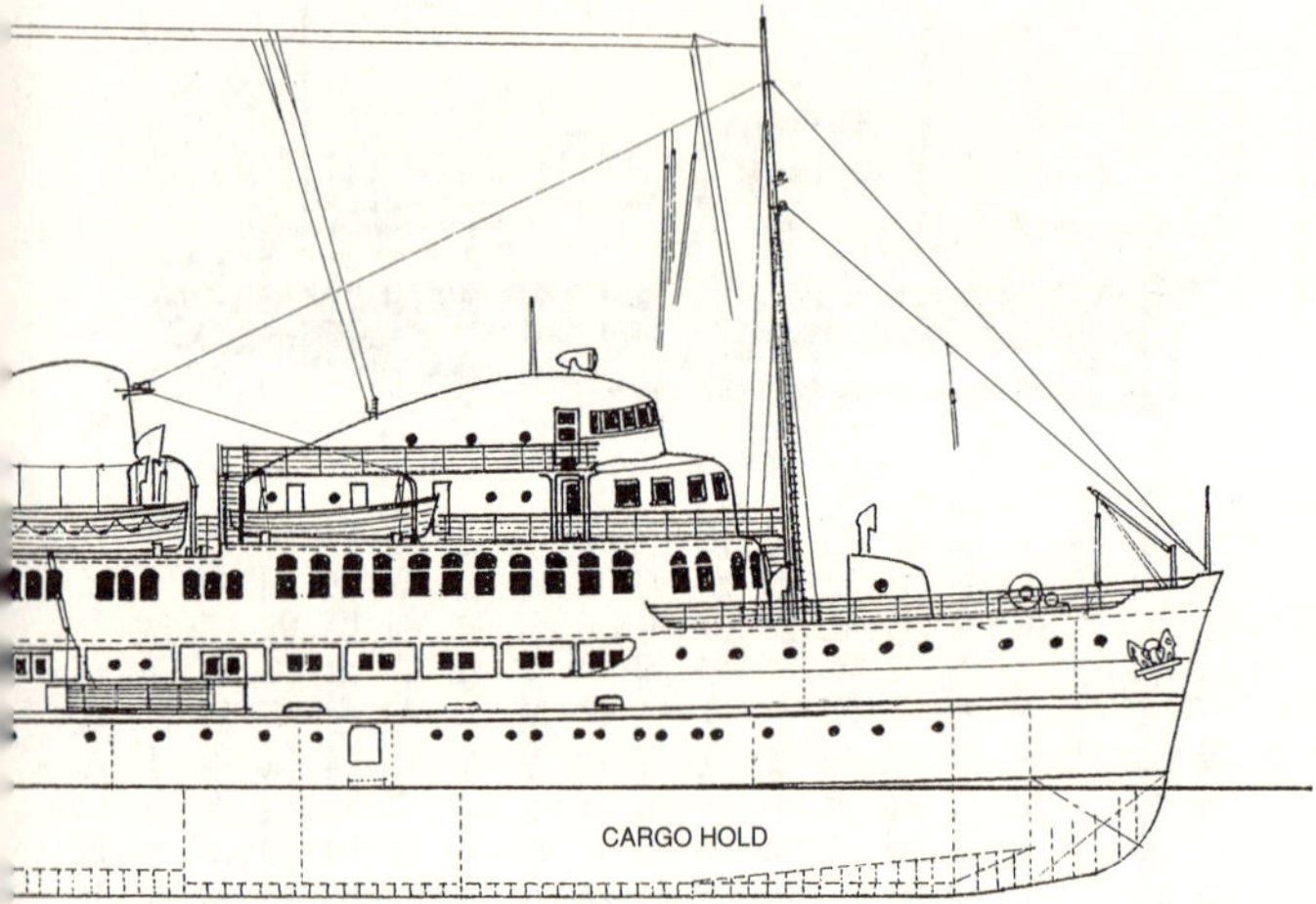
CARGO HOLD

BOAT DECK

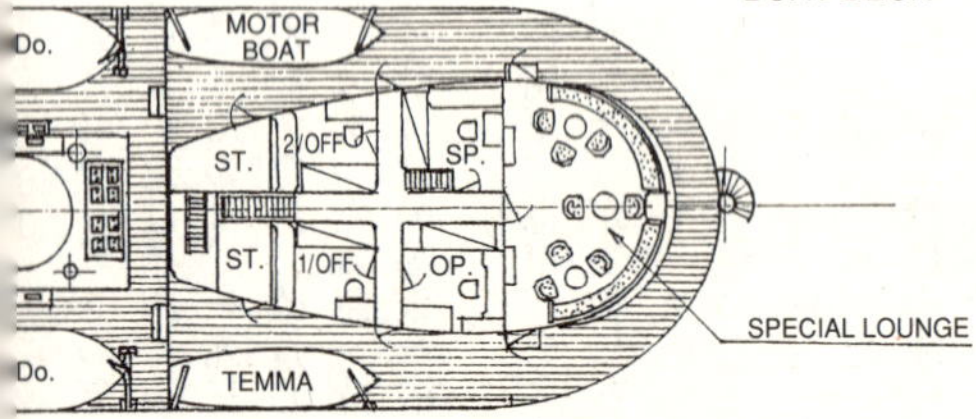
Do.
MOTOR BOAT
ST.
2/OFF
SP.
ST.
1/OFF
OP.
SPECIAL LOUNGE
Do.
TEMMA

第25図　橘丸の一般配置図-1

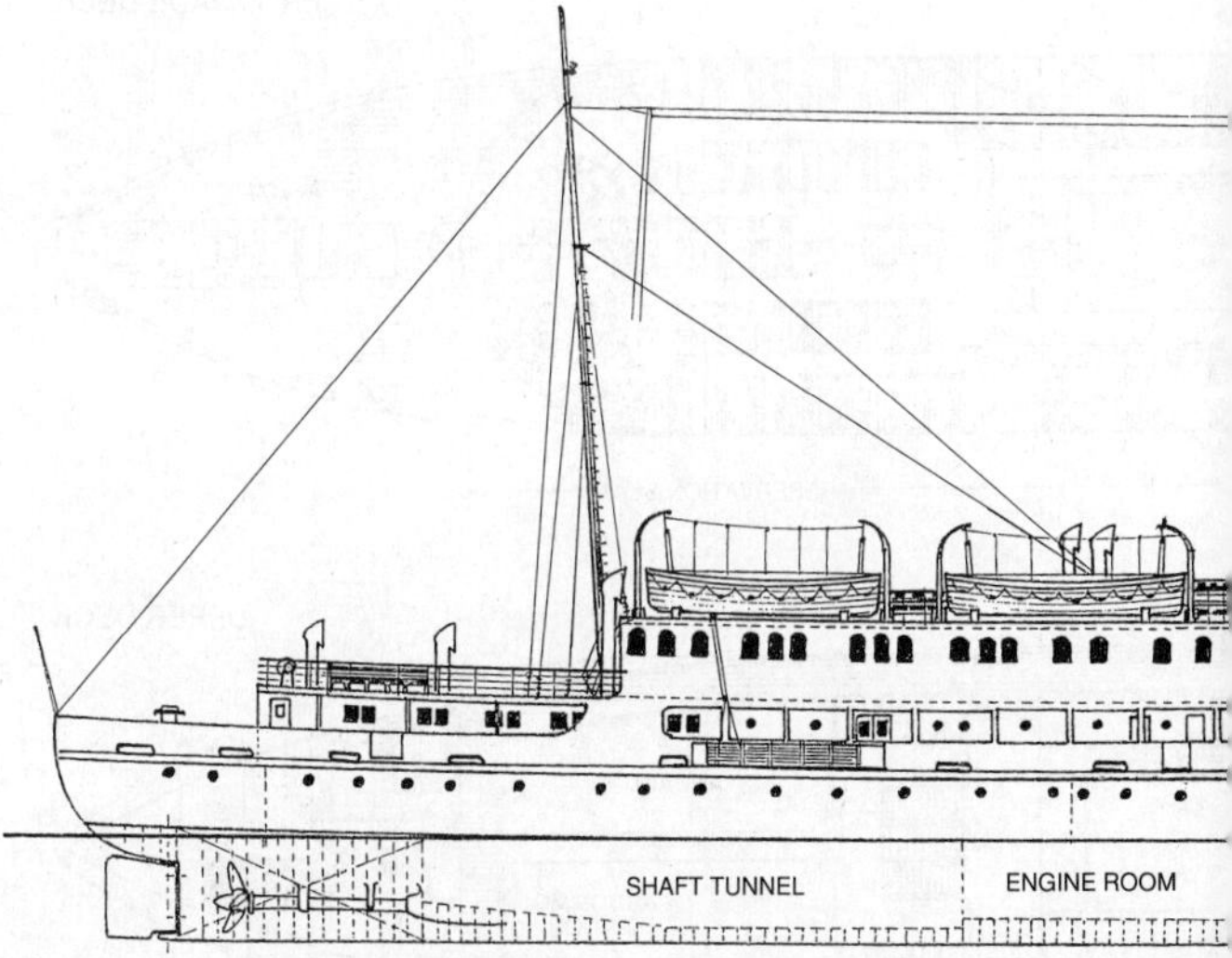

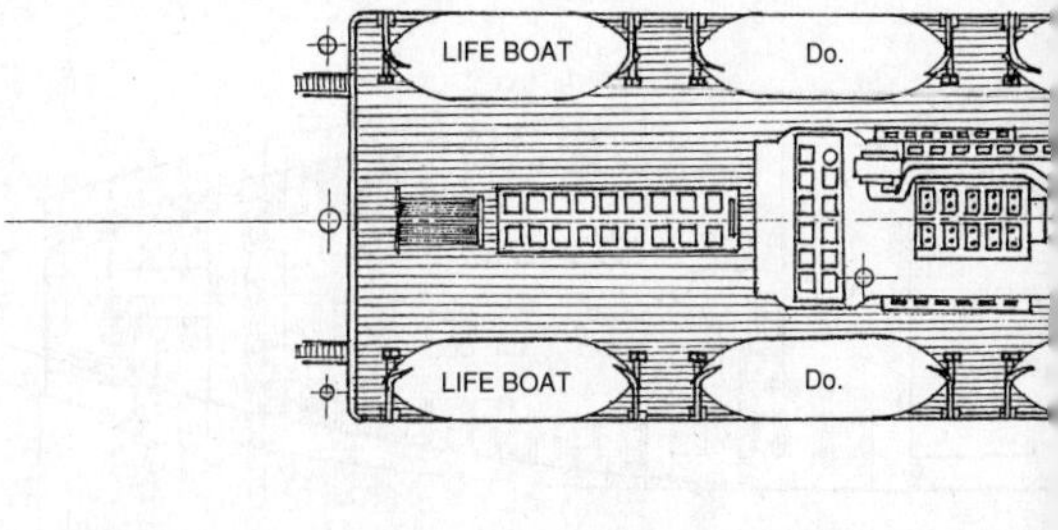

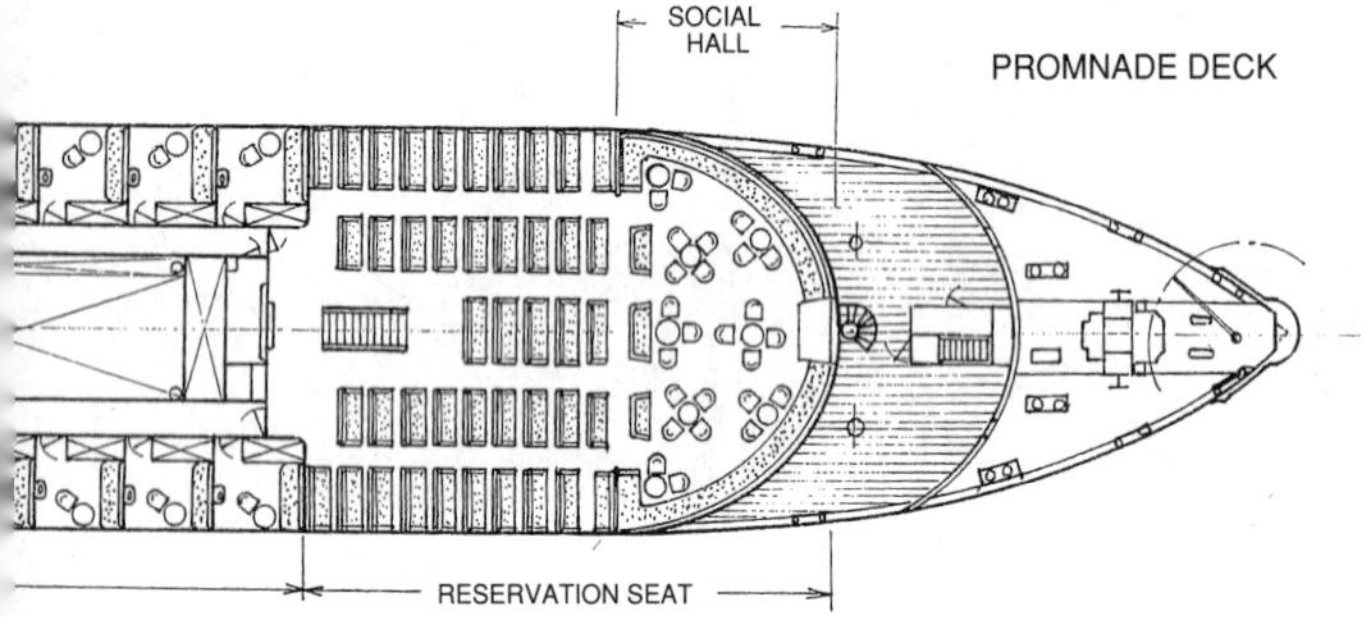
SOCIAL HALL
PROMNADE DECK
RESERVATION SEAT

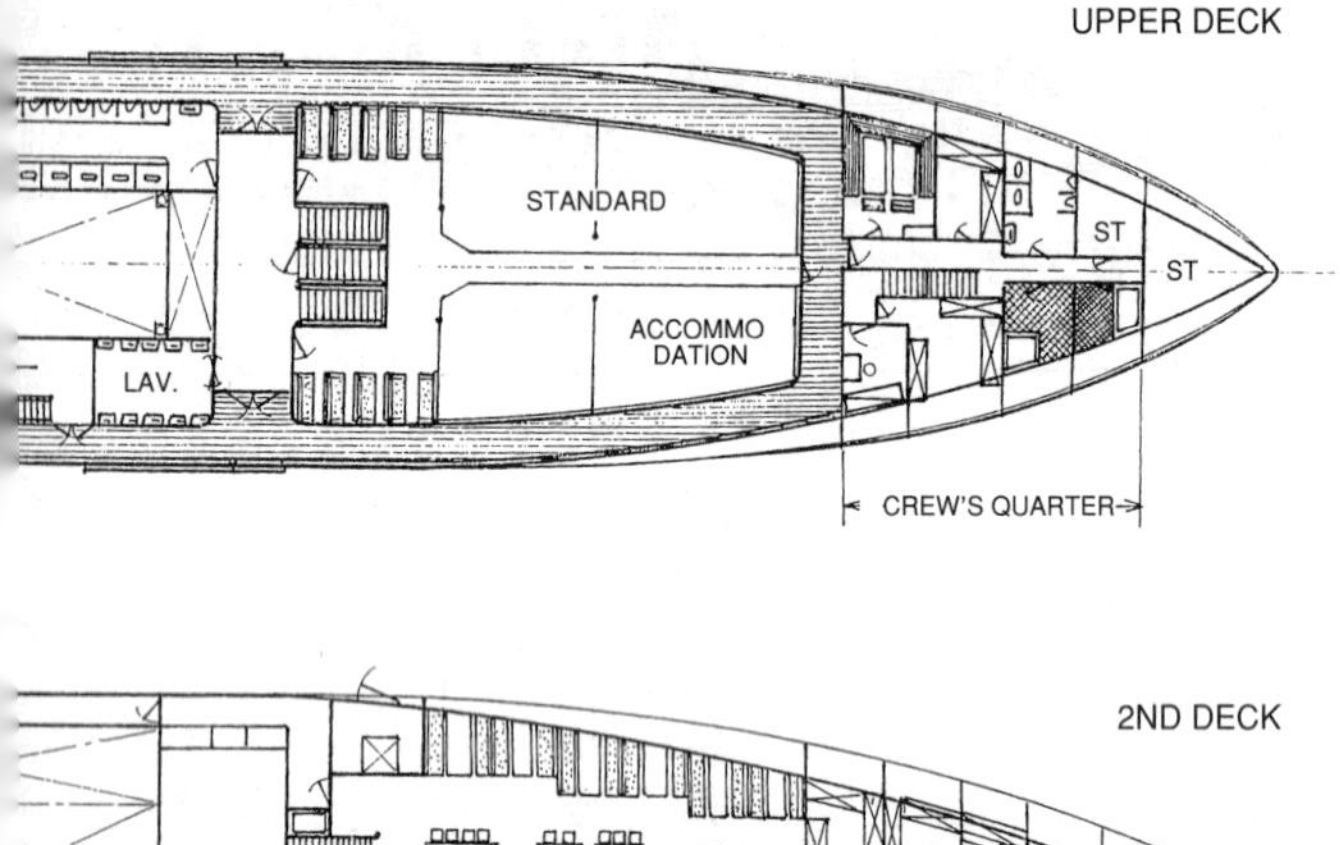
UPPER DECK
STANDARD
ACCOMMO DATION
LAV.
ST
ST
CREW'S QUARTER

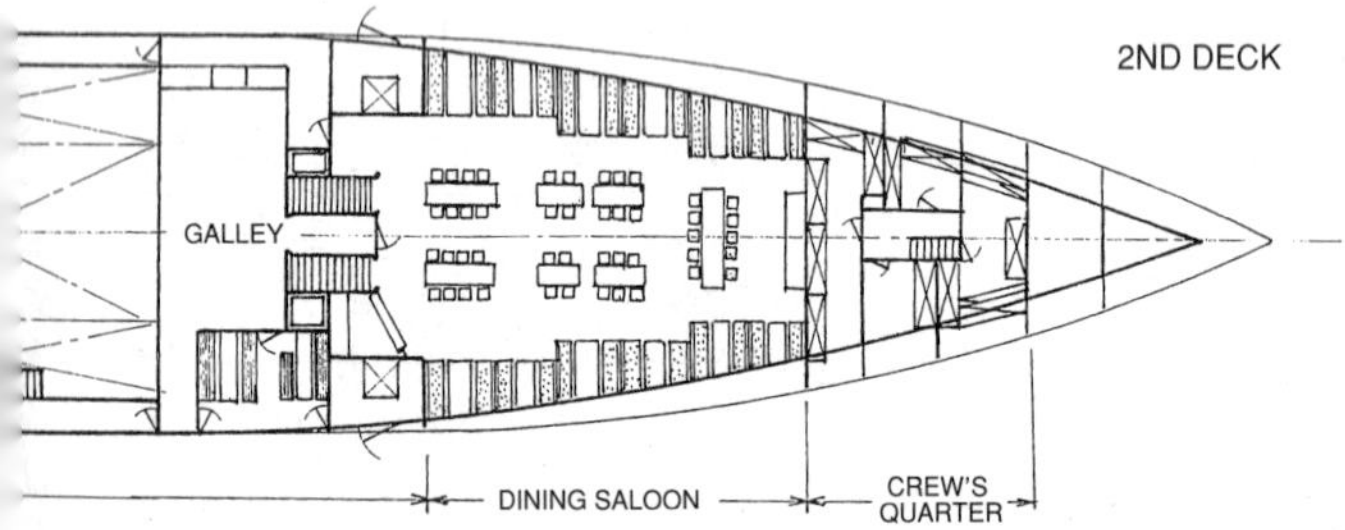
2ND DECK
GALLEY
DINING SALOON
CREW'S QUARTER

第25図　橘丸の一般配置図−2

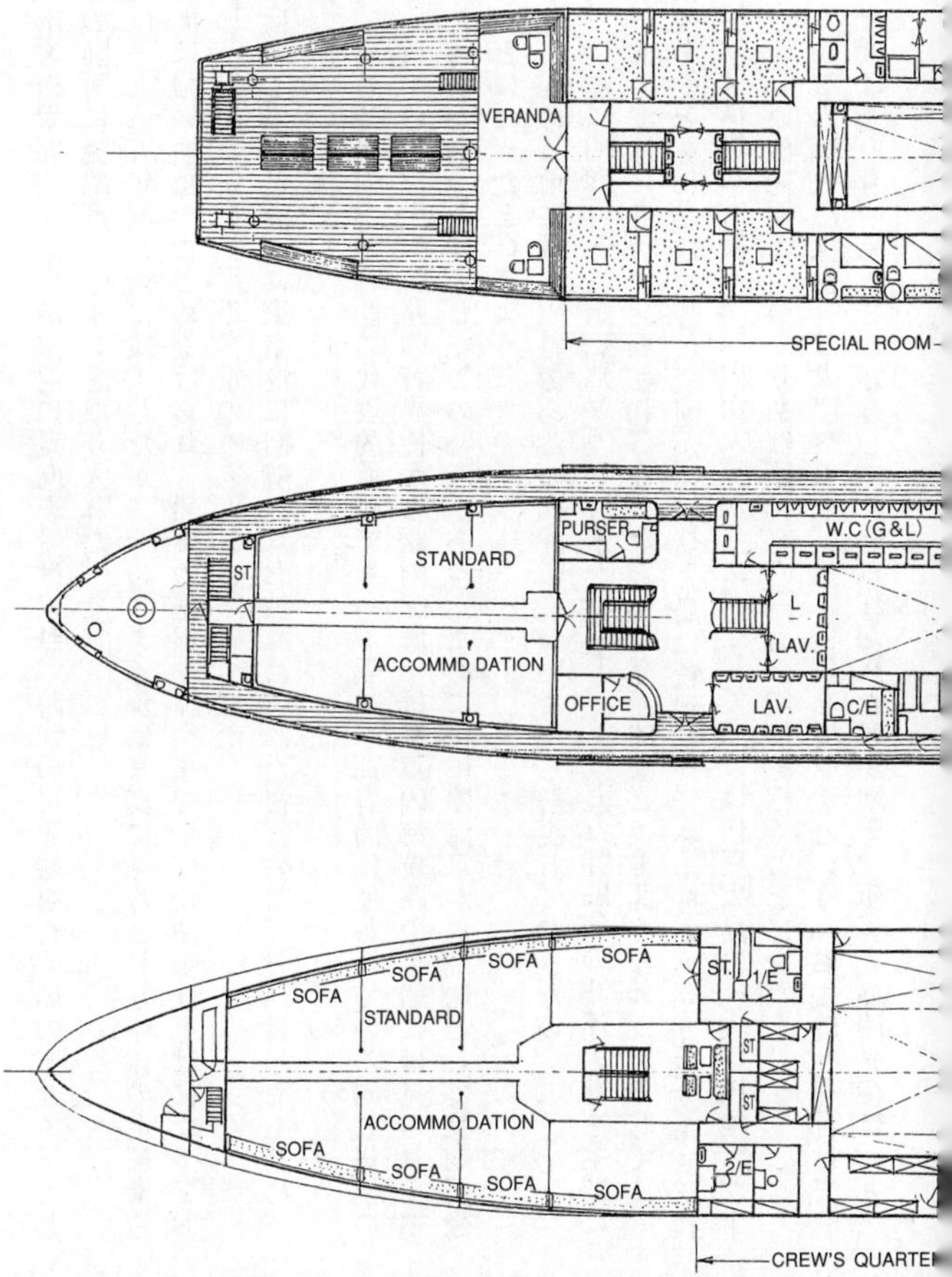

計者の南波松太郎氏が東京湾汽船の意向を受け入れ、時代の最先端を行く船のデザインとして船体の随所に流線型デザインを取り入れた。

橘丸は一九三五年五月末に竣工したが、そのスタイルは写真に見るとおり船体の上部構造物の前面は強い曲線でまとめ上げられ、船橋の屋根や煙突まで全てが曲線仕上げになっており、新しい時代の先端を行く客船のイメージを印象づけた。

橘丸は竣工すると直ぐに東京港に回航されお披露目された後、六月三日には早くも初めての伊豆大島への航海に旅だった。

橘丸は同じ時代の小型客船の代表的航路でもある阪神～別府間に使われている同じ規模の客船と比較すると、大島航路の特異性から船内配置には瀬戸内海航路の客船には見られない際立った特徴があった。そしてこの特徴があったために後に陸海軍が病院船として長期間徴用することになったといえよう。

話を先に進める前に橘丸の特徴ある船内配置について少し解説しておきたい。

一九三〇年（昭和五年）に、伊豆大島の美しいこぢんまりした雰囲気の波浮の港を主題にした歌謡曲「波浮の港」が発表されると、たちまち爆発的なヒット曲となった。そしてこの曲に旅情をそそられた観光客が全国から伊豆大島に殺到した。その最中の一九三三年（昭和八年）に今度は伊豆大島の三原山が大噴火した。そして今度は伊豆大島に「火口探検」ブームという新しい観光要素をつくりあげ観光客の一層の増加を招くことになった。

ところがこの「火口探検」は火口への飛び込み自殺を増やすという「おまけ」を付けてしまい、今度は恐いもの見たさの好奇心にそそられた観光客が増え、伊豆大島観光客は一九三三年後半からは急増の一途をたどることになった。

東京湾汽船はこの観光客の激増にそれまで使っていた菊丸（七五八総トン）、桐丸（五三一総トン）だけでは対応できず、急遽、葵丸（九三八総トン）を建造し就航させたが、それでも観光客の急増に対処できなくなってきた。

伊豆大島航路の特徴は距離が短く、東京を出港後一二ノットの低速で航海しても五時間程度で大島に到着してしまい、大島に寄港後に当時東京からは陸路の便が悪かった伊豆半島の下田に足を伸ばしても、所要時間はせいぜい八時間程度であった。つまり東京を夜の十一時に出港しても大島には早朝の四時には到着してしまい、到着後港で一時間程度仮泊してから乗客を降ろすのが一般的であった。そして伊豆下田に向かっても午前七時頃には到着してしまうのである。

これに引き換え瀬戸内海の阪神〜別府間では大阪を夜七時頃出港しても、別府に到着するのは翌日の昼過ぎで、所要時間は一八〜一九時間を要した。

つまり別府航路の客船には充実した宿泊設備と食事をするための設備を設けることが第一条件になった。ところが伊豆大島航路の客船には充実した宿泊設備や充実した食堂は不要で、その代わり「適度な仮眠設備」を整えることと、五〜六時間の乗船時間を「楽しむ」ための快適な設備が要求された。

菊丸も桐丸も葵丸も、船内配置の基本コンセプトはこの「適度な仮眠設備」と「楽しむ」が基本に設計されており、菊丸よりは葵丸と、完成した時代が新しくなるほどその船内設計もより基本コンセプトに沿って充実度を増していた。

橘丸も同じ基本コンセプトに沿って船内配置が設計されたが、船体がそれまでの船の二倍以上になることから、思い切った船内配置で設計基本を満足させることができた。

船内配置の最大の特徴は快適な椅子席を広々とした空間に大々的に配置したことであった。また雑居室も床は全て絨毯敷きとし、多くの乗客を収容するためにできるだけ広い面積を占有した。さらに食堂はそれまでの国内航路用の客船には見られないほどの広々とした面積を占有し、食事をするばかりでなく喫茶室として乗客が長時間過ごせるような工夫も凝らされていた。つまり橘丸の船内には大きな「空間」が多数設けられていたのであった。

橘丸は一九三五年六月の初航海以来消えることのない大島観光ブームの中で、連日にわたって伊豆大島を経由して伊豆下田へ向かう航路を往復していた。

ところが一九三八年（昭和十三年）六月末に突然、海軍に徴用された。橘丸の海軍での任務は、前年に勃発していた日中戦争の展開にともない中国大陸の揚子江流域で戦う海軍陸戦隊と海軍航空隊を対象にした特設病院船であった。

海軍陸戦隊や海軍航空隊の戦闘規模と作戦地域である揚子江沿岸を考えた場合、病院船として使える船の候補は先ず客船である。しかし水深の浅い揚子江沿岸では大型客船は使えず、当然小型客船が候補に上がってくるが、採用の条件としては様々な医療施設が自由に配置でき、しかも多くの傷病兵の収容が可能な構造や配置を持った客船でなければならなかった。そしてもう一つの条件として外洋である東シナ海の横断航海が可能な船であった。

橘丸はこの難しい条件を全て兼ね備えていた数少ない船であった。

橘丸は海軍に徴用されると直ちに呉軍港に回航され、呉海軍工廠の手によって病院船への改装工事が開始された。

改装工事は六月二十九日から七月十二日までの足掛けわずか一四日間の突貫工事で行なわれたが、このときどのように船内が改装されたかの詳しい資料は残っていないが、おおよそ次のような改装が行なわれたことは判明している。

改装の様子を第25図に示した橘丸の一般配置図を参照しながら比較していただきたい。

プロムナードデッキ・ソシアルホール：士官食堂（軍医並びに海軍側乗船士官用）
プロムナードデッキ・指定椅子席：手術室及び手術準備室
プロムナードデッキ・両舷個室（洋室）：軍医・海軍側士官の居室並びに士官病室
プロムナードデッキ・両舷和室：各科診療室及び病院長室（右舷側）
プロムナードデッキ・後部ベランダ：ラムネ製造室他
アッパーデッキ・前部雑居室：外科用病室（ベッドと床式）
　後部雑居室：隔離病室及び細菌検査室等
セカンドデッキ・前部食堂：看護兵及び病院雑務員用食堂。一部兵員居室
　後部雑居室：内科病室及び霊安室（最後部）

この改装工事に際して、ボートデッキに配置された救命艇の内の三、四番及び七、八番艇がボートダビッドと共に撤去された。これはボートデッキ上により多くのスペースを求めたためと想像され、負傷者が多数に上った場合の臨時の収容場所にしたものと推定される。

病院船時代の橘丸の写真を眺めると、ボートデッキ上とプロムナードデッキ後部の露天甲板上はキャンバス製のオーニングで覆われており、甲板上に直射日光が差し込むことを防ぎ、

多くの負傷兵をここに臨時に収容したのではないかと想像されるのである。

　またこの改装のときにボートデッキ最前部の特別室の大型の曲面窓が全て鋼板で覆われ、同時にプロムナードデッキ前部椅子席（手術室）両舷の大型窓も同じく鋼板で覆われていた。

　これは地上からの攻撃を受けやすい部分への防御と、手術室へ外光が差し込むのを避けるための措置と思われる。

　病院船に改装された橘丸は全船を日本海軍の艦艇と同じ明灰色に塗り、両舷側中央部と煙突の両側に赤十字の標識が描かれた。ただこの頃は上空から病院船であることが識別できるように赤十字を描くことはしていない。

　橘丸は一九三八年六月二十九日付で海軍呉鎮守府付属の特設病院船となり、七月十三日に呉を出港すると、持ち前の一七・八ノットの高速力で七月十五日には揚子江河口の呉淞に到着、直ちに揚子江上流四〇〇キロメートルの位置にある南京に向かって揚子江を遡上した。

　この頃、南京より上流の流域では海軍陸戦隊の中隊単位による戦闘が各所で展開されており、橘丸はこれらの地域で負傷した将兵の収容を続け、船内の手術室では応急手術に多忙を極めていた。

　橘丸は南京より上流の撫湖、太子磯、彭沢付近に集結していた戦傷者の収容や治療を行ない、さらに上流に進み、河口から八〇〇キロメートル上流の湖口に達したのが七月二十二日であった。湖口付近の揚子江右岸側には日本の琵琶湖の三倍以上の面積を持つ鄱陽湖が広がっており、その周辺も激しい戦闘が展開されている最中であった。

　橘丸は鄱陽湖周辺の激戦地からの負傷兵を収容するために湖の入り口付近の廬山沖に停泊

橘丸（病院船）

し、先ず景徳鎮方面からの負傷兵の収容を開始した。

ところが七月二十九日の午前七時、突如七機の中国空軍機が来襲し橘丸をめがけて爆撃を開始した。このとき投下された爆弾は一〇発以上であったが幸いに直撃弾はなかった。しかし投下された爆弾の中で、左舷中央よりやや後方の水面下で爆発した至近弾の断片が左舷水面下の舷側に破口を穿ち、その破口からの浸水は次第に勢いを増していった。その結果、船体は次第に左舷に傾き始めた。

この事態に船長は沈没を防ぐために船首を湖岸の浅瀬に向けて船を進めた。船体は泥底に妨げられて船足は止まったが浸水は続き、被弾九時間後に橘丸は左舷に七〇度傾き半没の状態で静止した。

橘丸は半没状態になるまでに時間があったために、この間に収容されていた負傷兵や医療関係者さらに乗組員合計一四〇名は、駆けつけてきた二等駆逐艦の「栗」に救助されたが、橘丸の乗組員三名が爆撃時に至近弾の破片などを受けて犠牲になった。

結局、橘丸は中国に到着し病院船としての活動を開始してからわずか一四日後に、一時的に活動を中止せざるを得なくなってしまった。

その後、橘丸は上海に駐留中の海軍工作艦「朝日」より派遣された浮揚作業班の手によって浮揚され、現場で応急修理の後上海まで曳航され江南造船所に入渠し仮修理工事が行なわれた。仮修理の後、橘丸は日本に回航されることになり、一九三八年十一月に橘丸の誕生の地である三菱神戸造船所で本格的な修理が開始された。

一九三九年三月に修理が完了した段階で海軍の徴用は解かれ病院船に改装された船内も旧に戻されたが、伊豆大島航路に復帰することはなく再び揚子江に戻された。中国に戻った目的は占領地域の揚子江沿岸の交通路の確保で、日清汽船に傭船され南京〜漢口間の片道一二〇〇キロメートルの河川航路に就役し旅客輸送を行なうことになった。橘丸は大きさといい旅客設備といい、ここでも最も理想的な規模と内容の客船であったわけである。

橘丸は一九三九年三月から十二月まで日清汽船で揚子江中流の旅客輸送に就役していたが、日清汽船が多数の客船の増備を始めたことと、伊豆大島航路用の僚船「葵丸」がこの年の七月に、大島沿岸で座礁沈没事故を起こしてしまい、大島航路の輸送力が激減してしまったため、橘丸は急遽、古巣の伊豆大島航路に復帰することになった。

橘丸は一九四〇年一月から一九四二年三月まで大島航路に就航していたが、同年三月十六日に今度は陸軍に徴用され軍隊輸送船として使われることになった。

橘丸は陸軍船舶司令部のおかれた広島の宇品に回航されると、工作班の手によって軍隊輸送船としての船内の改装が行なわれた。このとき船内にどのような改装が行なわれたかは不明であるが、他の船の改装から判断すると、各甲板の雑居室一杯に木製の三重棚（いわゆる蚕棚）が設けられ、可能な限り兵員を収容する設備を整えたものと考えられる。

またプロムナードデッキ両舷の個室は士官用船室として使われたと考えられ、同じデッキの前方のソシアルホールは士官用食堂兼会議室などに、指定椅子席は下甲板の雑居室と同じく三重棚が設けられ兵員用の居住設備とされていたことが考えられる。

このような改装を行なえば、橘丸には一〇〇〇〜一五〇〇名（歩兵一個大隊相当）程度の兵員の乗船が可能であった。

橘丸は陸軍に徴用後は宇品とシンガポール間の補充の兵員輸送に使われたとされているが、この間は多くの場合は護衛艦艇なしの単独航行をしていた。その傍らシンガポールを基点としてニューギニアやチモール島、スンダ列島やハルマヘラ島あるいはセレベス島方面への兵員の輸送にも使われていたらしいが、運航の詳細は不明である。

ただいずれにしても橘丸がはるか外洋まで航海していたことは、小型客船でありながら橘丸が外洋の航行も可能な船として設計されていた明らかな証でもあった。

この間の一九四三年十月、橘丸はシンガポール在泊中に今度は陸軍病院船としての任務が与えられた。このときの改装内容も不明であるが、軍隊輸送船の時の船内の様子と大きく違うことはなかったものと想像される。というのは陸軍と海軍では病院船の任務に基本的な違いがあり、海軍の場合は病院船の任務は海に浮かぶ移動病院そのものであり、充実した医療設備を備えて最前線を巡っては将兵の治療を行なうことが目的とされていた。

それに対して陸軍の病院船の役割は、治療はあくまでも応急的に行なうだけで、主な任務は最前線から傷病将兵を後方の野戦病院や日本本土に輸送することにあった。それだけに橘丸が陸軍病院船になったときには海軍の特設病院船時とは違い、充実した手術設備や治療設備は備えておらず、兵員輸送船の時に用いられた蚕棚がそのまま傷病将兵の輸送設備として用いられたものと想像されるのである。

陸軍病院船となった橘丸はフィリピンのマニラを基点に、ニューギニアのウエワクやホーランディア、パラオ諸島方面の往復が多く、特に陸軍航空部隊の将兵を含めニューギニア方面からは多くの陸軍傷病兵がマニラの充実した臨時陸軍病院に運ばれていた。

その後一九四四年四月の西部ニューギニア方面へのアメリカ軍の上陸作戦が続くと、橘丸のニューギニア行きは中止され、主にマニラとシンガポール間、マニラと日本や台湾間の患者輸送に終始している。

一九四四年十月にフィリピン攻防戦が開始されると橘丸は拠点をシンガポールに移し、シンガポールを基点にジャワ島、ボルネオ島、セレベス島、アンボン島などのジャワ海海域の限られた区域での患者輸送に終始している。

橘丸は陸軍病院船として就役するに際し、船体を全面的に白色に塗り替え、両舷側には病院船を表わす国際基準に従って太い緑色帯が巻かれ、両舷側中央部には大きく赤十字マークが描かれた。また前後部マストの途中には縦・横それぞれ五メートルの巨大な赤十字標識が掲げられ、周囲は電飾されて夜間でも識別ができるようになっていた。

またさらに煙突の直後にも周囲を電飾した巨大な赤十字標識が設置され、横方向からの夜間識別を可能にしていた。また船橋の後方にも上空から病院船識別ができるように、船体の全幅にまたがるほどに巨大な赤十字標識が取り付けられていた。

そして戦争も終結寸前になった一九四五年八月三日、いわゆる「橘丸事件」が突如として起きた。

一九四五年五月の時点で東南アジア方面の日本陸軍部隊は完全に分断され、ボルネオ島やセレベス島、スマトラ島やジャワ島などの大きな島を含め、無数の大小の島々は完全に孤立していた。すでにフィリピンは完全にアメリカ軍の勢力下にあり、ニューギニア島西方のバンダ海方面もオーストラリア軍の侵攻が着々と進んでいた。

そのためにインドネシア全域は今やアメリカ陸海軍航空隊やオーストラリア空軍の制空権下にあり、バンダ海やフローレス海方面にはアメリカ海軍の艦艇がすでに出没を始めていた。

このような状況の中で、インドネシア東方海域に点在するハルマヘラ島やカイ諸島、ブル島やセラム島などの比較的大きな島には有力な陸軍部隊が駐留しながらも、周辺のモルッカ海やセラム海、バンダ海がアメリカやオーストラリア海軍の制海権に入りつつあるために、これらの有力な陸軍部隊を救出し集合させ、強力な陸軍兵力とする手立ても失われていた。

ジャワ島に拠点を持つ東南アジア方面の日本陸軍司令部はこの事態を打開するため、七月末に至りジャワ方面軍総司令部の命令の下に、病院船橘丸を使って患者輸送を装って、先ずカイ諸島駐留の第五師団第一連隊（二個大隊で編成）、および第四十二連隊の一個中隊の将兵合計一五六二名のシンガポールへの輸送計画を打ち出した。

本来は病院船はいかなる理由があろうとも戦傷病患者以外の乗船は許されず、ましてや現役将兵の乗船などは国際赤十字法的にも絶対に許されない行為であった。しかし陸軍ジャワ方面軍総司令部はこれを強引に断行しようとしたのである。

第26図　橘丸が臨検・拿捕された位置

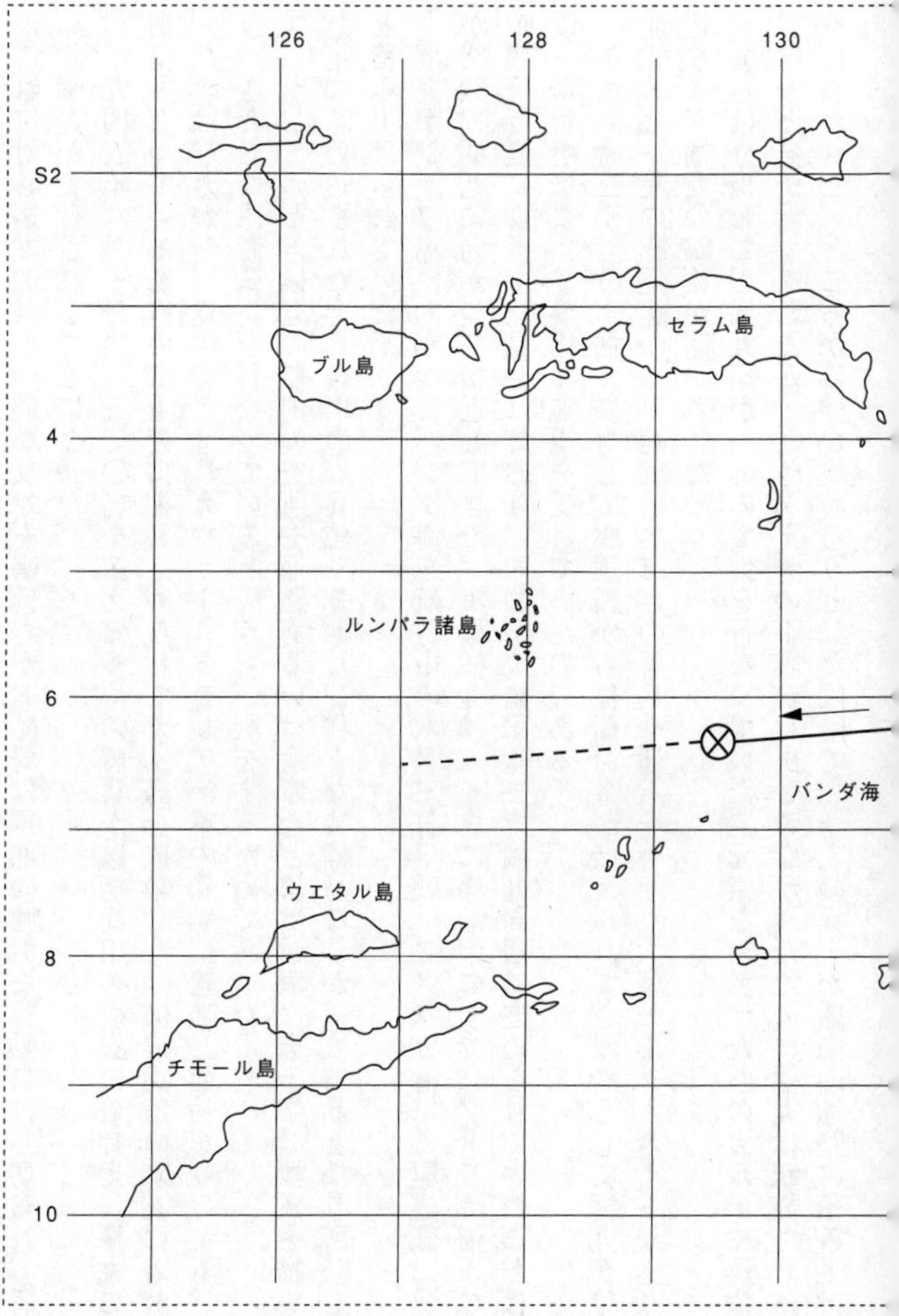
126
128
130
S2
4
6
8
10
ブル島
セラム島
ルンパラ諸島
バンダ海
ウエタル島
チモール島

これに対し橘丸船長は強硬な反対を唱えたが、結局は軍部の強引な行動に押し切られ、将兵の輸送が実行されることになった。

一九四五年八月一日、一五〇〇名を超える多くの将兵が傷病兵用の着衣に着替え、橘丸の病室となっている船室の二重棚に押し込められてカイ島を抜錨した。傷病兵用の着衣に着替えたのは、万が一、途中でアメリカやオーストラリア海軍の艦艇に遭遇し臨検を受けても、れっきとした患者輸送を行なっているという言い訳をするためであった。

しかしこのとき橘丸の船内の空所や通路あるいは倉庫などには、表に赤十字の標識を描いた箱に詰め込まれた全兵員用の歩兵銃や弾薬及び様々な装備品などが、衣料品と偽り所狭しと積み上げられていた。

橘丸がジャワ島に向かってバンダ海を航行中の八月三日早朝、アメリカ海軍の駆逐艦二隻が突然、橘丸に向かって接近してきた。実は橘丸はカイ島に停泊中にすでにアメリカ海軍の哨戒飛行艇によって発見されており、同船が抜錨するまで橘丸周辺で進められていたことは逐一飛行艇によって執拗な監視を受けていたのである。

午前六時三十五分、橘丸に対して駆逐艦から停船命令が伝えられてきた。そして橘丸が停船すると一隻の駆逐艦から早速五〇名ほどの将兵や通訳を乗せた大型モーターボートが送り込まれ、橘丸の臨検が開始された。

彼らは分担して、橘丸側が一応の準備を行なっていた「元気な患者」たちのカルテや診療日誌などをチェックしたが、とりあえずの不審が見出されなかったために橘丸は釈放されるやに思われた。ところが臨検が終わろうとした段階で、一人の兵士が船内の通路に積み上げられてあった箱の蓋を開いた。そこにあったものは箱一杯の武器弾薬であった。

臨検に乗船してきたアメリカ海軍将兵たちは、直ちに船内のあらゆるところに積み上げられてある赤十字標識のついた箱の開封にかかった。全ての箱に武器弾薬が詰め込まれていたのは当然であった。

橘丸は国際法違反と断定され、直ちに橘丸の船橋、通信室、機関室はアメリカ海軍の兵士によって占拠され、橘丸は二隻の駆逐艦に伴われて船首を北に向かい、一〇〇〇キロメートル彼方のアメリカ陸海軍が占領していたモロタイ島に連行されることになった。

橘丸は八月六日にモロタイ島に着いたが、その地で同船の乗組員や乗船中の将兵全員がアメリカ軍の捕虜となったが、九日後に戦争は終わった。

その後、橘丸は九月に日本側に返却され収容されていた同船乗組員全員が船に戻り、十月に日本に帰着している。

橘丸は一九四九年一杯まで大陸や台湾方面からの引揚者輸送に使われていたが、翌年に古巣の東海汽船（戦時中に社名が東京湾汽船から東海汽船に変更）に戻り、再び伊豆大島経由下田航路に戻った。

そして橘丸は東海汽船のフラッグシップとして、時には三宅島や八丈島まで足を伸ばして伊豆七島の旅客輸送に従事していた。また夏期には定期航路の合間を縫って、東京都民や横浜市民を乗せて千葉県の保田海水浴場への日帰り海水浴臨時便として多忙な航海を続けていた。

しかし橘丸も老朽化が目立ち始め、かとれあ丸やふりいじあ丸、さらに次のフラッグシップとなった三〇〇〇総トン級のさるびあ丸が完成すると、一九七三年一月に橘丸は伊豆七島の島民に惜しまれつつ三十八年という長寿を全うして引退し、解体された。

第15章　日本の戦時商船の武装

謎の多い日本の戦時輸送船の兵器の実態

太平洋戦争に狩り出された日本の商船の数は、一〇〇総トン以上の船で三七〇〇隻を超えた。しかしこれだけ多数の商船の活躍がありながら、日本の戦時商船の細部について調べようとすると、不明な部分ばかりがクローズアップされてくる。特に兵員輸送のために徴用された多数の徴用商船については、兵員を乗せるために準備された様々な設備あるいは各商船に施された武装などについて、その詳細がほとんど分からないのである。

その原因は施された具体的な設備や装備について、詳細な図面や写真で現存しているものがほとんどないに等しいためである。これらの装備について現在何とか分かることは、当時の体験者の手記などから想像推測してみたり、直接の体験者の記憶をたどって描かれた図などを通じてその実態を知るしかないのである。

武装などについては、輸送船を低空で攻撃する米軍機などから撮影された写真に写し出されている、商船の局部的武装の様子も手がかりにならないではないが、それらはあくまでも部分的なもので、全体像を判断する材料にはならない。

例外的なものとして、外形が商船ソックリに作られた陸軍の上陸用舟艇母船の図面が現存している。この図面には対空火器の砲座の配置や形状などが明瞭に示されている。しかしこれらはあくまでも特殊な船の場合であって、参考にはなるものの、この図面で一般商船も全て同じと判断することはできない。

なぜ資料や図面が残っていないのか。この答えの一つとして次のようなことが考えられる。例えば兵員輸送船に使われた全ての貨物船の中甲板に組み立てられた、兵員の居住のためのいわゆる「蚕棚」について例を挙げると、兵員輸送船に割り当てられた貨物船は広島県の宇品に回航されたり最寄りの造船所に回航され、そこで宇品であれば船舶工兵隊の手によって、造船所であれば造船所の木工係の手によって、各船ごとに現場合わせで木材を使って棚の組み立てが開始され、二、三日以内に組み立て工事を終了してしまったためであろう。

つまり棚の組み立て工事を行なう対象の船は大小千差万別で、しかも内部の構造や寸法も船ごとに全て違うために、工事の度に新たに工作図面を引くことは煩雑であり、多少の寸法の違いなど基本的な問題ではなく、棚や階段などの組み立て工事は、木工工事では一般に広く行なわれる図面なしの「現場合わせ」で行なわれていたのであろう、ということが原因で図面が残っていないのではなかろうか。また記録に残る写真がないのも、このような輸送船の細部にわたる写真は「軍機密」として検閲の対象となり、一般に公表されたり資料として残すことをしなかったためであろう。

もう一つ不明なものとして輸送船の武装の様子があるが、これも兵員輸送船の船内の木工工事と同じく、現場合わせで工事が行なわれたことと機密保持が理由となって現在に残る資料がないのではなかろうか、と推測できるのである。

太平洋戦争に突入した当時の日本陸海軍に徴用された船舶は、輸送船として使われた船は貨物船や客船の別なく、ほとんどが規模の大小はあるものの対空火器が装備されていたことは体験者の証言によって明らかである。

ただ各々の商船にどれほどの火器が搭載され、それがどのような配置になっていたか、またそれぞれの火器を固定するための砲座がどのような構造であったか、となると詳細が不明なのである。なぜか。これも次のような理由があったために現在に残る図面や写真が残っていないと推測することができるのである。

四〇〇隻にのぼる徴用輸送船は太平洋戦争の開戦までに、それぞれ突貫工事で各地の造船所で火器を設置するための特設の砲座の組み立てを行なったであろう。しかしこれらの工事は内外的にも絶対の秘密で行なわなければならず、各造船所などに集まった商船は千差万別で、各造船所の工作部では、工事の対象となる各商船ごとにいちいち砲座の工作図面や配置図面を描くことは容易な作業ではない。

工事を可及的速やかにこなすには高射砲や高射機関砲ごとの砲座の基本図面だけをあらかじめ準備し、その図面に従って鋼板や鋼材を切断し、その後は在泊中の各商船にそれらを運び込んで現場合わせで各船の必要な場所に支柱や梁を溶接で取り付け、そこに準備しておいた砲座の床板や腰板や手摺などを組み上げていったのであろう。

つまり工事対象となる船によってある程度の基本的な配置は決められてはいるものの、実際の工事は現場合わせで造り上げられていった可能性が高いと思われるのである。そのために統一された図面は存在せず、造船所ごとに基本製作図面だけが存在し、各船の詳細な組み立て図面や武装の配置図などはあえて描かなかったのであろう。要は必要な武器を可及的速やかに配置し工事を終えることが第一で、余計な作業はことごとく省かれ、現在に残る図面を描く余裕もなかったと考えるのが当然のように思われるのである。ましてや工事中の写真や完成した火器の配置状態を写真に記録するということは末端の作業で、軍機密にも触れることになり資料として残されなかったのであろう。

この章では徴用された商船の武装について、当時の商船乗組員や実際に火器の操作を担当した陸軍船舶砲兵隊員の証言や、ある程度の推測も交えながら解説してみることにした。

（1）商船武装の基本的姿

太平洋戦争の劈頭に行なわれた南方侵攻作戦に準備された商船は大小約四〇〇隻に達した。そしてこれらの商船について一〇〇〇総トン程度以上の船のほとんどに何かしらの武装が施されていたといわれている。

搭載されていた火器は高射砲と高射機関砲で、この頃は搭載火器が高射砲だけという船が大部分を占めていた。南方作戦に徴用された商船の大半は陸軍に徴用されたもので、これらの船には船舶砲兵隊員が分乗し搭載された砲の操作を行なっていた。海軍に徴用された商船も同じく武装が施されたが、陸軍と海軍では徴用された商船に搭載される火器は全く違っていた。日本の陸海軍では採用されている兵器が基本的に全く違っており、高射砲（海軍では高角砲と呼んだ）も高射機関砲も機能や性能が当然異なり、使われる弾丸にしても両者の間の融通性は全くなかった。

このために徴用商船に搭載される火器を設置する砲座などにも寸法的な違いがあり、工作を担当する造船所でも作業には余計な煩雑さが強いられることになった。

ただ輸送船として徴用された船は陸軍に徴用されたものが圧倒的に多いので、以下輸送船とは陸軍徴用船であるということを念頭において解説してゆきたい。

初期の侵攻作戦においては船団は侵攻目的地別に船団を組んで航行したが、各船団の輸送船の中には必ず一隻または数隻の防空船という船を組み入れていた。防空船とは船団の他の輸送船よりも強力な対空火器を搭載し、船団を襲う敵機に対して船団の防空砲台の役割を果たすことを目的とした船で、六〇〇〇総トン級の貨物船であれば高射砲を六～八門、高射機関砲（単装）を六～一〇門程度装備していた。これに対し船団の他の輸送船の対空火器は高射砲二～四門程度であった。

例えば開戦劈頭のマレー半島コタバル上陸作戦には三隻（淡路山丸、綾戸山丸、佐倉丸）が参加したが、この中の佐倉丸が防空船に指定され、同船には高射砲八門が搭載されていた（搭載位置は船首に四門、船尾に四門）。またフィリピンのアパリ上陸作戦には六隻の輸送船が参加したが、防空船には「ありぞな丸」が指定され、同船には高射砲六門と高射機関砲（単装）一〇門が装備されていた。

日本の戦時輸送船の武装の様子は、記録を調べた範囲では一九四二年八月に始まったガダルカナル島をめぐる攻防戦あたりから様相が変化しているようである。

その変化とはそれまで船団に組み入れられていた防空船の存在がなくなり、重要な作戦に投入される全ての輸送船に防空船並みの武装が施されだしたということである。そしてこの

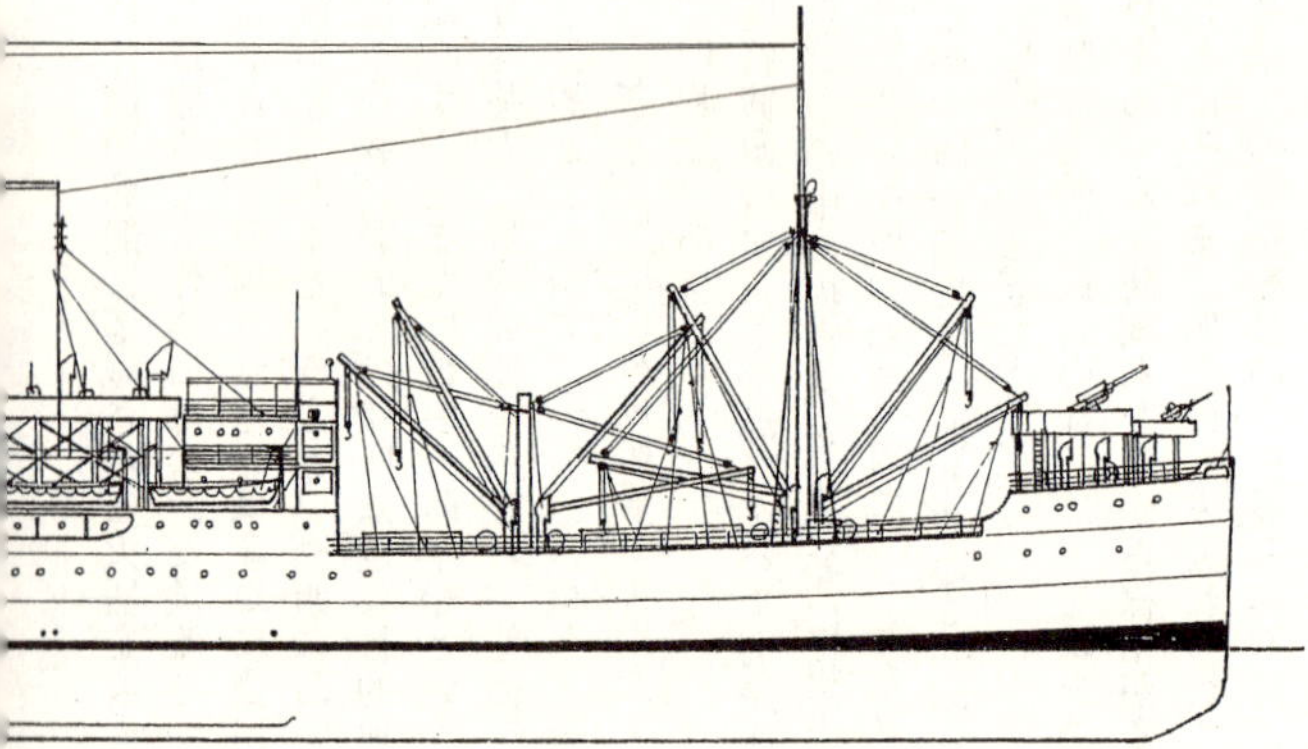

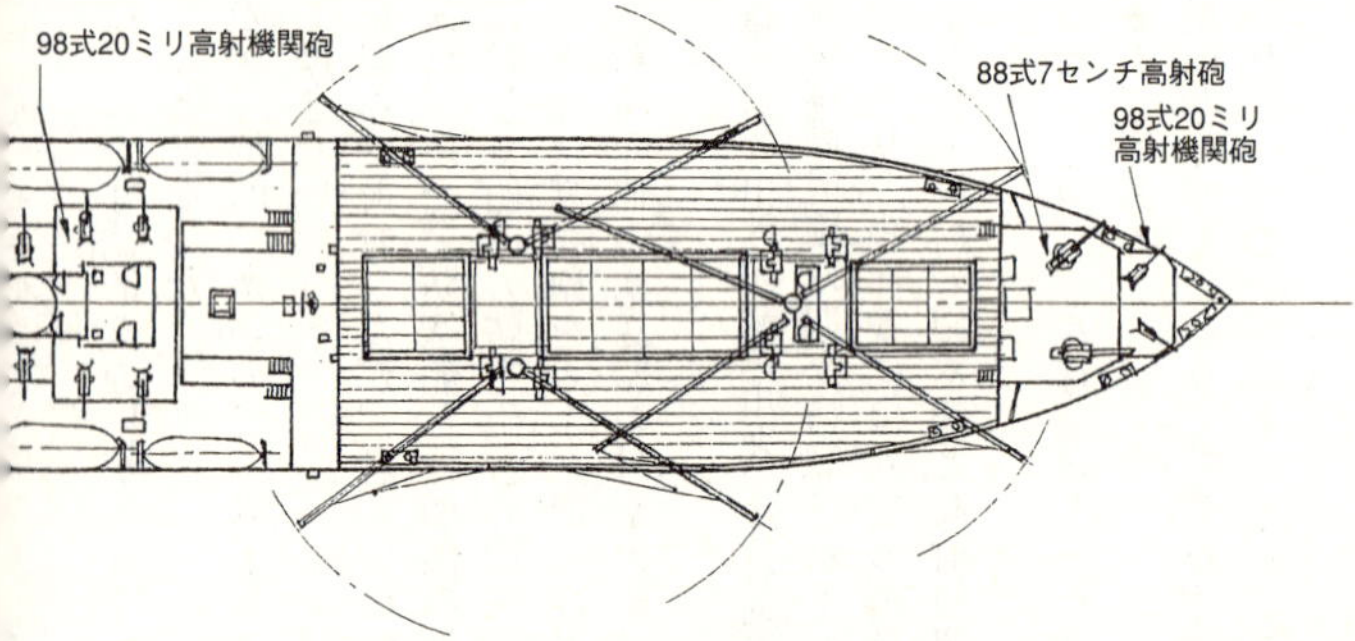
98式20ミリ高射機関砲
88式7センチ高射砲
98式20ミリ
高射機関砲

第27図　貨物船ありぞな丸の対空兵装とその配置

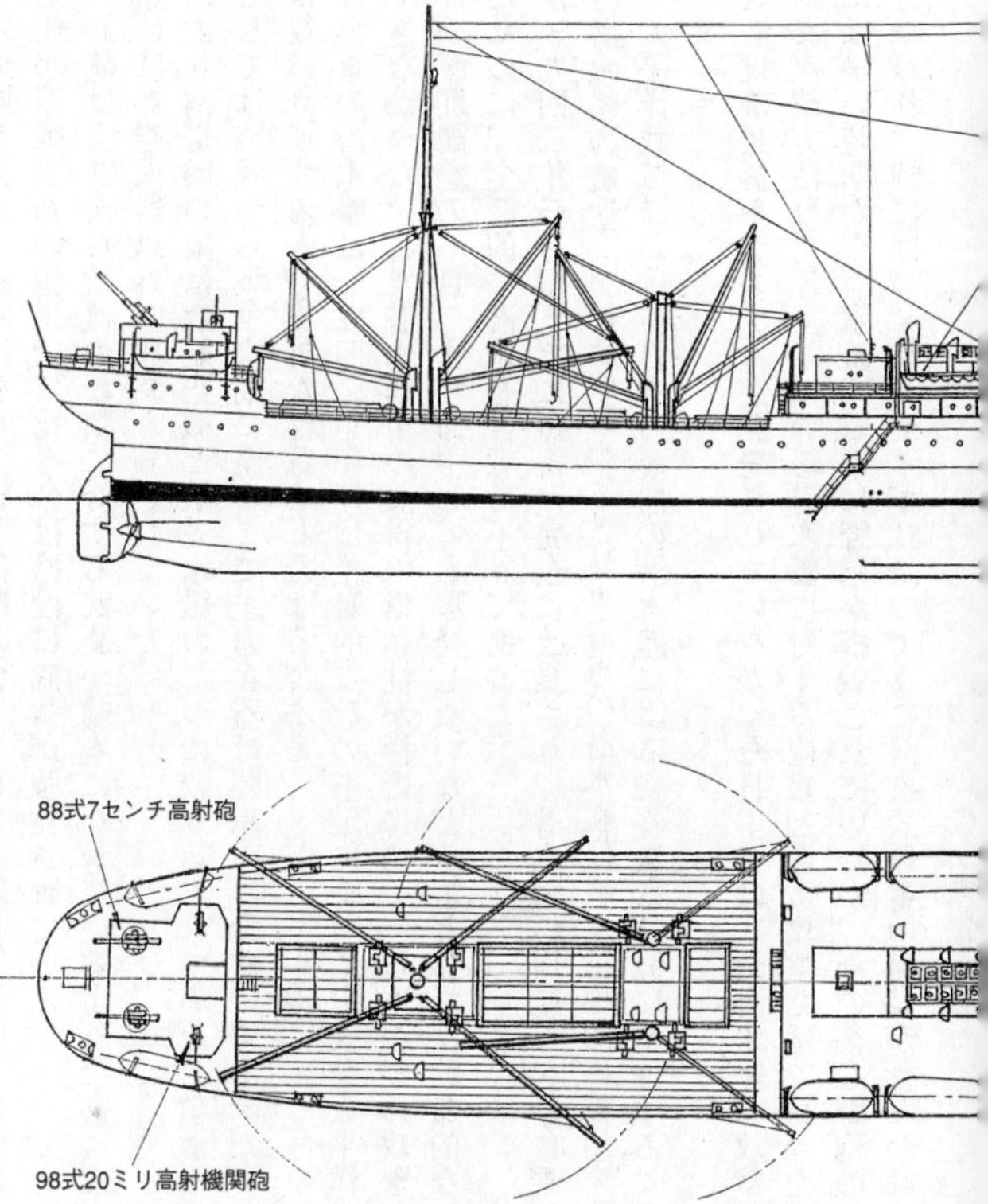

傾向は戦争の進展と共に一般的になり、戦争後期のフィリピン攻防戦においては、ほとんど全ての輸送船が開戦当初の輸送船に比べれば格段に武装が強化されている。

輸送船の武装は当初から敵機の攻撃に対する武装が基本になっているようであったが、多くの輸送船には対空火器以外の武装も施されていた。

開戦当初より輸送船の敵は敵航空機と敵潜水艦の二つに絞り込まれていた。敵潜水艦に対する武装としては開戦から戦争末期に至るまで主力兵器は陸軍の「野砲」であった。この件については後に詳述するが、案外な活躍をしたようである。

アメリカ海軍の潜水艦は一九四二年一杯は絶対的な数の不足によって広大な太平洋で十分な作戦ができなかった。また潜水艦用の魚雷の信頼性が極端に悪く、日本艦船の攻撃に際しても直進性や深度調整の不良、また命中しても爆発しないなど魚雷としては致命的な欠陥を持っていたために、全般的に潜水艦作戦は不調であった。

ところが一九四三年三月頃までに魚雷が完全に改良され、潜水艦の増産も起動に乗り、さらにドイツ潜水艦の戦法（狼群戦法）をアメリカ海軍の潜水艦作戦に積極的に採用することによって、太平洋戦域における日本の商船の潜水艦による犠牲数は急激に増加することになった。

有効な対潜攻撃兵器やシステムが開発されていなかった日本では、敵潜水艦を攻撃する唯一の積極的な攻撃方法は、浮上している潜水艦に対する砲撃と爆雷攻撃だけであった。

輸送船には早い時期から潜水艦攻撃用に野砲が搭載されていたが、その後も野砲の装備は積極的に行なわれ、時にはアメリカやイギリスのように前投式爆雷の開発が行なわれていなかった日本では、野砲に一杯の迎角をつけて砲弾を発射し、前方の海面下に潜んでいるであろう敵潜水艦への威嚇用の爆雷の変わりに使う手立てとしていた。また前方投射爆雷の代用に、陸軍の大口径の迫撃砲も輸送船に装備され野砲と同じように使われ、猛威をふるう敵潜水艦に対する攻撃の武器としていた。

また爆雷は高速船の船尾に一〇発程度装備して使っていたが、もともと潜水艦の潜む位置を正確に探知する能力もない輸送船であるために、この爆雷はあくまでも敵潜水艦に対する威嚇用に使われたと考えるべきである。

対空火器に話を戻すが、一九四四年十月から展開されたフィリピン攻防戦では、特にレイテ島の争奪戦をめぐり激烈な戦闘が繰り返されたが、日本陸軍は多数の輸送船を次々とレイテ島のオルモック湾に送り込み兵力の補充と物資の補給を行なった。しかし制空権が完全に奪われたレイテ島周辺では、送り込まれる輸送船は次々と敵航空機の攻撃の的になり沈められていった。この作戦に投入された輸送船の武装は千差万別で、例えば能登丸（日本郵船、七一八五総トン）は船首と船尾に高射砲各二門、ボートデッキの両舷に二〇ミリ高射機関砲（単装）各二門を装備し、商船型の陸軍上陸用舟艇母船高津丸は、高射砲を船首に二門と船尾に四門、船橋からボートデッキ周辺に二〇ミリ高射機関砲（単装）六門を装備し、それ以外に乗船中の兵員を対空戦闘の配備につけ、合計三六梃の七・七ミリ重機関銃を対空用に準備していた。

しかし雲霞のように群がり来る敵機にこの程度の対空火器が有効であるはずもなく、輸送船は次々と撃沈されていった。

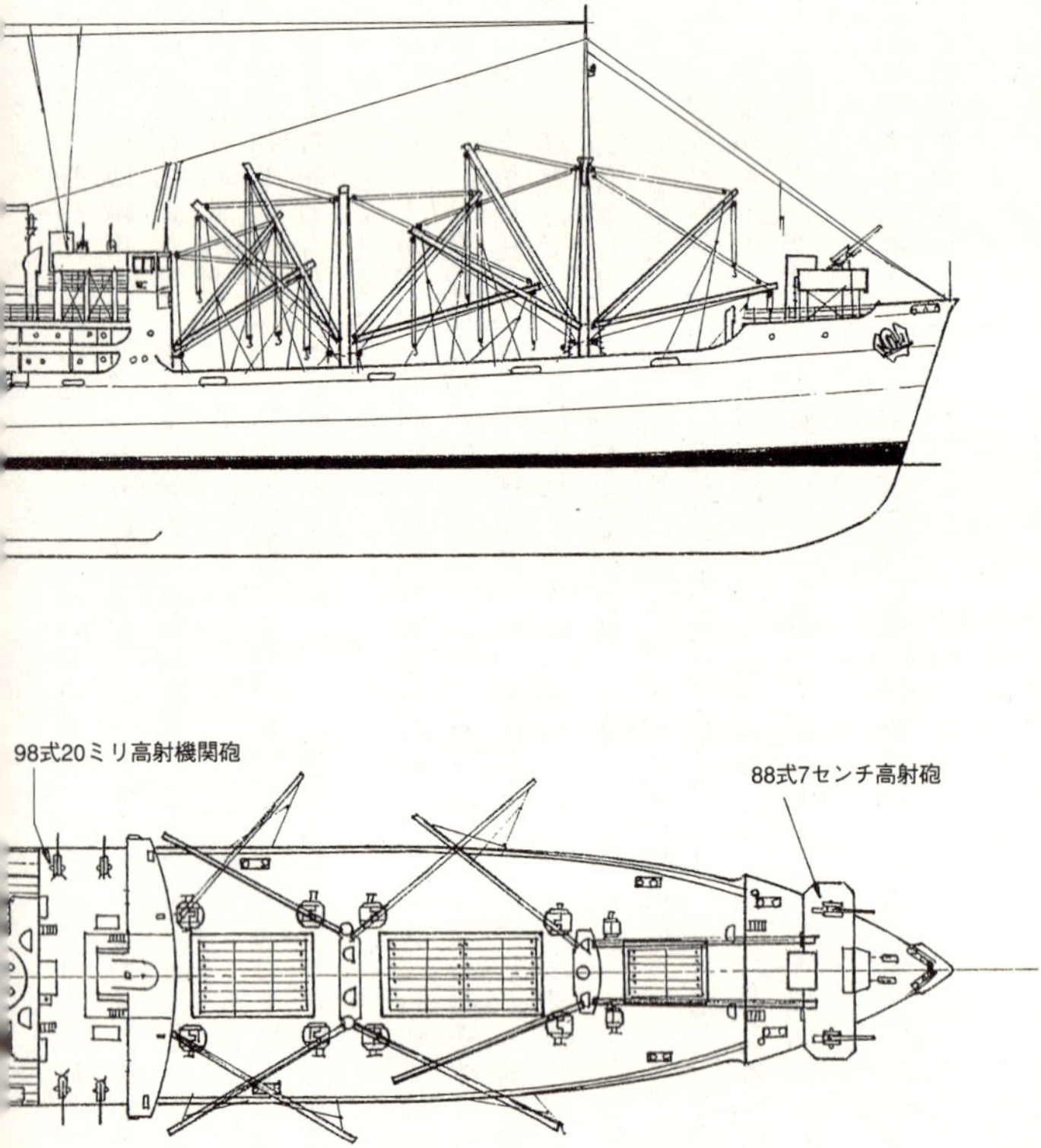
98式20ミリ高射機関砲
88式7センチ高射砲

第28図　貨物船佐渡丸の対空兵装とその配置

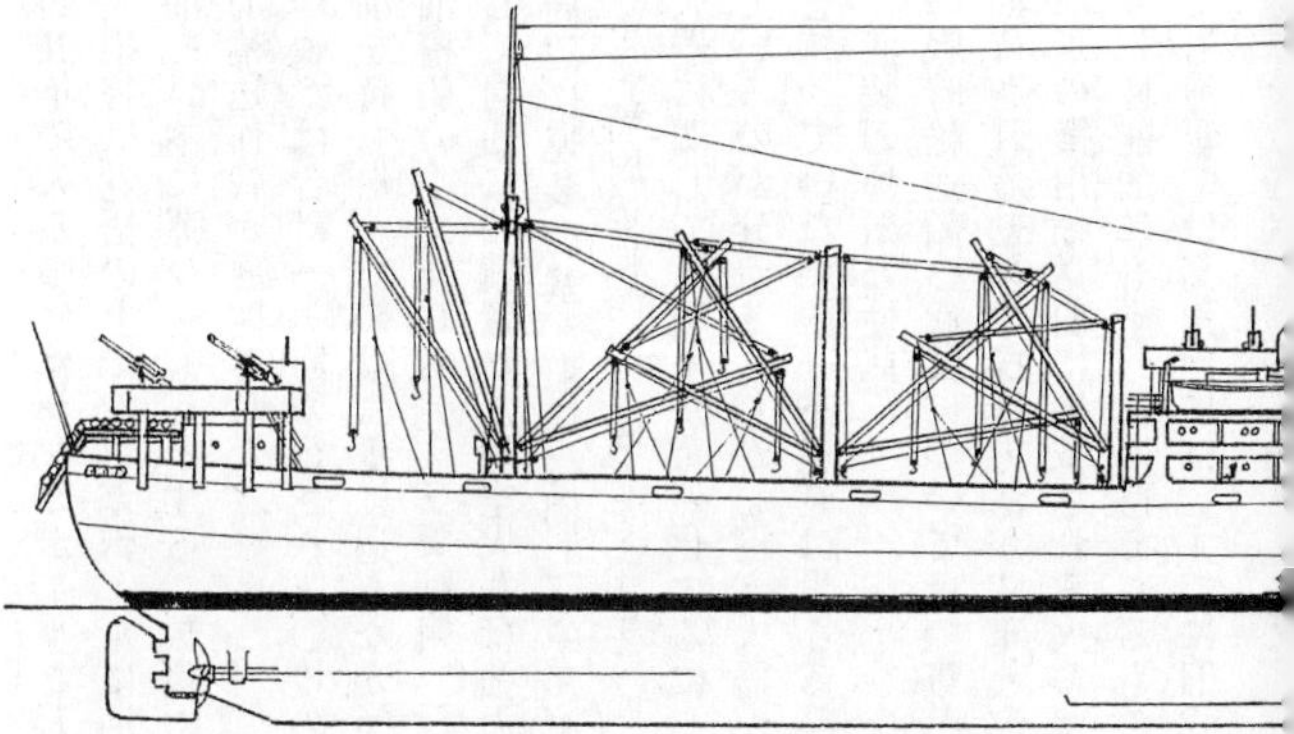

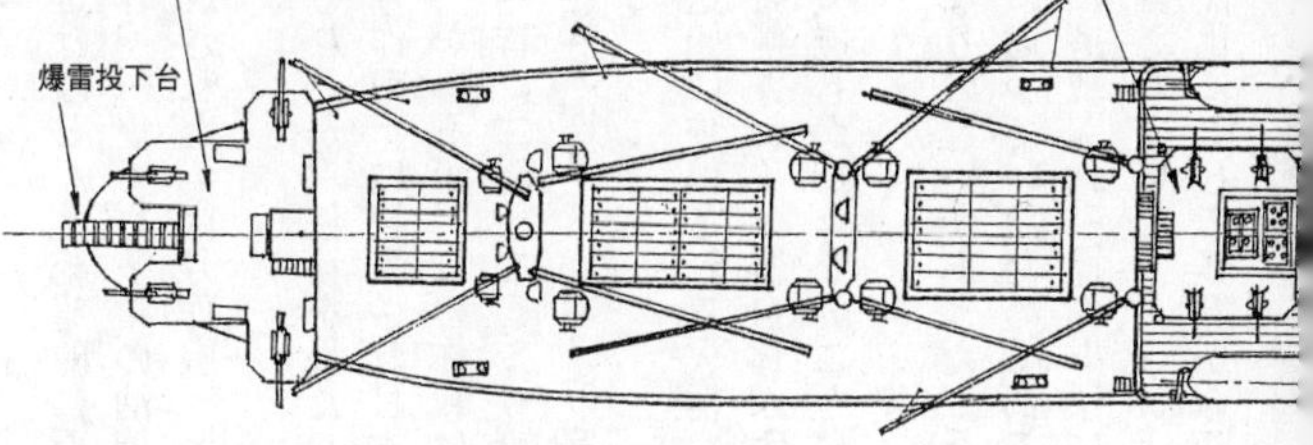

一九四五年に入る頃にはシンガポールなどからの石油輸送はほとんど絶望的になっていた。当時大損害は覚悟の上でシンガポールに油槽船を送り込み、一隻でも多くの油槽船を生還させ石油を日本に運び込もうとする、数隻の油槽船から編成された「南号作戦」という特攻的な石油輸送作戦が展開された。

「南号作戦」は合計一一回挙行され三〇隻の油槽船が投入されたが、任務を果たし無事に日本に石油を持ち帰ったのは六隻に過ぎなかった。この「南号作戦」に投入され日本に無事帰還した油槽船の中にせりあ丸（三菱汽船、一万二三八総トン）があるが、この作戦に投入されるに際して同船に装備された対空火器は強力で、高射砲は船首に二門、二〇ミリ高射機関砲は船橋周辺に連装四基、船尾に同じく二〇ミリ高射機関砲連装四基、一三ミリ高射機関砲（単装）を船橋周辺に四門、同じく船尾に四門装備していた。

対空火器に関しては戦争が苛烈化するにしたがって各輸送船に装備される火器も次第に強化されているのが分かる。しかし例え火器が強化されても装備される火器自体がよほど優れた性能を持っていない限り、武装は単なる「蟷螂の斧」の機能しか持たないことになる。

（2）武装の種類と性能

日本の戦時輸送船の武装については陸軍と海軍とではかなりの違いがあった。その原因は火器に期待される効果や操作方法が陸軍と海軍では基本的に違っていたためである。海軍の場合は海軍の徴用輸送船に搭載される火器は従来から艦艇に搭載され、操作方法にも使いなれており、性能的にも十分に期待できるものが商船にも装備されていた。

それでも海軍では高角砲には、すでに旧式化し艦艇の近代化に際して艦艇から降ろされ保存されていた十年式一二センチ単装高角砲か、あるいは三年式八センチ高角砲が装備された。

しかし高角機銃には現役の艦艇に装備されているのと同じ九六式二五ミリ機銃が装備された。この機銃は単装、連装、三連装の三種類があり、いずれかが輸送船にも装備されたが主力は単装であった。

八八式七センチ高射砲

輸送船の大半を占めた陸軍輸送船の場合、高射砲の主力は八八式七センチ高射砲であった。この高射砲は陸軍野戦高射砲隊の基幹兵器で、最大射高（弾丸が垂直に撃ち上げられて最高の位置に到達する距離）九一〇〇メートル、初速（弾丸が砲身から発射された瞬間の速度）七二〇メートル／秒という性能で、昭和三年に制式採用された高射砲であるだけに太平洋戦争当時の飛行機に対応するには基本的に無理のあることは承知の上であった。

陸軍の野戦高射砲の主力はすでに高性能な九九式八センチ高射砲に代わっていたが、火砲の不足から背に腹は代えられず「無いよりはまし」という考え方であろう、八八式七センチ高射砲は輸送船の主力高射砲として多数配備されたが、成果のほどは不明である。

一方、陸軍輸送船の主力高射機関砲として採用された九八式二〇ミリ高射機関砲にも基本的な問題があった。

九八式二〇ミリ高射機関砲

海軍輸送船の主力高角機銃であった九六式二五ミリ機銃と、陸軍の九八式高射機関砲の性能比較表を第30表に示すが、口径が海軍の二五ミリに対して陸軍が二〇ミリであるという基本的な違いはあるものの、双方とも砲弾は炸裂弾で命中したときの破壊力は強力であった。しかし陸軍の九八式機関砲には数字には表われない基本的な問題が隠されており、総合的な性能としては海軍の九六式機銃に完全に軍配が上がった。

しかし性能的な違いから直ちに海軍の火器を陸軍の基幹火器として使えないところに当時の日本の陸軍と海軍の軋轢と固執の問題があり、戦争末期に至ってやっと陸軍輸送船に海軍の九六式二五ミリ三連装機銃が装備されるようになったが、時すでに遅しであった。

日本陸軍の対空火器で最も研究が遅れをとっていたのは、二〇ミリ高射機関砲などの敵航空機を対象にした近接戦闘に使う火器であった。なぜ遅れをとったのかは定かでないが近接戦闘に対する認識が薄かったと見るのが正しいようである。

一九三八年に制式採用された九八式高射機関砲は、日本陸軍独自のアイデアが盛り込まれた対空火器ではあったが、最も多用されたのは陸上の防空戦闘ではなく、皮肉にも輸送船の対空火器としての活躍であったようだ。

ところがいざ対空戦闘に九八式二〇ミリ高射機関砲を使ってみると、発射速度が遅く（一秒間二発。海軍の九六式機銃は口径が二五ミリと大きい割に発射速度は一秒間四発）、戦争の中頃から出現した高速のアメリカ陸海軍新鋭戦闘機にはとうてい対応できなかった。また弾丸が砲身への挿入不良を起こす突っ込み現象や、砲内で弾薬が暴発する膅内爆発などが多発した。

九六式二五ミリ機銃

さらに照準の機能・原理が稚拙で精密な照準ができず、射弾の散布が大きくなる傾向にあり、照準と共に正確な射撃ができなかった。そして決定的な欠陥として砲身の冷却機構が機能しないために砲身の焼け付きを起こしやすかったことなどで、実際に敵機と戦闘を交えた砲手が九八式高射機関砲に抱いた印象は、極めて悪いものであった。

日本の戦時輸送船の壊滅の陰には対空戦闘に対する軍部の認識の甘さ、つまり性能の良い火器を十分に準備する認識、言い換えれば現用の陸軍の対空火器が世界水準に比較して大幅に劣っているという認識もなく、当然至急の改良を進めるという努力もないままに、むやみに効果のない対空火器の増備ばかりで輸送船の武装強化と認識していたことが、敵航空機に対する被害の増大につながった可能性がなかったとはいえないのである。

次に先に述べた野砲であるが、使われた野砲のほとんどが一九〇五年（明治三十八年）に陸軍に制式採用された三八式野砲、あるいはこの野砲の迎角を大きくした改良型の三八式改野砲であった。

この砲は口径七・五センチで、最大射程は一万五〇〇〇メートルもあった。しかしこの砲の初速は五二〇メートル／秒という低速であるために潜水艦の外板を貫通するだけの威力はなかったし、初速が低速であるために弾道の直進性に不安があったことは確かであった。ただし、命中しなくとも浮上中の潜水艦めがけて発射した砲弾が潜水艦の付近に着弾すれば、潜水艦にとっては確かに脅威であったことも確かであろう。

三八式野砲

この砲は一般的には船首の錨鎖甲板の上に砲座を新設し、砲車を外し砲身を砲の復座機と共に砲座の台上に固定し、全周旋回が可能なように設置する。そして迎角も四五度を可能にし、砲弾を急角度に海面に落下させ、前投射爆雷の代用も兼ねるようにしてあった。

輸送船の中には三八式野砲の代わりに九四式山砲（口径七・五センチ、最大射程八三〇〇メートル）を装備したものもあった。

野砲以外の火器としては迫撃砲も多くの場合装備された。これは前投射爆雷の代用として、命中精度は度外視して前方の海面下に潜伏していると予想される潜水艦の威嚇用に使われたものである。採用された迫撃砲は二式一二センチ迫撃砲が装備される場合が多かった。口径一二センチ、最大射程四二〇〇メートルという性能を持っていたが、この砲弾の威力はアメリカ海軍が実用していた前投射爆雷であるヘッジホッグ（口径一二センチの小型爆雷を同時に二四発発射し、前方の海面に楕円形状の散布で着弾させる）の一発の爆雷に近いものと想像されるが、潜水艦の探知も不正確なまま発射される迫撃砲弾の威力は限りなくゼロに近く、威嚇の役割を超えることはなかったであろう。

第30表　陸軍98式20ミリ高射機関砲と海軍96式25ミリ機銃の性能比較

項　目	98式高射機関砲	96式機銃
口径	20mm	25mm
銃身長	1440mm	1500mm
初速	900m／分	900m／分
最大射高	3500m	5250m
有効射程	1000m	1500m
発射速度	120発／分	220発／分
給弾方式	弾倉（15発）	弾倉（15発）

火器とは別に一部の輸送船には爆雷の装備が始まっていた。爆雷の装備は一九四二年七月頃からとされているが、敵潜水艦の脅威が深刻の度を増し始めた一九四三年半ば以降からは輸送船には爆雷が標準的装備となった。ただ爆雷を装備するには条件があり、戦闘経験者によると装備可能な船は航海速力が一〇ノット以上と決められていたそうである。

その理由は低速の船が爆雷を投下した場合に、爆雷が爆発深度に達し爆発すると投下した船がまだ爆圧効果の範囲内にあれば、その船のスクリューや舵あるいは船底の外板が衝撃で破損し浸水を起こす恐れがあるからで、搭載するには所定の速力が必要であった。

爆雷を搭載するには船尾から爆雷を固定する架台を突き出して固定し、その架台に爆雷を五～一〇個ほど縛固する。ただ輸送船は潜水艦を積極的に攻撃することはできないが、潜水艦の攻撃を受けた場合には適宜爆雷を投下する。従って輸送船が搭載する爆雷は潜水艦攻撃用ではなく威嚇用に使われるものと見るべきものであった。

輸送船をめぐる戦闘が苛烈になるに従い、輸送船には所定の火器以外にさまざまな現用火器が搭載された。例えば九四式三七ミリ速射砲、一式四七ミリ速射砲、九〇式野砲、各種迫撃砲、九二式重機関銃、そして緒戦で大量に鹵獲した様々な火器などである。これらの火器を含めれば輸送船の対空あるいは対潜火器は多種多様で、輸送船が必ずしも一定の基準に従って武装が施されたとは言い切れないのである。

輸送船が装備した対空火器の中に「阻塞弾発射器」というものがある。これは陸軍が地上攻撃を仕掛けてくる敵機に対して使う一種の対空火器である。原理は花火の打ち上げ装置のような筒から、地上攻撃に向かってくる敵機が上空を通過する直前にこの筒から阻塞弾を打ち上げるもので、打ち上げられた阻塞弾は花火と同じく一定の高度で破裂する。破裂すると中から小さなパラシュートに紐で繋がれた爆雷が多数周囲に撒き散らされる。

多数の爆雷はパラシュートによってゆっくりと落下するが、その中を通過する敵機の機体にパラシュートと爆雷を繋ぐ長い紐が引っかかると、爆雷は機体にぶつかり爆発し敵機を撃

第29図　陸軍8センチ阻塞弾発射器とその原理

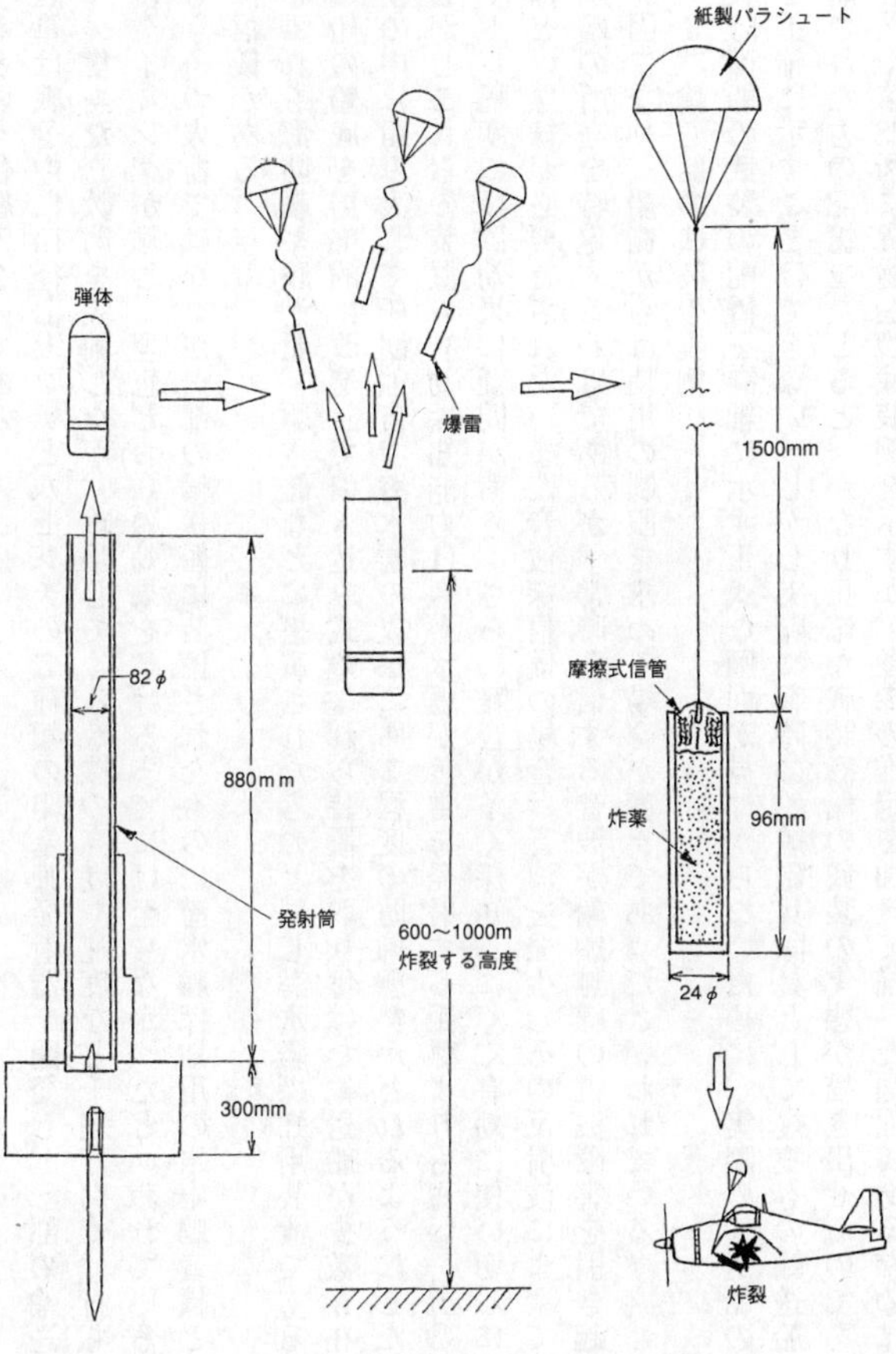

墜するという仕組みなのである。

陸軍は戦争中に口径七センチと八センチの二種類の阻塞弾発射器を開発し、一部の輸送船には一隻当たり数門を装備したが、攻撃してくる敵機の高度や速度など千差万別で、打ち上げのタイミングが難しく理想どおりの効果を挙げるまでには至らなかったといわれている。

もう一つ火器ではないが一部の輸送船に装備されたものに潜水艦探知用の水中聴音機と音波探信儀がある。

いずれも海防艦や駆潜艇、駆逐艦などに搭載されたものと同じ潜水艦探知用装置であるが、輸送船の船底を局部的に改造して引き込み式のこれら装置を取り付けた輸送船が少数存在し、船団の中に組み入れて船団独自で潜水艦の攻撃にある程度の防御態勢がとれるようにした。

しかしこれらの装置も有効探知能力は敵潜水艦が魚雷を発射する距離よりも短い一五〇〇メートル程度で設置効果に疑問があり、さらに雑音が多く探知しにくく有効に使い切るにはよほどの熟練が必要とされた。また音波探信儀の場合は音波を発生しその反射波によって敵潜水艦の所在を特定するわけであるが、常時発信する音波が船舶無線の電波障害を引き起こす原因になり、船側からは使用の制限を求める場合が度々であったといわれている。

（3）輸送船の武装の実例

戦時商船の武装の配置を詳細に示す正式な図面が見つからないために、実際の輸送船の武装を正確に示すことはできない。しかし実際に戦時に船舶砲兵隊員として幾隻もの輸送船に乗船された方の記憶をたどると、かなり正確な戦時商船の武装の実態が描き出せるのである。

第27図や第28図に貨物船の武装例を示すが、多少の推定を加えて描いた図面であるために絶

対的な正確さを求めることはできないが、戦時商船の武装のイメージを抱くことは可能である。

陸軍に徴用された無数の商船には規模の大小こそあれ武装が施されたが、装備された各火器を操作する要員は陸軍の船舶砲兵連隊に属する隊員によって行なわれた。要員の配置は基本的には一門の火器を操作する隊員を一個小隊として扱い、装備する火器が増えれば一隻の商船に配乗する船舶砲兵隊は一個中隊規模となる。配置された隊員は戦闘が激烈になるに従って航海中にゆとりはほとんどなく、四六時中配置の態勢を崩すことができず、例えば対潜用に装備された船首の野砲の要員などは、砲座の下に設けられた狭い待機スペースを航海中の休息の場所とし、日本からフィリピンまでの長い航海を神経と体力をすり減らしながら配置についていたそうである。同じ戦時輸送船でありながら、アメリカでは戦時急増のリバティー型貨物船でも火器要員用に簡素ながら快適な居室があてがわれ、充実した対潜水艦攻撃態勢の中で常に戦闘への鋭気が養われていたのである。

第16章　平和の時代の戦禍

高速貨物船山城丸を襲った突然の災難

第二次世界大戦後も世界各地で局地的な戦争が次々と勃発していた。勿論いずれの場合も世界的な大戦にまでは発展せずに局地紛争程度で終わっているのは不幸中の幸いであるが、戦争の当事者にとってみれば国家の存亡に関わりかねない事態として憂慮することおびただしいはずである。しかしそのような状態は続くものの全世界的に見れば第二次世界大戦後は一応の平和な時代が訪れていると考えられなくもない。

日本も一九七〇年代に入る頃には驚異的な経済成長が始まり、国力もとみに増し、経済的には少なくとも世界の一等国の仲間入りができた状態にあった。

日本の海運界も太平洋戦争によって壊滅的な損害を受けながらも、国家的に海運界を育成して行く政策の中で、戦前に勝る優秀船を多数建造し船腹の充足が進められ、早くも一九六〇年代には船腹量は戦前の値を優に超えていた。そして個々の商船についてもその質は主要海運国をリードする立場にあった。

そして、戦後いち早く世界の造船技術の先頭に飛び出していたのが、大型油槽船の建造技術と貨物船の高速化に関する理論であった。

貨物船においては一九五〇年代には早くも最高速力二〇ノットクラスの高速船を幾隻も建造しており、その高速船を多数揃えた日本の商船隊は再び世界の海運界の羨望の的になり始めていた。そしてこれらの高速船を世界の航路に就航させることによって、世界貿易の中で日本の商船隊が稼ぎ出す富の蓄積は国家再建の礎にもなっていたのであった。

その中にあって一九六〇年代に入る頃には、日本の造船界の重鎮でもある三菱造船の技術陣は三菱日本重工業との共同研究によって、さらなる高速船、つまりは「超高速貨物船」の研究理論を完成の域にまとめ上げ、試作超高速船を建造する準備に入っていた。理論による と満載状態の一万総トンの貨物船でありながら、航海速力一九ノット（時速三五キロメートル）以上の高速航行が可能という結論が引き出され、そのための基本船体の開発も終わっていた。

この理論を基に日本郵船は満載航海速力一九・七五ノット（時速三七キロメートル）級の一万総トンクラスの貨物船四隻の建造を決定し、とりあえず第十七次造船計画で試作船に相当する超高速船第一船の山梨丸（九六七六総トン）を起工した。

山梨丸は一九六二年十月に竣工したが、海上公試運転で最高速力二三・六四ノットを記録し、航海速力一七・七五ノットが保証されることになった。

しかし一万総トン級の山梨丸にこの最高速力を出させ、ほぼ二〇ノットの航海速力を出させるためには一万七五〇〇馬力という強力なディーゼル機関が必要であり、運行採算面では必ずしも良いものとは言えなかった。

山城丸

次なる課題は二〇ノットの航海速力を出すための機関馬力を山梨丸よりも大幅に低減させることであった。

両社の技術陣はこの難題を斬新な船体設計を行なうことによって短期間で見事に解決し、一年後の一九六三年十一月に超高速試作第二船の山城丸（一万三三二総トン）を竣工させた。そして本船の主機関馬力は山梨丸よりも出力が二三パーセントも下回る一万三五〇〇馬力であった。そして山城丸は最高速力こそ山梨丸よりも一ノット下回る二二・四五ノットという値であったが、満載状態での航海速力一九・七五ノットは確保され、超高速船でありながら経済船を出現させたのであった。

山城丸が山梨丸よりも少ない馬力で満載航海速力が山梨丸と同等のスピードを確保できたことは、山城丸の船体が山梨丸よりも水面下の形状において造波抵抗が少ないものとなり、船首水面下に船の高速化には最大の敵である造波抵抗を低減させるための、理想的な球状船首（バルバスバウ）を採用したためであった。

これにより、超高速船でありながら主機関の低出力化によって建造原価を低減させ、運航燃料の大幅な節減が可能になり、運行収益の著しい向上が期待できることになった。

山城丸の出現は欧米の造船界や海運界に大きな衝撃を与えたことはいうまでもなかった。

一方、山城丸は高速化とは別に船内の配置においても、これまでの日本の貨物船にはない新しい思想が導入されて設計されていた。

その一つが乗組員の居室で、それまでの貨物船では士官以外の一般乗組員の居室は二〜六名室であったものが全て個室化された。二つ目は居住区域の全てにエアコンディショニングを施し、熱帯海域を航行中でも船内で快適な作業と居住を期待することができ、船内業務の効率化が図られた。三つ目は各種船内業務を効率的に行なう工夫が船内レイアウトに施され、作業の効率化ばかりでなく要員の削減効果も狙えることになった。

今や世界の貨物船の革命児となった山城丸は、竣工すると直ちに山梨丸と組んでスエズ運河経由の日本とヨーロッパを結ぶ幹線航路に就航することになった。

しかし一九七三年にはさすがの山城丸も船齢十年を数え、ヨーロッパ幹線航路はその後の新鋭船にバトンを譲り、スエズ運河経由の地中海航路に就航していた。

しかしその最中の一九七三年十月六日に突如、第四次中東戦争が勃発した。

中東の不安定な状況は、第二次世界大戦直後にパレスチナの地にイスラエル国家が強引に建国され、二〇〇〇年来パレスチナの地に居住していたパレスチナ人が周辺の地に追い出されたときから始まっていた。

一九五六年十月のスエズ戦争は国際政治的には、中東の支配権がそれまでのイギリスとフランスからアメリカとソ連に移行するきっかけになり、アメリカとソ連の両陣営の争いそのものがイスラエルとパレスチナ・アラブ間の争いに拍車をかけるきっかけとなってしまった。

つまり中東地域は領土回復とパレスチナ人の復権を中核とする中東問題と、アメリカとソ連両国が陰で糸を引く石油危機問題が結合し、一九七〇年代に始まる世界的な新しい勢力争いの導火線となってしまったのである。そして中東をめぐる危機はその後も幾度となく繰り返された。

一九七三年五月、エジプトとシリアを中核としたアラブ側はイスラエルに対して武力攻撃の準備に入った。しかしイスラエル側がこの情報をいち早く察知しアラブ側に強行に抗議した結果、アラブ側の自制でとりあえずの危機は回避された。

しかしこの年の十月三日に、エジプトのサダト大統領は十月六日開戦でシリアと共同してイスラエルを攻撃する極秘の決断を下した。

しかし今回もイスラエル側は事前にこの情報を察知し、今回はイスラエル側が極秘の内にアラブ側に逆先制攻撃を下す決断をした。

十月六日早朝、エジプトとシリアは機甲師団を先頭に南北両方面からイスラエル国内へ進入を開始し、同時に航空攻撃を展開した。

イスラエル側はすでに周到な防戦態勢を敷いており、アラブ側の機甲師団の戦車は次々と撃破されることになった。またイスラエル空軍は十分な迎撃態勢と反撃態勢を敷いていたために、エジプトとシリアの空軍機は次々とイスラエル空軍機によって撃墜され、反対にエジプトとシリアの空軍基地はイスラエル空軍機の攻撃によって大きな打撃を受けてしまった。

エジプト海軍は開戦と同時に、フリーゲートや高速ミサイル艇を使ってイスラエル海軍基地とイスラエル艦艇に攻撃を仕掛けてきた。またシリア海軍も高速ミサイル艇と魚雷艇を出撃させイスラエル海軍基地と艦艇に攻撃を仕掛けてきた。

しかしここでもイスラエル海軍は十分な防戦態勢を敷いており、戦力と戦意に勝るイスラエル海軍側に軍配が上がり、一九七三年十月六日の第四次中東戦争勃発から十月二十一日の停戦までに高速ミサイル艇の損害だけでもイスラエル海軍の一隻に対し、エジプト海軍は一二隻、シリア海軍は五隻を失うという一方的な戦いになっていた。

このイスラエル側とアラブ側のミサイル艇の戦いの中で山城丸の悲劇が生まれてしまった。

山城丸は一九七三年八月四日に日本を発ち、地中海の各港に立ち寄りながら次第に地中海東部へ移動、ギリシャのピレウス港やトルコのイスタンブール港に立ち寄った後にキプロスのファマグスタ港に入港した。山城丸は十月四日に同港を出港後、同日の夜十時半頃シリアのラタキア港外に到着した。

山城丸はその夜は港外の泊地に錨泊し夜を明かしたが、翌五日は一日中岸壁が空かずそのまま港外で錨泊を続けることになった。そして六日の朝になりやっと岸壁が空いたので船を港内に移動させ岸壁に着岸し、直ちに荷下ろし作業が開始された。

しかし荷役作業の制限を受け八日まで離岸・着岸を繰り返し、荷下ろし作業は断続的にならざるを得なかったが、八日午後になってやっと荷下ろし作業が完了した。

しかしこの間の十月六日午後、山城丸にはこの日の早朝からスエズ方面で陸海空の大規模

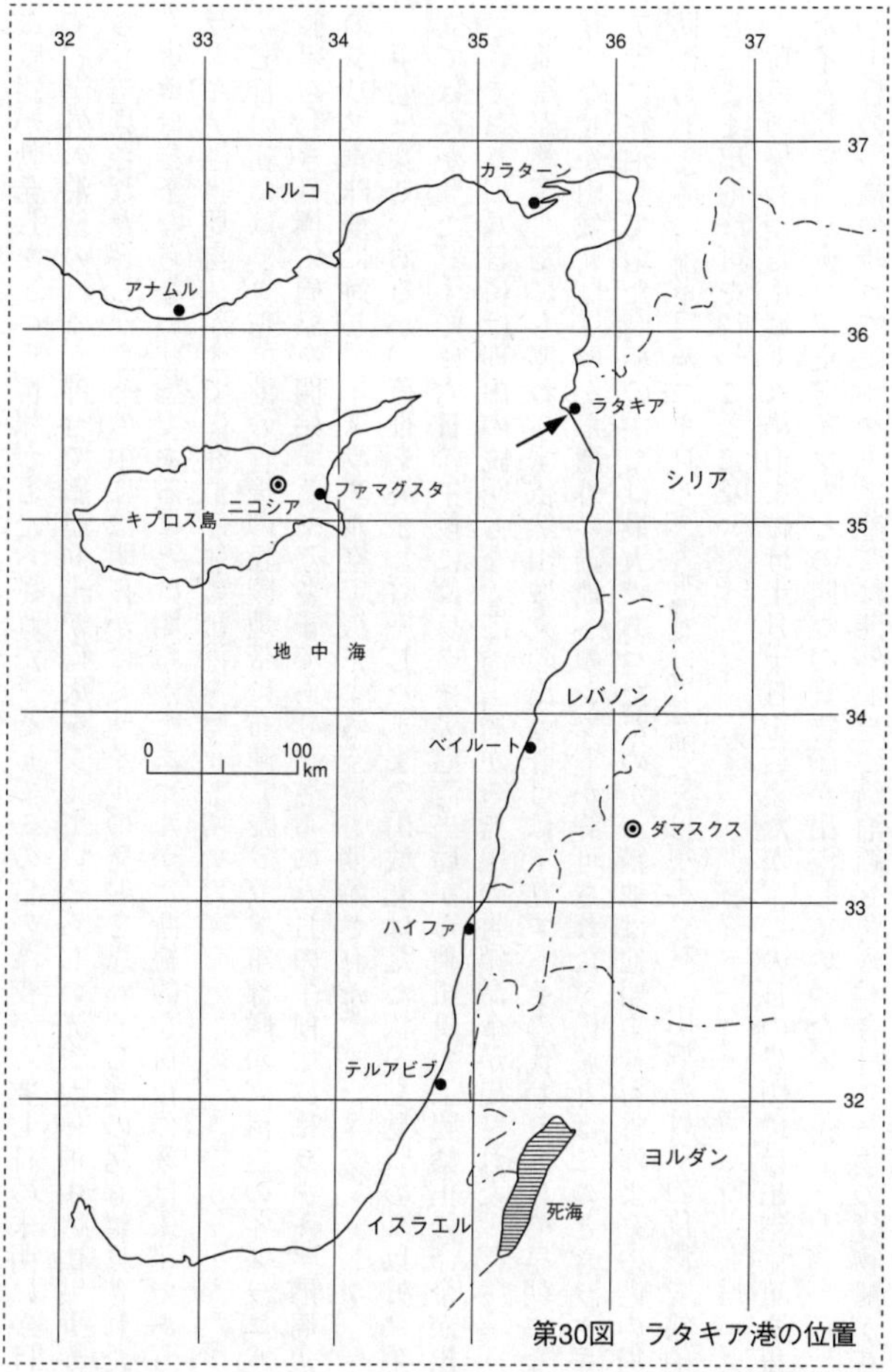

第30図　ラタキア港の位置

な戦闘が勃発したという情報がもたらされた。そしてこの日の深夜から翌七日の未明にかけて、港外の泊地のはるか沖合で艦艇同士が砲火を交えているらしい光景が停泊中の山城丸からも望見された。しかもその中には明らかにミサイルの発射を思わせる光の尾も望見された。

事態は猶予ならない状態であることは明らかであったが、断続的な荷役作業は未了であり、ラタキア港当局自体がすでに在泊船舶の出港を禁止していた。

七日の朝にはラタキア港の背後の丘陵地帯に布陣したシリア軍部隊が、海上のイスラエル艦艇らしき目標に砲撃を開始するありさまであり、さらに八日の午前中にはラタキア港周辺のシリア軍陣地に対してイスラエル空軍機による空爆も開始された。

事態は深刻であるが、荷役を終了し着岸したままの山城丸はただ状況を見つめる以外に手立てはなかった。すでに六日の午後にはラタキア港湾当局から乗組員の上陸禁止の命令が出されており、八日には理由の説明もなく港湾当局から無線の封鎖命令が出された。

荷役が終了したにも関わらず依然山城丸の出港許可は下りず、その代わり九日の早朝になり、なぜか山城丸は岸壁から港外の錨地へのシフトが許可された。山城丸はこのときラタキア港に在泊していた商船の中では最大であったためか、錨地は他船よりも外洋よりの港の堤防からおよそ一海里（約二キロメートル弱）ほど沖合に指定され、山城丸はその位置で錨泊したまま出港許可を待つことになった。

荷役の終わった山城丸は錨泊を続け十月十日を迎えたが、この日の昼頃には出港許可を得たイタリア、パナマ、東ドイツなどの四隻の貨物船が出港していった。

十日の午後の時点ではラタキア港には港外泊地の錨泊船も含め、合計二一隻の貨物船が在泊していた。そしてこの日もイスラエル空軍機がラタキア港周辺のシリア軍陣地に対して空爆を行なっている。

ラタキア港は天然の良港に恵まれないシリアにとっての唯一の整備された港であり、シリア海軍の基地にもなっていた。ただシリア海軍の勢力は大型艦は存在せず、ミサイル高速艇や魚雷艇などの小型艦艇がその全てであった。

いずれにしてもラタキア港が海軍基地も兼ねているということは、在泊商船の乗組員には一抹の不安となっていた。

日付が変わり十月十一日の未明頃になり、ラタキア港のはるか沖合にイスラエル海軍の高速ミサイル艇とおぼしき船影が頻繁に現われるようになった。これに対しシリア海軍の魚雷艇などの小型艇が港外の錨泊地に入り込み、まるで停泊する大型商船を盾にするように、大型船の陰に回り込み、時々その陰から現われては沖合を遊弋するイスラエルの高速ミサイル艇に向かって小口径の砲を発砲することを繰り返し始めた。

午後一時三十分、まるで山城丸を盾にしていたようなシリア海軍の小型艇が、山城丸の船首の前方に姿を現わし沖合に向かって砲撃を開始し、再び山城丸の陰に戻ろうとしていた、その瞬間、漆黒の闇の中に突然、山城丸に向かってオレンジ色の長い炎の尾を引いた物体が高速で飛んできた。その直後、山城丸の四番船倉の位置にあたる左舷舷側で猛烈な爆発が起きた。ミサイルの命中である。

灯火管制していた山城丸の姿ははるか沖合からは望見できなかったはずで、そのミサイルは明らかにシリア海軍の小型艇を目標に発射されたものであることに間違いはなかった。

第31図　山城丸被弾時の位置図

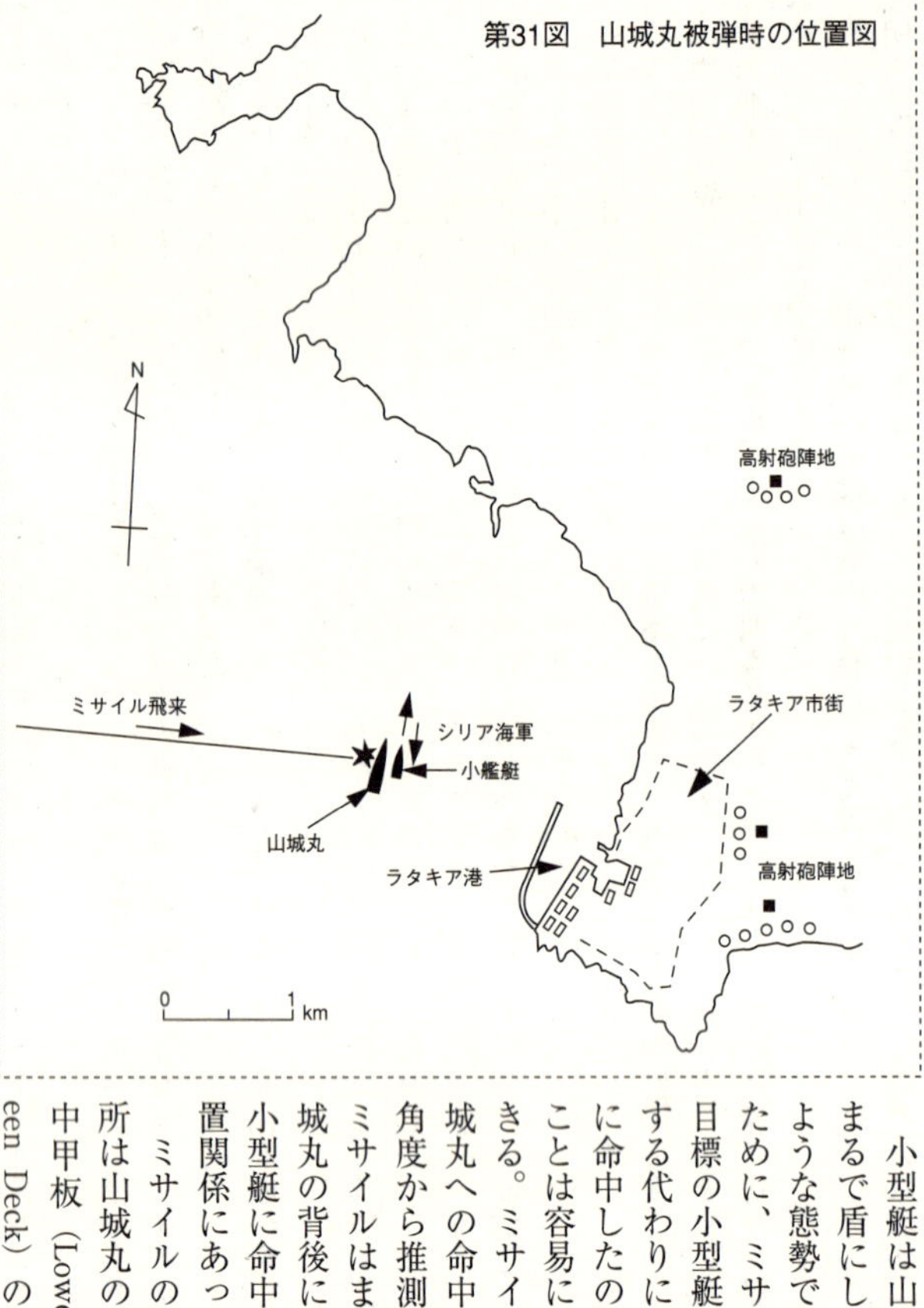

小型艇は山城丸をまるで盾にしていたような態勢であったために、ミサイルは目標の小型艇に命中する代わりに山城丸に命中したのであることは容易に推察できる。ミサイルの山城丸への命中位置や角度から推測しても、ミサイルはまさに山城丸の背後に戻った小型艇に命中する位置関係にあった。

ミサイルの命中箇所は山城丸の四番下中甲板（Lower Tween Deck）の左舷舷

側で、同甲板の床鋼板は爆発によって大きく湾曲し、となりの三番下中甲板との鋼板の隔壁には爆発によっていくつもの破口が開いていた。さらに一段上の四番上中甲板に被せられたハッチボードは飛散し、その上の上甲板のハッチカバーも飛散した。また四番上中甲板は冷凍貨物庫になっていたが、四ヵ所に分かれた各冷凍貨物庫の隔壁が大きく破損し、中の貨物が燃え上がり始めていた。その他にも爆発によって上中甲板の機関室隔壁に隣接する各種倉庫の隔壁などにも大小の破口が生じたが、幸いに少しの差で乗組員居住区域への被害はまぬかれ、人員への被害はなかった。

船体の被害は第四船倉周辺ばかりではなかった。船橋の正面の窓のガラスは爆発によってことごとく飛散し、その爆風の勢いは船橋内で当直中の航海士を二メートルも吹き飛ばすほどであった。

舷側の破口は幸いにも水面より多少高い位置であったために、直ちに浸水が始まる状態ではなかった。ただ三番・四番船倉や中甲板で発生した火災を一刻も早く消し止めなければならず、乗組員総出の消火作業が展開された。

火災は三番・四番船倉やそれぞれの上下中甲板など六ヵ所で発生しており、必死の消火作業の結果二ヵ所の火災は消し止められたが、三番船倉の下中甲板の荷物が燃え出している火災と、四番船倉の上中甲板の冷凍貨物庫の火災など四ヵ所の消火が困難を極めた。特に冷凍庫の火災は分厚い断熱材がくすぶり続け消火を困難にし、さらにもともと保冷構造のために出入り口は小さく、しかもそれらの分厚い扉は爆風のために捻じれ曲がり、開閉も困難で著しく消火作業を困難にさせた。

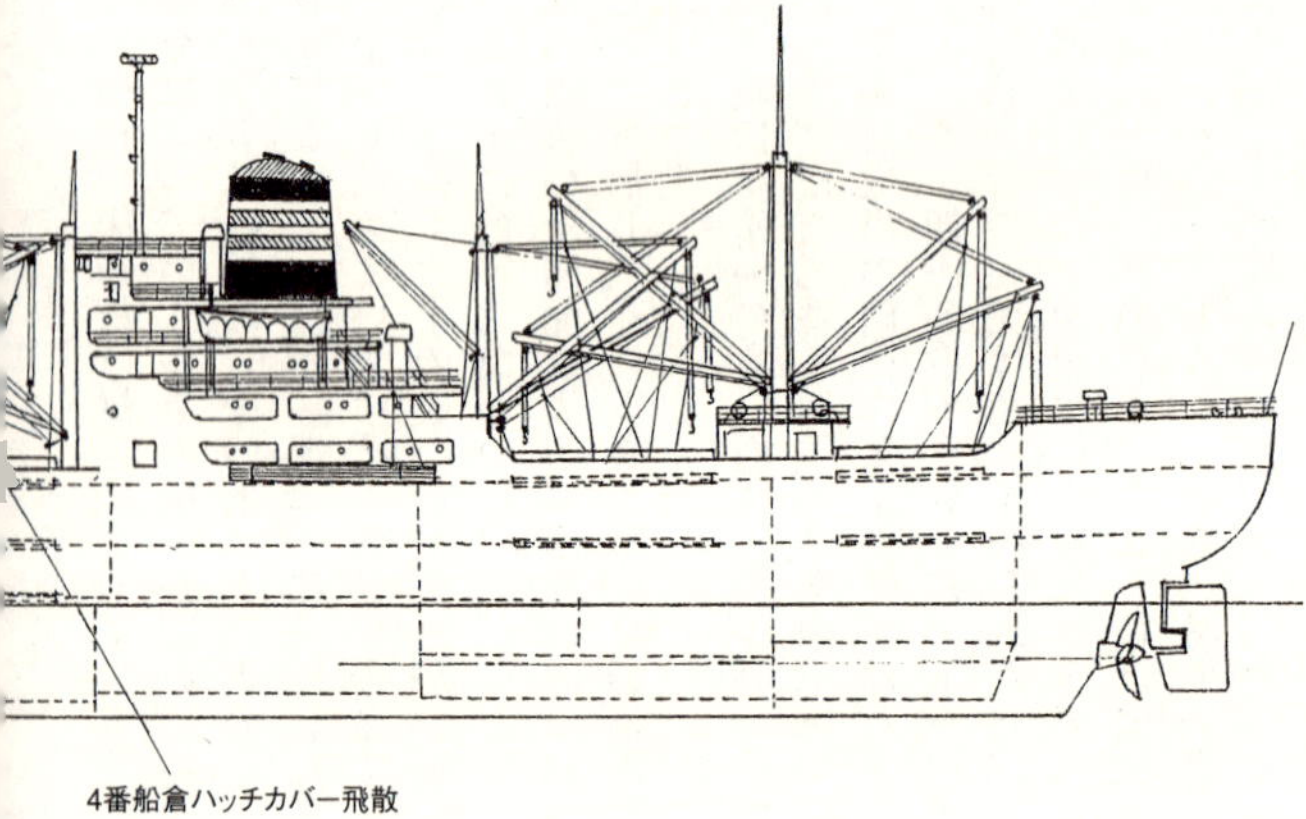
4番船倉ハッチカバー飛散

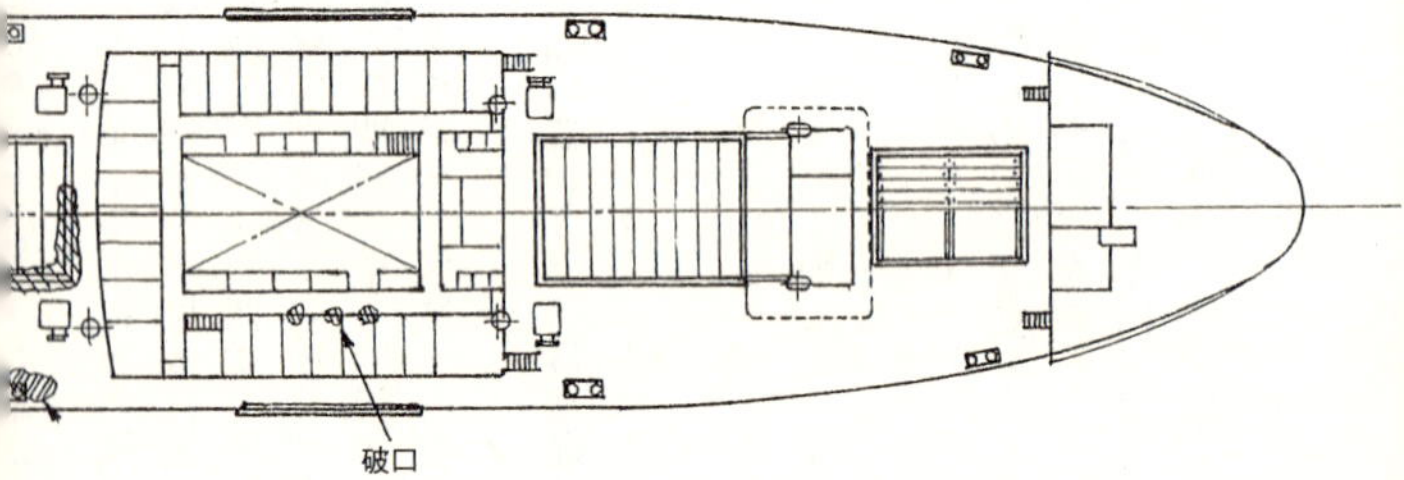
破口

第32図　山城丸の被弾状況図−1

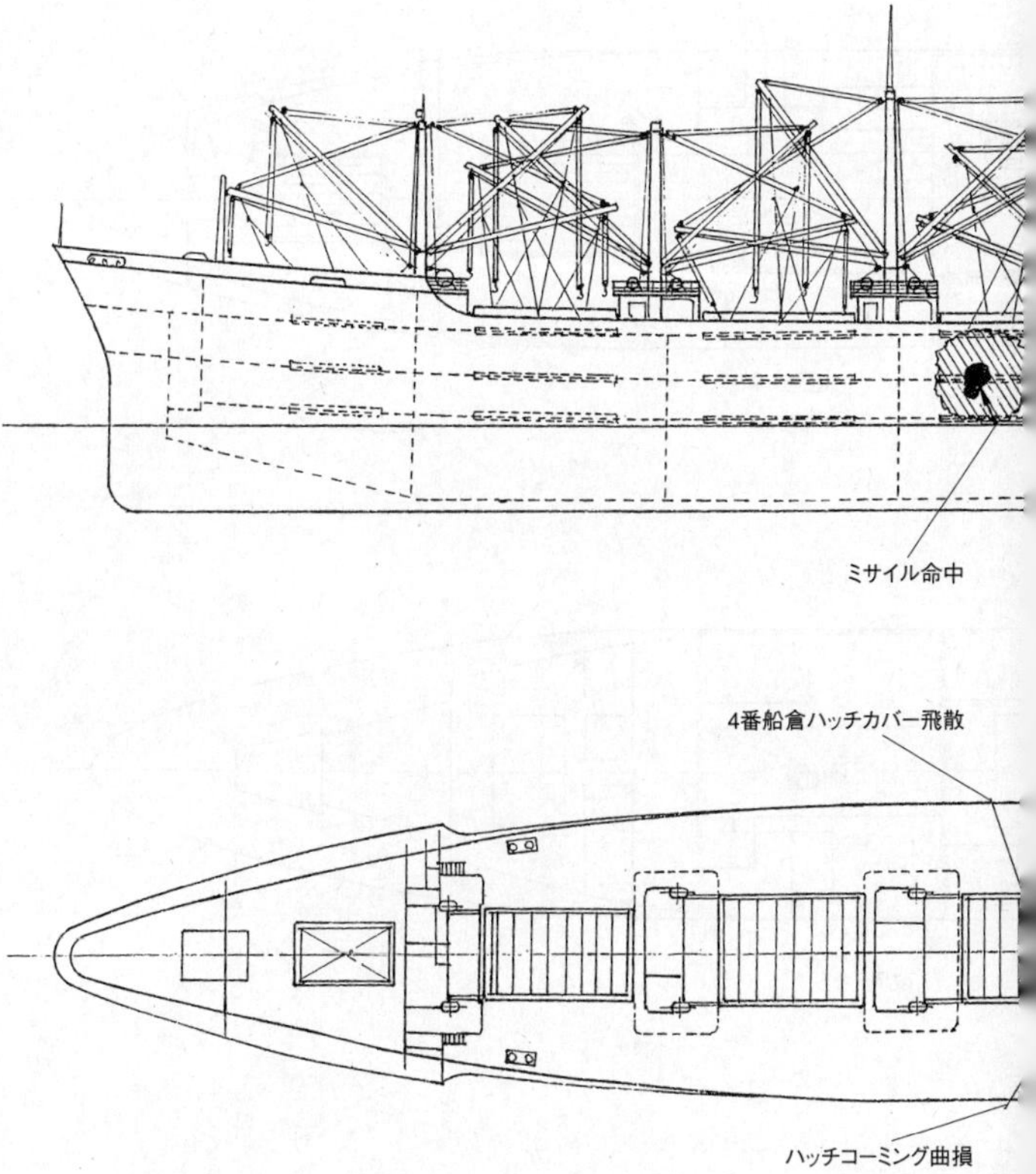

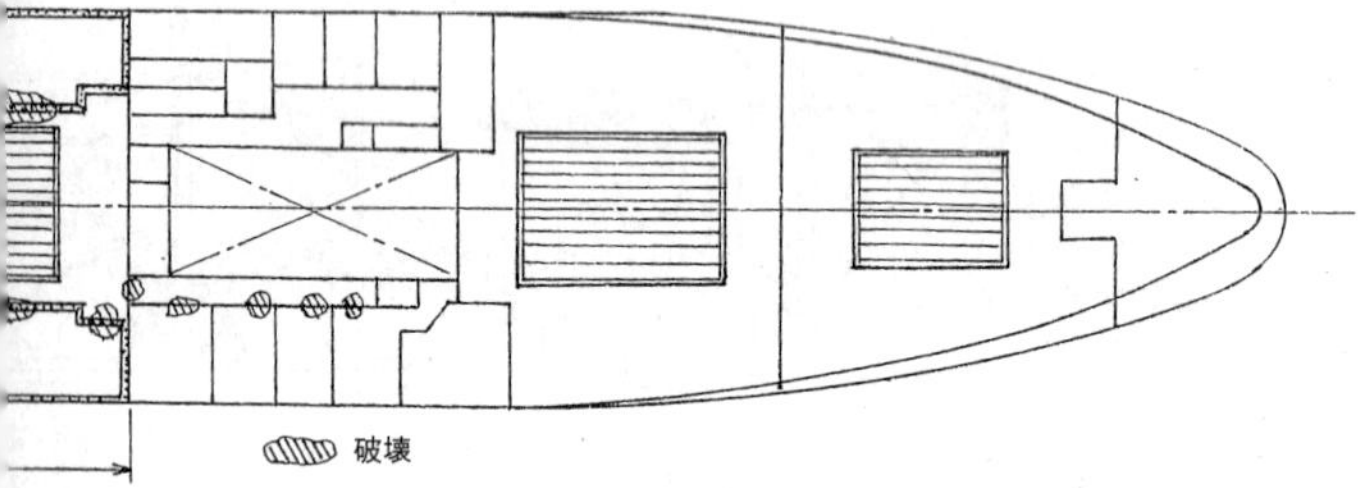
破壊

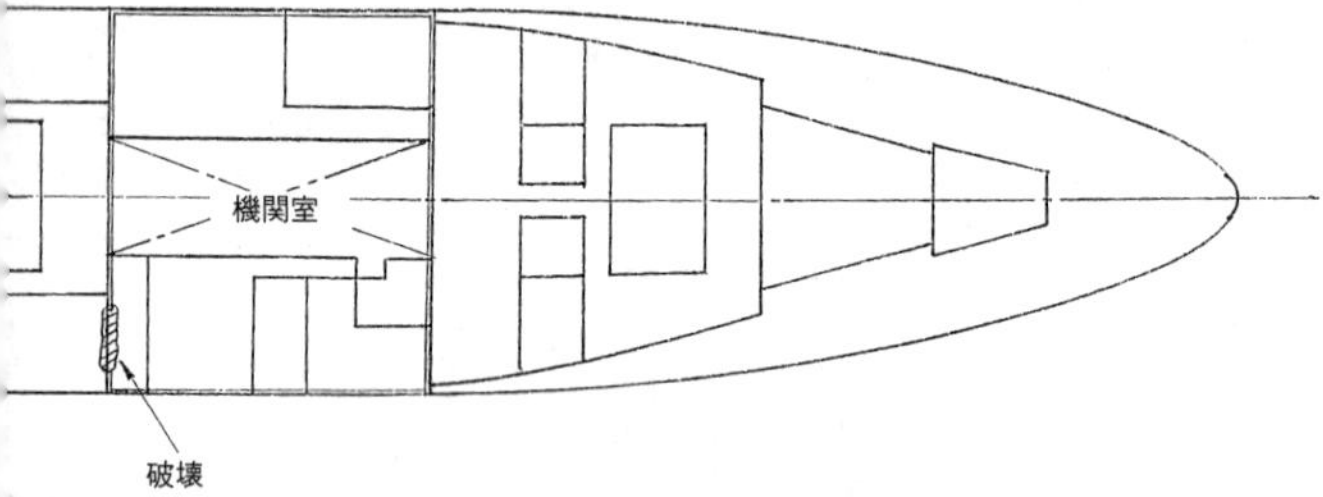
機関室
破壊

第32図　山城丸の被弾状況図−2

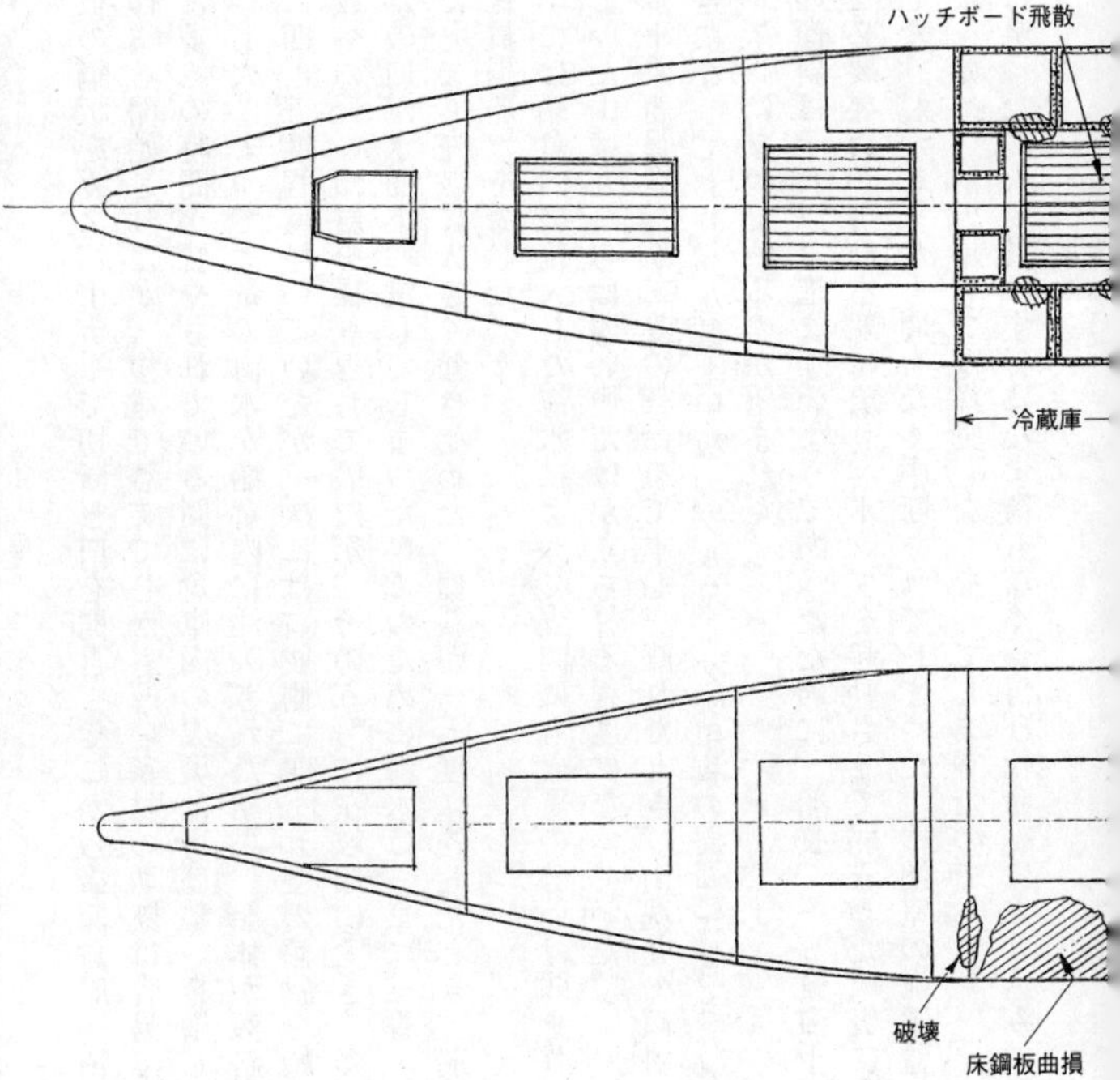

上甲板の鋼板をガスバーナーで切断し口を開き、そこから冷凍倉庫へ消火ホースを潜り込ませる作業も開始されたが、複雑で頑丈でしかも厚い鋼材の切断は容易ではなく、消火準備のために多くの時間が費やされている間に倉庫内の火災は再び勢いを増し始めてしまった。

一方、消火によって大量の海水が船倉内に注入された結果、船体が傾斜を始めた。当初は左舷側に四、五度程度傾いていたが、次には右舷側に四、五度の傾斜を始めた。そしてしばらく両舷への軽い傾斜を繰り返していたが、そのうちに左舷側に大きく傾斜を始め、水面上にあった破口が水面下に没してしまった。このために海水は一気に三番・四番船倉に侵入し、船体はたちまち左舷に大きく傾き始めた。傾斜が一七度に達したとき、船長は消火活動を中止し「総員退船」を命じた。

この頃には船倉内に侵入した海水によって皮肉にも火災の勢いは弱まり、激しく黒煙を吹き上げていた山城丸からは薄い煙だけが立ち昇る程度になっていた。

船長以下乗組員全員が二隻の救命艇で本船を離れたとき、山城丸の傾斜は左舷に二〇度程度の傾きになっており、左舷上甲板のブルワーク（甲板の周囲に巡らされた波除けの腰板）が海面スレスレになっているのが望まれた。

船体の傾斜はそれ以上進まないようであったために、船長、一等航海士、機関長、操舵員、船匠など必要要員が再び本船に戻り、ポンプを起動させて弱まった火災に向かって消火活動を再開した。しかしそれも間もなく中断されてしまった。機関室の配電盤や補機用発電機などが水没を始め、消火ポンプが作動しなくなってしまったのである。

本船に戻った消火要員はすでになす術もなく、再び救命艇に乗り込み岸壁に向かった。そしてラタキア港の消防艇に消火作業の継続を依頼する以外に手立てはなくなっていた。その後、消火艇二隻が山城丸に向かい消火作業を開始したが、四番船倉を中心に再び激しい黒煙を吹き上げだし、ついには火炎まで立ち昇り、消火作業は不可能と判断され中止されてしまった。そして山城丸は燃えるに任せることになったのである。

十月十二日、まだ激しく黒煙を吹き上げている山城丸に向かってボートが漕ぎ出され、一等航海士と二等航海士が船体の周辺から山城丸の状況観察を行なったが、三番・四番船倉ばかりでなく上部構造物の居住区域もほとんど全焼したものと判断された。そして被害が及んでいなかった船首の二番船倉や船尾の五番船倉にも延焼しているらしく、それぞれの上甲板ハッチカバーの隙間からは激しく煙が立ち昇り始めているのが観察された。

船を失い戦闘状態のラタキア港に乗組員がそれ以上滞在する理由はなく、その後の山城丸の処置などについては現地の代理店とシリアの日本大使館に任せることにし、山城丸の乗組員三七名全員がシリアを脱出し、十月十七日に無事に日本に到着した。

ミサイルが山城丸に着弾した理由は様々に推測されるが、イスラエル海軍の高速ミサイル艇側は発砲を繰り返すシリア海軍の小型艇めがけてミサイルを発射したことに疑いの余地はないが、小型艇が山城丸を盾にするように動き、明らかに山城丸という大型商船が目標の前面に存在していたことを承知で、あえてミサイルを発射したのかどうかとなると、検証は極めて困難なことになってくる。ただ注目すべきことは、後日イスラエル海軍の当時の作戦担当官が、このミサイルの山城丸への命中が誤射であったと明言していることである。

ただ誤射の意味が、あらかじめ山城丸の存在を承知の上であえて危険を犯して山城丸の陰に隠れようとする小型艇を狙った意味であったのか、あるいは山城丸をシリア海軍の艦艇と間違って発射したのか、あるいはミサイルの目標照準不良によって山城丸に命中したのか、明確な説明は行なわれていないのである。

結局、山城丸は状況から見てもシリア海軍の身代わりになったものと判断せざるを得ないのであるが、日本側がシリアとイスラエル両国に対してその責任の所在を明確にさせるための国際係争を起こすことも不可能ではないが、当時の状況からそれは結局は不可能なことであると判断せざるを得なかったであろう。

その後の山城丸は沈むことはなかったが積み荷の大半は焼失してしまった。しかし結果的には船体と積み荷の損害は海上保険によって保証されることになった。

その後十一月十六日から山城丸の復旧作業が開始された。そして破口を塞ぎ船内に侵入した海水を排出し傾斜を復元したが、損傷状況が著しく、仮に修復しようとしても日本までの曳航や修理の費用を考慮すると、スクラップ対象船として売却する以外になく、ギリシャのピレウスに曳航された後、一九七四年一月にスクラップ解体と決定された。

世界を驚愕させた超高速貨物船は予想外の事件に巻き込まれ、船齢としては短過ぎる十一年の生涯を終えてしまった。

山城丸を攻撃したミサイルについて少し言及することにする。

当時イスラエル海軍は、自国で開発した艦対艦のガブリエル・ミサイルを小型艦艇に各二基程度装備していた。このガブリエル・ミサイルは一九六五年には実用化していた。本体は全長は三・四メートル、直径三二・五センチメートル、重量四〇〇キログラムで、本体の前後には十字型のヒレが付いており、照準はレーダーホーミングと赤外線ホーミングの組み合わせになっており、極めて高い命中精度を誇っていた。

射程は二〇キロメートル前後で、弾頭には一〇〇キログラムの高性能爆薬が装備され、時速一〇〇〇キロメートル程度の速力で目標に向けて発射された。そしてこのミサイルは海面上を直進し、飛行時には本体の尾部からは推進火薬の燃焼による閃光を放った。

山城丸の多くの乗組員が、このミサイルが本船に向かって飛来するときに放つオレンジ色の閃光を目撃している。

恐らく山城丸を盾に姿を現わしたり隠したりするシリア海軍の小型艇を狙ってこのミサイルは発射されたのであろうが、ミサイルは小型艇よりははるかに大きな山城丸をレーダーでホーミングし、また山城丸の機関室の外板から発する赤外線を感知して不幸にも正確に山城丸を目標に軌道を修正しながら飛んできたのであろう。

最後に余談ではあるが、この事件当時山城丸に乗船していた船医は、現在女優として活躍されている市毛良枝さんの父君で、当時市毛良枝さんはテレビや映画にデビューした直後で、本船にも可愛らしい良枝さんのファンが多く、ご高齢ながらドクターの人気ぶりもすこぶる高かったという話が伝わっている。また事件当時、本船の維持やその後の国際間の交渉に大変なご努力をされた関野三彦船長は現在もご健在でおられ、本船の事件について筆者に電話を通じて様々なお教えをいただいた。

参考文献＊『日本商船隊戦時遭難史』（財）海上労働協会＊駒宮真七郎『戦時輸送船団史』出版協同社＊遠藤昭『陸軍船舶戦争』戦史刊行会＊駒宮真七郎『船舶砲兵』出版協同社＊野間恒編『商船が語る太平洋戦争』＊『世界商船要覧』海と空社＊木俣滋郎『残存帝国艦艇』図書出版＊レオン・ペイヤール／長塚隆二訳『潜水艦戦争（１９３９～１９４５）』早川書房＊カーユス・ベッカー／松谷健二訳『攻撃高度４０００』フジ出版社＊カーユス・ベッカー／松谷健二訳『呪われた海』フジ出版社＊『戦前船舶（Ｖｏｌ・14）』＊Ｌ・トーマス／村上啓夫訳『海の鷹』＊『日本水産70年史』日本水産（株）＊『日立造船百年史』日立造船（株）＊『日本郵船株式会社百年史』日本郵船株式会社＊『日本郵船船舶１００年史』（「世界の艦船」別巻）海人社＊『大阪商船株式会社八十年史』大阪商船株式会社＊日本造船学界史『昭和造船史(第1巻・第2巻)』原書房＊福井静夫『日本特設艦船物語』光人社＊柳原良平・西村慶明『橘丸物語り』至誠堂＊『七つの海で一世紀』日本郵船株式会社＊三浦昭男『北太平洋定期客船史』出版協同社＊『今次大戦に於ける米国の造船』大阪商船株式会社企画局＊関根三彦編『山城丸炎上』関西図書出版＊J. C. BANKER "Liberty Ships (The ugly duckling of world war II)" NAVAL INSTITUTE PRESS＊J. S. Lindsay "The Liberty Ships (The History of the Emergency type Cargo Ships Constructed in the US during WW II)" CORNELL MARITIME PRESS, INC.＊M. H. WATSON "US PASSENGER LINERS SINCE 1945" PATRIC STEPHENS LTD.＊S. C. HEAL "UGLY DUCKLING" Vanwell＊ARNOLD KLUDAS "Great Passenger Ships of the World Vol.2～Vol.5" PATRIC STEPHENS LTD.＊N. J. BROWER "HISTRIC SHIPS" SEA HISTORY PRESS＊D. WILLIAMS "Wartime Disasters at Sea" PATRIC STEPHENS LTD. ＊ F. O. BRAYNARD "FAMOUS AMERICAN SHIPS" HASTINGS HOUSE＊E. Groner "Die Deutschen Kriegsschiffe 1815～1945" Bernard & Graefe Verlarg＊D. L. Williams "Glory Days P & O" Ian Allan＊ "The Golden age of shipping (Conway's History of Ships)" CONWAY＊L. PAINE "Ships of the World An Histric Encyclopedia" CONWAY＊BRAYNARD & MILLER "PICTURE HISTORY OF CUNARD LINE 1840～1990" DOVER＊W. H. MILLER "PICTURE HISTORY OF AMERICAN PASSENGER SHIPS" DOVER＊M. H. WATSON "FLAGSHIPS OF THE LINE" PATRIC STEPHENS LTD.＊L. Dunn "SHIP RECOGNITION MERCHANT SHIPS" ADLARD COLES LTD.＊三好捷三『上海敵前上陸』図書出版社＊佗美浩『コタバル敵前上陸』プレス東京＊渦潮会『上陸戦の先兵(上／下巻)』戦史刊行会

ＮＦ文庫書き下ろし作品

あとがき

本書は既刊の「商船戦記」の続編としてまとめたものであるが、「商船戦記」と同じく、収録した内容はこれまでほとんど知られることのなかったような、戦時商船にまつわるエピソードである。

第一次世界大戦の初期のほんの一時だけ活躍した、帆装仮装巡洋艦ゼー・アドラーの話は、全世界を巻き込んだ一大戦争の中にありながら、何とも人間味とロマンあふれる海の戦いがあったものだと感動する海戦記録である。

商戦戦記というよりも艦艇戦記とも受け取られそうな客船トランシルバニア号の遭難記録は、かつて日本海軍の艦艇が連合国の一員として地中海で船団護衛の任務に活躍したことを改めて思い起こし、あるいは知っていただくために著わしたものである。

給炭艦サイクロプス号の失踪事件は、海難事件（失踪も海難として扱われる）として西欧では有名であるが、日本ではほとんど知られていない事件である。この中でアメリカ海軍が補助艦を臨機応変に商船の代用として使うという興味ある事実から、この事件をあえて戦時商船の変わった戦記として組み入れることにした。

第一次世界大戦と第二次世界大戦で世界の五九〇万総トンもの客船が失われた。この数字は太平洋戦争が勃発したとき日本が保有していた商船の九〇パーセントに相当する数字である。これらの客船の大半は軍隊を輸送途中で敵の攻撃によって失われた。航空機が輸送手段として未発達であった一九五〇年代中頃までは、客船は人を大量に輸送する手段として欠くことのできない乗物であった。それだけにこの客船の大量損失は両大戦直後の世界では、国内、国際間の旅客の海上輸送に深刻な打撃を与えることになった。

リバティー船という名前は太平洋戦争直後の日本ではよく知られた名前であった。しかしその実態については日本ではほとんど知られていなかった。ここではリバティー船の開発から建造そして活躍など、エピソードを交えながら解説してある。

アメリカでは第二次世界大戦直後から「大量生産された粗悪品」の代名詞としてリバティー船の名前が上げられているが、それは必ずしも正しい表現ではなく、その実態は大量建造された日本の二次戦時標準船の粗悪さに比べれば、実にすばらしい完成された貨物船であることを知るとともに、リバティー船の建造の実態を知れば知るほどアメリカの戦時工業力の桁違いな強大さと、計画から実行までのスピーディーさに驚かされるのである。

「アメリカの軍隊輸送船物語」は、既刊の「商船戦記」や「輸送船入門」にも描いたように、太平洋戦争中に軍隊輸送を貨物船に頼らなければならず、その輸送も非人間的扱いに終始した日本の実情と比較したとき、アメリカは兵員一人一人に至るまで戦時中とはいえ少なくとも人間的な扱いに終始していたことを知る上でよい参考になるはずである。

捕鯨母船第三図南丸の生涯については、戦後の一時期、国民の前にその名が出てきたことで多少の認知度はあるものの、戦前の日本が石油の輸送に捕鯨母船も使っていたこと、さらに戦時中は海軍専用の石油輸送や物資輸送の有能な船として使われていたことを知る人は、当時の関係者以外にはほとんどないに等しい。

太平洋戦争直後の一時期、日本人にとって唯一の動物性タンパク質の供給源として、鯨肉が貴重な存在であったことを知る人も少なくなってきたが、飢えた日本人を救うために南方の海底に沈んだ第三図南丸を引き揚げ修理して使ったことは、商船に興味を抱く若い人たちには是非心にとどめておいてほしい話なのである。

東海汽船の小型客船橘丸は東京在住の人たちにとっては懐かしい名前の船である。しかしデビュー当時、日本の客船界に鮮烈な衝撃を与えた橘丸も、戦争とは無縁ではなく思いもよらない事件に遭遇することになったのである。

日本の戦時商船の武装については、乗組員の戦争体験録の中などに断片的名記述を見つけることができるが、その全容を解説したものはこれまでなかった。本書ではわかる限りその概要を解説することに努めたつもりであるが、日本の戦時商船の武装についてはより掘り下げた研究があって然るべきものと考えるのである。

最後の超高速貨物船山城丸の遭難事件は、平和な時代に戦争の被害を受けた日本船として、三〇年以上前のごく一時期新聞紙上などで話題に上ったが、事件発生までのより詳細ないきさつについてはほとんど知られていない事件なのである。

世界に冠たる日本の造船技術の結晶でもあった山城丸の出現は世界の商船界に大きな衝撃

を与え、その後の世界的な海上コンテナリゼーションの導火線の一つにもなった。

その珠玉の作品である山城丸が、実に希有な事件に遭遇し失われたということは衝撃的である。この事件に関して知り得る範囲の情報から山城丸の遭難の実録を描いてみたが、本章をまとめるにあたり、事件当時山城丸の船長であられた関野三彦氏や現在日本郵船歴史博物館の館長代理を務められる金澤寛治氏に、多大なご協力をいただきましたことにあらためて感謝の意を表したく思います。

光人社NF文庫

戦時商船隊

二〇〇五年十月 五 日 印刷
二〇〇五年十月十一日 発行

著 者 大内建二
発行者 高城直一
発行所 株式会社光人社
〒102-0073 東京都千代田区九段北一-九-十一
振替/〇〇一七〇-六-五四六九三
電話/〇三-三二六五-一八六四(代)
印刷所 慶昌堂印刷株式会社
製本所 東 京 美 術 紙 工
定価はカバーに表示してあります
乱丁・落丁のものはお取りかえ
致します。本文は中性紙を使用

ISBN4-7698-2469-6 C0195
http://www.kojinsha.co.jp

光人社ＮＦ文庫

刊行のことば

第二次世界大戦の戦火が熄《や》んで五〇年――その間、小社は夥しい数の戦争の記録を渉猟し、発掘し、常に公正なる立場を貫いて書誌とし、大方の絶讃を博して今日に及ぶが、その源は、散華された世代への熱き思い入れであり、同時に、その記録を誌して平和の礎とし、後世に伝えんとするにある。

小社の出版物は、戦記、伝記、文学、エッセイ、写真集、その他、すでに一、〇〇〇点を越え、加えて戦後五〇年になんなんとするを契機として、「光人社ＮＦ（ノンフィクション）文庫」を創刊して、読者諸賢の熱烈要望におこたえする次第である。人生のバイブルとして、心弱きときの活性の糧《かて》として、散華の世代からの感動の肉声に、あなたもぜひ、耳を傾けて下さい。